به نام یزدان پاک

هـری پاتر
و محفل ققنوس

جلد سوم

نوشتهٔ جی. کی. رولینگ

ترجمهٔ ویدا اسلامیه

کتابسرای تندیس

رولینگ، جوآن کتلین *Rowling, Joanne Kathleen*
هری پاتر و محفل ققنوس / نوشته جی.کی.رولینگ؛ [تصویرگر مری گرند پری]؛ ترجمه ویدا اسلامیه. ــ تهران: کتابسرای تندیس، ۱۳۸۲ ـ .
۳ج.: مصور *ISBN* .- (دوره) *ISBN 964-5757-72-X*
فهرستنویسی براساس اطلاعات فیپا. (ج. ۳) *964-5757-74-6*
عنوان اصلی: *Harry potter and the order of the Phoenix.*
۱. داستانهای انگلیسی -- قرن ۲۰. ۲. جادوگران -- ادبیات نوجوانان. الف. اسلامیه، ویدا، ۱۳۴۶ -، مترجم. ب. گرندپری، مری، *Grandpre, Marry*. ج. عنوان.
PZ۷ / ۹۵ر۴۶هـ [ج] ۸۲۳ / ۹۱۴
پ ۱۳۸۲ ۸۴۷هـر
کتابخانه‌ملی‌ایران ۱۰۲۲۰-۸۲م

کتابسرای تندیس

تهران، خیابان ولی عصر نرسیده به استاد مطهری
شماره ۹۱۵ تلفن: ۸۸۹۲۹۱۷، ۸۹۱۳۰۸۱، دورنگار: ۸۹۱۳۰۲۸
Web: TandisBooks.com E-mail: Info@TandisBooks.com

عنوان: **هری پاتر و محفل ققنوس** جلد سوم
نویسنده: **جی. کی. رولینگ**
مترجم: **ویدا اسلامیه**
چاپ اول: **شهریور ۱۳۸۲**
تیراژ: **۵۰۰۰ نسخه**
طرح و اجرا: تندیس - **RKRM.com**
لیتوگرافی‌وچاپ: **غزال**
صحافی: **کیمیا**
۲۸۰۰ تومان

شابک: ۶-۷۴-۵۷۵۷-۹۶۴ (جلدسوم) ISBN:964-5757-74-6
x-۷۲-۵۷۵۷-۹۶۴ (دوره) 964-5757-72-x

برای مهسا و تاد عزیزم

با آرزوی شادمانی، تندرستی و

کامیابی.

ویدا

*To my dears, Mahsa and Todd, With all
my best wishes for your health, prosperity and
happiness.*

Vida

فهرست

فصل ۲۷

سانتور و خبرچین

پروتی پوزخندی زد و گفت:

ـ حتماً الان پشیمونی که درس پیشگویی رو ادامه ندادی، هرمیون، آره؟

چند روز پس از اخراج پروفسور تریلانی، هنگام صرف صبحانه، پروتی مژه‌هایش را به دور چوبدستی‌اش فر می‌داد و در پشت قاشقش چه‌گونگی تأثیر آن را بررسی می‌کرد. آن روز صبح قرار بود اوّلین جلسه‌ی درسشان با فایرنز تشکیل شود.

هرمیون که مشغول خواندن پیام‌امروز بود با حالتی بی‌اعتنا گفت:

ـ من هیچ‌وقت از اسب‌ها خوشم نمی‌اومده.

لاوندر با تعجّب گفت:

ـ اون که اسب نیست، سانتوره!

پروتی آهی کشید و گفت:

ـ اونم چه سانتوری! معرکه‌س!

هرمیون با لحن سردی گفت:

ـ فرقی نداره، در هر حال چهار تا پا داره... راستی، من فکر می‌کردم اگه تریلانی بره شما دو تا خیلی ناراحت می‌شین.

لاوندر به او اطمینان خاطر داد و گفت:

ـ ناراحت شدیم! رفتیم به دفترش و دیدیمش. یه دسته گل نرگس براش بردیم. البتّه نه از اون نرگس‌های اسپراوت که قات‌قات صدا می‌کنن... از اون نرگس‌های قشنگ...

هری پرسید:

ـ حالش چه‌طور بود؟

لاوندر با همدردی گفت:

ـ طفلکی زیاد خوب نبود. گریه می‌کرد و می‌گفت اگه قرار باشه آمبریج این‌جا بمونه اون ترجیح می‌ده بره. حق هم داره. آمبریج خیلی برخورد بدی باهاش کرد.

هرمیون با بدبینی گفت:

ـ نمی‌دونم چرا فکر می‌کنم آمبریج تازه برخوردهای بدشو شروع کرده.

رون که مشغول خوردن بشقاب بزرگی پر از تخم‌مرغ و ژامبون بود گفت:

ـ امکان نداره. دیگه از اینی که هست بدتر نمی‌تونه باشه.

هرمیون روزنامه را بست و گفت:

ـ حالا صبر کنین، اگه از دامبلدور انتقام نگرفت! اون برای این‌که دامبلدور بدون مشورت با اون استاد جدیدی‌رو استخدام کرده حتماً ازش انتقام می‌گیره، این خط، اینم نشون. مخصوصاً که یه موجود نیمه انسان دیگه‌ست! وقتی چشمش به فایرنز افتاد قیافه‌شو دیدین؟

بعد از صبحانه، هرمیون به کلاس ریاضیات جادویی رفت و هری و

رون به دنبال پروتی و لاوندر به سرسرای ورودی رفتند که روانه‌ی کلاس پیشگویی شوند.

وقتی پروتی از جلوی پلکان مرمری گذشت رون با سردرگمی پرسید:

ـ مگه نباید به برج شمالی بریم؟

پروتی سرش را برگرداند و نگاه ملامت‌باری به او انداخت و گفت:

ـ ببخشید، می‌شه بگین فایرنز چه‌طوری باید از اون نردبان نقره‌ای بالا بره؟ حالا دیگه توی کلاس شماره یازده هستیم. دیروز روی تابلوی اعلانات نوشته بودن.

کلاس شماره‌ی یازده در راهرویی بود که از سرسرای ورودی شروع می‌شد و درست در مقابل سرسرای بزرگ امتداد می‌یافت. هری حدس می‌زد یکی از آن کلاس‌هایی باشد که معمولاً مورد استفاده قرار نمی‌گیرد و از این‌رو کلاسی فراموش شده‌است که همه آن را کمد یا انباری تصوّر می‌کنند. وقتی پشت سر رون وارد کلاس شد خود را درست وسط محوطه‌ی بی‌درخت یک جنگل دید و لحظه‌ای هاج و واج ماند.

ـ وای... این‌جا...

کف کلاس پوشیده از خزه‌ی نرم و ارتجاعی بود و درختان از آن بیرون زده‌بودند. شاخ و برگ آن‌ها همچون چتری، سقف و پنجره‌های کلاس را در بر گرفته‌بودند چنانکه پرتوهای مایل نور خورشید که به درون کلاس راه می‌یافتند به رنگ سبز ملایم و سایه‌روشن داری درآمده بودند. دانش‌آموزانی که زودتر به کلاس رسیده‌بودند بر روی زمین خاک‌آلود نشسته و به تنه‌ی درختان یا سنگ‌های بزرگی تکیه داده‌بودند. دست‌هایشان را به دور زانوهایشان حلقه کرده یا دست به سینه نشسته بودند و مضطرب به نظر می‌رسیدند. در وسط کلاس که

هیچ درختی به چشم نمی‌خورد فایرنز ایستاده بود.

وقتی هری وارد شد فایرنز دستش را به سوی او دراز کرد و گفت:

ـ سلام، هری‌پاتر.

فایرنز با چشم‌های آبی شگفت‌انگیزش به هری خیره شده‌بود و او را با دقّت ورانداز می‌کرد. هری با او دست داد و گفت:

ـ اِ... سلام. خوش‌حالم که شمارو می‌بینم.

فایرنز سرش را با آن موهای بور و روشن کمی کج کرد و گفت:

ـ منم خوش‌حالم. پیشگویی کرده‌بودند که ما دوباره همدیگه‌رو می‌بینیم.

هری متوجّه شد که بر روی سینه‌ی او لکّه‌ی کبودرنگی به شکل سُم اسب به چشم می‌خورد. وقتی رویش را از او برگرداند تا مانند سایر دانش‌آموزان کلاس روی زمین بنشیند با نگاه‌های مات و متحیّر آن‌ها روبه‌رو شد و کاملاً معلوم بود دانش‌آموزان وحشت‌زده‌ی کلاس با مشاهده‌ی آشنایی قبلی او با فایرنز به شدّت تحت تأثیر قرارگرفته‌اند.

همین‌که در کلاس بسته شد و آخرین دانش‌آموز نیز بر روی کنده‌ی درختی کنار سطل آشغال نشست فایرنز با اشاره به گوشه و کنار کلاس گفت:

ـ پروفسور دامبلدور محبّت کرده‌ن و این کلاس‌رو به شکل زیستگاه طبیعی من درآورده‌ن. من ترجیح می‌دادم در جنگل ممنوع به شما درس بدم که تا روز دوشنبه... خونه‌ی من بود... امّا چنین چیزی امکان‌پذیر نشد.

پروتی با نفسی بند آمده دستش را بالا برد و گفت:

ـ ببخشید... قربان، چرا این کارو نکردین؟ ما با هاگرید به جنگل ممنوع رفتیم... نمی‌ترسیم.

فایرنز گفت:

ـ مشکل ما ترس یا شجاعت شما نیست. این موقعیّت منه که مشکل‌ساز شده. من دیگه نمی‌تونم به جنگل برگردم. گلّه‌م منو طرد کرده.

لاوندر با سردرگمی پرسید:

ـ گله؟

هری بلافاصله فهمید که لاوندر گله‌ی گاوها را مجسّم کرده‌است. لاوندر فوراً گفت:

ـ چی...؟ اوه... آهان!

لاوندر که تازه به معنای حرف او پی برده‌بود با حیرت ادامه داد:

ـ در جنگل افراد دیگه‌ای هم مثل شما هستن؟

دین مشتاقانه پرسید:

ـ شمارو هم مثل تسترال‌ها، هاگرید پرورش می‌ده؟

فایرنز با حرکتی بسیار آرام به سمت دین برگشت و دین بلافاصله متوجّه شد که حرفش بسیار توهین‌آمیز بوده‌است. از این‌رو با صدایی بسیار آهسته در پایان جمله‌اش گفت:

ـ منظوری نداشتم... می‌خواستم... ببخشید.

فایرنز به آرامی گفت:

ـ سانتورها نه در خدمت انسان‌ها هستند نه بازیچه‌شون.

لحظه‌ای سکوت برقرار شد آن‌گاه پروتی دوباره دستش را بلند کرد و گفت:

ـ ببخشید، قربان، چرا بقیّه‌ی سانتورها شمارو طرد کرده‌ن؟

فایرنز گفت:

ـ برای این‌که من قبول کردم که برای پروفسور دامبلدور کار کنم. از نظر اونا با این کار به نژادمون خیانت کرده‌م.

هری به یاد چهار سال پیش افتاد که سانتوری به نام بن بر سر فایرنز

فریاد کشیده‌بود که چرا برای بردن هری به جایی امن او را بر پشت خود سوار کرده و او را یک «الاغ معمولی» خطاب کرده‌بود. آیا ممکن بود بن به سینه‌ی فایرنز زده‌باشد؟

فایرنز گفت:

ـ بیاین درسمونو شروع کنیم.

او دم سفید و بلندش را به سرعت حرکت داد. سپس دستش را به سمت چتر پر شاخ و برگ بالای سرشان برد و آهسته پایین آورد. بلافاصله نور کلاس کم شد و به نظر رسید که آن‌ها در هنگام غروب در محوطه‌ی بی‌درخت جنگل نشسته‌اند. ستارگان بر فراز سرشان پدیدار شده‌بودند. صدای ابراز احساسات دانش‌آموزان از هر سو به گوش می‌رسید و در این میان صدای رون از همه واضح‌تر بود که گفت:

ـ به‌به!

فایرنز با صدایی آرام و موقر گفت:

ـ روی زمین به پشت دراز بکشین و به آسمان نگاه کنین. در آسمان تقدیر نژادهای ما، برای اونایی که چشم بصیرت دارن، به تصویر کشیده شده.

هری به پشت دراز کشید و به سقف خیره شد. بر فراز سرشان ستاره‌ی سرخ و درخشانی به او چشمک می‌زد. فایرنز با همان صدای آرام و موقرش گفت:

ـ می‌دونم که در درس نجوم، نام سیّارات و قمرهاشونو یاد گرفتین و مسیر حرکتشونو در آسمان ترسیم کردین. سانتورها در طول قرن‌های متمادی، از راز و رمز این حرکت‌ها پرده برداشته‌ن و ما یاد گرفتیم که با مشاهده‌ی آسمان بر فراز سرمون می‌تونیم آینده‌رو ببینیم...

پروتی همان‌طور که روی زمین دراز کشیده‌بود دستش را در مقابلش دراز کرد و با حالتی هیجان‌زده گفت:

ـ پروفسور تریلانی به ما طالع‌بینی‌رو درس داده! مریخ باعث تصادف و سوختگی و این‌جور چیزها می‌شه، و وقتی مثل الان با زحل زاویه درست می‌کنه...

او با حرکت دستش زاویه‌ی قائمه‌ای رسم کرد و ادامه داد:

ـ یعنی این‌که مردم موقع جابه‌جاکردن چیزهای داغ باید بیش‌تر از همیشه احتیاط کنن...

فایرنز به آرامی گفت:

ـ این حرف‌ها... گفتار بی‌معنی انسان‌هاست.

پروتی آهسته دستش را انداخت و کنار بدنش روی زمین گذاشت. فایرنز درحالی‌که سم‌هایش بر روی زمین پوشیده از خزه گرمپ‌گرمپ صدا می‌کرد گفت:

ـ آسیب‌های جزیی، حوادث انسانی ناچیز... این مسایل در این جهان پهناور، مهّم‌تر از دویدن مورچه‌ها نیستند و تحت تأثیر حرکت سیّارات قرار ندارند.

پروتی با آزردگی برآشفت و گفت:

ـ پروفسور تریلانی...

امّا فایرنز با صراحت گفت:

ـ ... یه انسانه و در نتیجه به علّت محدودیّت‌های خاص هم‌نوعانش، کوته‌بین و تنگ اندیشه.

هری اندکی سرش را برگرداند تا به پروتی نگاه کند. از قیافه‌اش معلوم بود حس می‌کند مورد اهانت قرار گرفته‌است. عدّه‌ای از دانش‌آموزان که در اطراف او بودند نیز قیافه‌های مشابهی داشتند.

فایرنز در مقابل آن‌ها آرام و با وقار قدم می‌زد. هری صدای حرکت سریع دمش را شنید. او ادامه داد:

ـ ممکنه سیبل تریلانی غیب‌بینی کنه، من نمی‌دونم. امّا در زمینه‌ی

مزخرفات خودنمایانه‌ای که انسان‌ها اسمشو گذاشته‌ن فال‌بینی، بی‌تردید داره وقتشو تلف می‌کنه. امّا من... به این‌جا اومده‌م که دانش و خردسانتورهارو توضیح بدم که مبحثی غیرشخصی و بی‌طرفانه است. ما در پهنه‌ی آسمان امواج عظیم شرارت، یا تغییراتی‌رو مشاهده می‌کنیم که گاهی کاملاً مشخّص و آشکاره. ممکنه حتّی ده سال طول بکشه تا آنچه در آسمان دیدیم به وقوع بپیونده.

فایرنز ستاره‌ی سرخی را که درست بالای سر هری بود نشان داد و گفت:

ـ در دهه‌ی اخیر، نشانه‌ها خبر داده‌ن که نژاد جادوگران در دوران کوتاه آرامش میان دو جنگ زندگی می‌کنند. مریخ، پیام‌آور جنگ، بالای سرمون به روشنی می‌درخشه و از جنگی قریب‌الوقوع خبر می‌ده. برای روشن‌شدن تاریخ تقریبی این‌جنگ، سانتورها می‌تونن با سوزوندن گیاهان و برگ‌های خاص و مشاهده‌ی شعله و دود اون پیشگویی کنن...

درس آن روز غیرعادی‌ترین درس هری در تمام عمرش بود. آن‌ها کف کلاسشان مریم گلی و پنیرک صحرایی سوزاندند و فایرنز از آن‌ها خواست که در دود غلیظ آن به دنبال شکل‌ها و نشانه‌ها بگردند امّا از قرار معلوم برایش هیچ اهمیّتی نداشت که حتّی یک نفر از آن‌ها نیز موفّق به دیدن نشانه‌هایی نشده‌بود که او توصیف می‌کرد زیرا می‌گفت به ندرت ممکن است انسانی در این رشته پیشرفت چشمگیری داشته‌باشد و سالیان سال طول کشیده‌است تا سانتورها در این زمینه مهارت کسب کرده‌اند. در پایان کلاس نیز گفت که اعتقاد بیش از اندازه به این مسایل احمقانه است زیرا حتّی سانتورها نیز گاهی این نشانه‌ها را به صورتی نادرست می‌خوانند. او مثل هیچ‌یک از انسان‌هایی نبود که هری تابه‌حال در مقام استادی دیده‌بود. ظاهراً هدف اصلی او آموختن تمامی آنچه می‌دانست به آن‌ها نبود بلکه به نظر می‌رسید می‌خواهد به

آن‌ها بفهماند که هیچ‌چیز، حتّی خرد سانتورها نیز قابل اعتماد و خطاناپذیر نیست.

وقتی در پایان درس، آتش پنیرک صحرایی را خاموش می‌کردند رون با صدایی آهسته گفت:

ـ اون درباره‌ی هیچ‌چیزی اطمینان و قاطعیّت نشون نمی‌ده... منظورم اینه که اگه این‌طوری باشه منم می‌تونم درباره‌ی جزئیات این جنگی که در پیش داریم یه چیزهایی بگم. تو هم می‌تونی، درسته؟

صدای زنگ درست از بیرون در کلاس به گوش رسید و همه را از جا پراند. هری کاملاً فراموش کرده‌بود که در داخل قلعه‌اند و حس می‌کرد واقعاً در جنگل بوده‌اند. دانش‌آموزان کلاس با قیافه‌هایی گیج و متحیّر پشت سرهم از کلاس خارج می‌شدند. هری و رون نیز می‌خواستند به دنبال آن‌ها بروند که فایرنز گفت:

ـ هری‌پاتر، می‌شه لطفاً بیای که یه چیزی بهت بگم؟

هری به سمت او برگشت و سانتور چند قدم جلوتر آمد. رون مردّد مانده‌بود. فایرنز به رون گفت:

ـ تو هم می‌تونی بمونی امّا فقط درو ببند.

رون با عجله از دستور او پیروی کرد. سانتور گفت:

ـ هری‌پاتر، تو با هاگرید دوستی، درسته؟

هری گفت:

ـ بله.

ـ پس از قول من بهش هشدار بده. تلاشش بی‌نتیجه‌ست. به نفعشه که از این کار دست برداره.

هری با قیافه‌ای گیج و سردرگم تکرار کرد:

ـ تلاشش بی‌نتیجه‌ست؟

فایرنز با حرکت سرش جواب مثبت داد و گفت:

ـ و به نفعشه که از این کار دست برداره. می‌خواستم خودم به هاگرید هشدار بدم ولی من طرد شده‌م... الان اصلاً عاقلانه نیست که به جنگل ممنوع زیاد نزدیک بشم. هاگرید به‌قدر کافی دردسر داره و لازم نیست جنگ و نزاع سانتورها هم به دردسرهای دیگه‌ش اضافه بشه.

هری با نگرانی گفت:

ـ ولی... مگه هاگرید داره برای انجام چه کاری تلاش می‌کنه؟

فایرنز با خونسردی هری را نگاه کرد و گفت:

ـ هاگرید همین چندوقت پیش خدمت بزرگی به من کرد و از اون به بعد من برای اون احترام زیادی قایلم چون برای تمام موجودات زنده ارزش زیادی قایل می‌شه. من با افشای رازش بهش خیانت نمی‌کنم. ولی باید هشیار بشه. تلاشش بی‌نتیجه‌س. بهش اینو بگو، هری پاتر. خدانگهدارت باشه.

شادی و سعادتی که هری پس از مصاحبه با مجله‌ی طفره‌زن تجربه کرده‌بود از مدّت‌ها پیش از میان رفته بود. با سپری‌شدن ماه مارس ملال‌انگیز و فرارسیدن آوریل پرباد و توفان، زندگی هری نیز در نظرش به مجموعه‌ی دور و درازی از نگرانی‌ها و مشکلات تبدیل می‌شد.

آمبریج همچنان در تمام کلاس‌های مراقبت از موجودات جادویی حضور می‌یافت و از این‌رو رساندن پیغام فایرنز به هاگرید بی‌نهایت دشوار به نظر می‌رسید. سرانجام هری یک روز وانمود کرد کتاب جانوران شگفت‌انگیز و زیستگاه آن‌هایش را گم کرده و بعد از کلاس به سرعت برگشت و بدین ترتیب موفّق به انجام این کار شد. وقتی پیام فایرنز را برای هاگرید بازگو کرد او لحظه‌ای با چشم‌های کبود و متورمش به هری خیره نگریست. ظاهراً از این حرف یکّه خورده‌بود. سپس خود را جمع‌وجور کرد و با لحن تندی گفت:

ـفایرنز خیلی لطف داره. ولی خودشم نمی‌دونه چی داره می‌گه. تلاش من داره به نتیجه می‌رسه.

هری با لحنی بسیار جدّی گفت:

ـ هاگرید، تو چی کار داری می‌کنی؟ باید خیلی احتیاط کنی. آمبریج تریلانی رو اخراج کرده و اگه از من بپرسی می‌گم بازهم می‌خواد اخراج کنه. اگه داری کاری می‌کنی که نباید بکنی...

ـ چیزهایی هست که از نگه‌داشتن شغل مهم‌تره.

دست‌های هاگرید می‌لرزید و در نتیجه لگن پر از فضله‌ی تیغالو از دستش بر روی زمین افتاد.

ـ نگران من نباش، هری. حالا دیگه برو. اون یارو خیلی خوبه ولی...

هری چاره‌ای نداشت جز این‌که هاگرید را به حال خود بگذارد تا بتواند فضله‌ها را از کف خانه‌اش پاک کند. امّا هنگامی‌که با ناراحتی به قلعه باز می‌گشت حال و روز خوبی نداشت.

در این میان، هرمیون و استادهایشان دایم نزدیک‌تر شدن امتحانات سمج را گوشزد می‌کردند. تمام دانش‌آموزان سال پنجم کمابیش عصبی و مضطرب بودند امّا هانا آبوت اوّلین کسی بود که شربت آرامش‌بخش خانم پامفری را خورد چراکه در کلاس گیاه‌شناسی بغضش ترکید و هق‌هق‌کنان گفت که چون خیلی کودن است نمی‌تواند در امتحانات موفّق شود و می‌خواهد ترک تحصیل کند.

هری در این فکر بود که اگر درس‌های الف‌دال نبود بی‌نهایت افسرده و ناراحت می‌شد. گاهی احساس می‌کرد که تنها به امید ساعاتی که در اتاق ضروریات می‌گذراندند زنده مانده‌است. با این‌که سخت تلاش می‌کرد امّا وجودش لبریز از خشنودی می‌شد. وقتی به اعضای الف‌دال نگاه می‌کرد و پیشرفت آن‌ها را می‌دید با غرور و افتخار به خود می‌بالید. او گاهی به این می‌اندیشید که وقتی همه‌ی اعضای الف‌دال در

امتحان سمج درس دفاع در برابر جادوی سیاه «عالی» بگیرند آمبریج چه واکنشی از خود نشان می‌دهد.

سرانجام، تمرین برای ساختن سپر مدافع را آغاز کردند و همه در این تمرین شور و شوق از خود نشان دادند. امّا هری دایم به آن‌ها تذکّر می‌داد که ساختن یک سپر مدافع در وسط یک کلاس روشن و در زمانی که هیچ خطری تهدیدشان نمی‌کند با ساختن آن در هنگام مواجهه با چیزی مانند یک دیوانه‌ساز زمین تا آسمان فرق می‌کند.

در آخرین جلسه‌ی الف‌دال پیش از عید پاک، چو محو تماشای سپر مدافعش شده‌بود که کاملاً شبیه به یک قوی نقره‌فام بود و بر فراز اتاق ضروریّات پرواز می‌کرد؛ او در همان حال با خوشرویی به هری گفت:

ـ اه، هری، این قدر ضدّحال نباش. اینا خیلی خوشگلن.

هری صبورانه گفت:

ـ اینا قرار نیست خوشگل باشند، باید از شما محافظت کنن. ما به یه لولو خورخوره‌ای چیزی نیاز داریم. من همین‌طوری یاد گرفته‌م دیگه. وقتی لولو خورخوره خودشو به شکل دیوانه‌ساز درمی‌آورد باید در مقابلش سپر مدافع درست می‌کردم...

لاوندر که از انتهای چوبدستی‌اش توده‌ی ابرمانندی از بخار نقره‌ای بیرون می‌زد گفت:

ـ ولی اون جوری که خیلی ترسناک می‌شه.

و بعد با خشم اضافه کرد:

ـ تازه منم که... هنوز نمی‌تونم... درستش کنم!

نوبل نیز دچار مشکل شده‌بود. برای این‌که حواسش را متمرکز کند صورت گردش را درهم کشیده بود امّا از نوک چوبدستی‌اش تنها دود نقره‌ای ظریف و تارمانندی بیرون می‌آمد. هری به او یادآوری کرد:

ـ باید به یه چیز خوب و شادی‌آور فکر کنی.

نویل که از بس به خود فشار می‌آورد صورتش خیس عرق شده‌بود با درماندگی گفت:

ـ دارم سعی خودمو می‌کنم.

سیموس که برای اوّلین بار با دین به کلاس الف‌دال آمده‌بود فریاد زد:

ـ هری، انگار من موفّق شدم! نگاه‌کن... آه... رفت. ولی باورکن یه چیز پشمالو بود، هری!

سپر مدافع هرمیون که یک سمور آبی نقره‌ای درخشان بود جست‌وخیزکنان به دورش می‌چرخید. هرمیون با خشنودی به آن نگاه کرد و گفت:

ـ واقعاً که خیلی ناز و خوشگلن.

در اتاق ضروریّات لحظه‌ای باز و دوباره بسته شد. هری به اطرافش نگاه کرد تا ببیند چه کسی وارد اتاق شده‌است امّا ظاهراً کسی نیامده‌بود. امّا چند لحظه بعد متوجّه شد کسانی‌که نزدیک در ایستاده بودند ساکت شده‌اند؛ و بلافاصله متوجّه شد که ردایش از قسمتی در حدود زانو کشیده‌می‌شود. سرش را پایین انداخت و در نهایت تعجّب، دابی، جنّ خانگی، را دید که از پایین هشت کلاهی که همیشه بر سر داشت به او زل زده‌بود. او گفت:

ـ سلام، دابی! تو این‌جا چی‌کار... چی شده؟

چشم‌های دابی از وحشت گرد شده‌بود و تمام بدنش می‌لرزید. چندین نفر از اعضای الف‌دال که از همه به هری نزدیک‌تر بودند اکنون ساکت و بی‌حرکت مانده‌بودند. همه‌ی کسانی که در اتاق بودند دابی را نگاه می‌کردند. چندین سپر مدافعی که بچّه‌ها درست کرده‌بودند تبدیل به غبار نقره فامی شد و از میان رفت؛ و اتاق تاریک‌تر از قبل به نظر رسید.

جن خانگی که سراپا می‌لرزید جیرجیرکنان گفت:

ـ هری‌پاتر، قربان... هری‌پاتر، قربان... دابی اومد که به شما هشدار داد... ولی جن‌های خونگی دابی‌رو از این کار منع کردن...

دابی با سر به سمت دیوار رفت. هری که از پیش می‌دانست دابی چه‌گونه به مجازات‌کردن خویش عادت کرده‌است بلافاصله جلو رفت تا مانع این کار شود امّا هشت کلاهی که بر سر دابی بود باعث شد او پس از برخورد با دیوار سنگی مثل فنر به عقب برگردد. هرمیون و چند دختر دیگر از سر همدردی با او جیغ‌های کوتاهی کشیدند.

هری دست ظریف جنّ خانگی را گرفت تا او را از صدمه زدن به خود باز دارد و پرسید:

ـ چه اتّفاقی افتاده، دابی؟

ـ هری‌پاتر... اون... اون...

دابی با دست آزادش مشت محکمی به بینی‌اش زد و هری آن دستش را نیز گرفت و گفت:

ـ «اون» یعنی کی، دابی؟

امّا هری می‌توانست حدس بزند که چه کسی می‌تواند تا این اندازه دابی را به وحشت بیندازد. جنّ خانگی سرش را بلند کرد و با چشم‌هایش که اکنون کمی تاب پیدا کرده‌بود به هری نگاه کرد. سپس بی‌صدا نامی را بر زبان آورد. هری وحشت‌زده پرسید:

ـ آمبریج؟

دابی با حرکت سرش حرف او را تأیید کرد و بلافاصله کوشید سرش را به زانوی هری بکوبد. امّا هری او را محکم نگه داشت و گفت:

ـ آمبریج چی شده دابی... نکنه قضیه‌ی این‌جا رو... قضیّه‌ی ما رو فهمیده... قضیه‌ی الف‌دال‌رو فهمیده؟

او در نگاه هراسان جنّ خانگی پاسخش را خواند. همان‌طوری‌که هری محکم دست‌های دابی را نگه داشته‌بود او سعی کرد به خود لگدی بزند و به زمین افتاد. هری آهسته از او پرسید:

ـ داره می‌یاد؟

دابی هق‌هق گریه را سر داد و گفت:

ـ بله، هری‌پاتر، بله!

هری صاف ایستاد و به اطرافیانش نگاه کرد که خشکشان زده‌بود و با وحشت به کتک‌زدن جنّ خانگی به خودش زل زده بودند. ناگهان نعره زد:

ـ **پس منتظر چی هستین؟ فرار کنین!**

همه با هم با سرعتی برق‌آسا به سمت در هجوم بردند و پشت در جمع شدند و ناگهان از در خارج شدند. هری صدای گام‌های شتاب‌زده‌ی آن‌ها را در طول راهرو می‌شنید و امیدوار بود آن‌ها عاقلانه فکر کنند و یکراست به سمت خوابگاه‌هایشان ندوند. هنوز ساعت ده دقیقه به نه بود، ای کاش فعلاً به کتابخانه یا جغددانی پناه می‌بردند که هر دو نزدیک‌تر از هر جای دیگری بودند...

هرمیون از وسط جمعیّتی که تقلاّ می‌کردند از اتاق خارج شوند جیغ کشید و گفت:

ـ هری، بیا!

هری دابی را بلند کرد. او همچنان می‌کوشید آسیبی جدّی به خود وارد کند. هری دابی را بلند کرده و به آخر صف کسانی پیوست که از اتاق خارج می‌شدند و به دابی گفت:

ـ دابی... این یه دستوره... برگرد به آشپزخونه، پیش بقیّه‌ی جن‌های خونگی و اگر آمبریج ازت پرسید به من خبر دادی یا نه، بهش دروغ بگو و بگو که نگفتی! در ضمن حق نداری به خودت صدمه بزنی!

هری با این حرف دابی را رها کرد و بالاخره از چارچوب در بیرون رفت و پشت سرش در را محکم به هم کوبید. دابی جیرجیرکنان گفت:

ـ ممنونم، هری‌پاتر!

و سپس مثل برق از آن‌جا رفت.

هری به سمت چپ و راست نگاه کرد. سایر دانش‌آموزان با چنان سرعتی از آن‌جا دور می‌شدند که هری فقط توانست پاشنه‌ی پایشان را در انتهای راهروهای دو طرف ببیند. دوان‌دوان به سمت راست رفت. کمی جلوتر یک دستشویی ویژه‌ی پسرها قرار داشت. اگر می‌توانست خود را به آن‌جا برساند می‌توانست وانمود کند آن‌جا بوده‌است.

ـ آی!

چیزی به دور قوزک پاهایش پیچید و او به‌طور حیرت‌آوری به زمین افتاد و حدود دو متر بر روی دست‌ها و پاهایش کف زمین لغزید و بالاخره متوقّف شد. صدای خنده‌ی کسی را از پشت سرش شنید. غلتی زد و به پشت خوابید. مالفوی در فرورفتگی دیوار و در، زیر تاقچه‌ای پنهان شده‌بود که گلدان زشتی به شکل یک اژدها بر روی آن قرار داشت. او گفت:

ـ این طلسم شوم لغزش بود، پاتر! آهای پروفسور... **پروفسور!** یکی شونو پیدا کردم!

آمبریج با عجله از نزدیک‌ترین پیچ خود را به آن‌ها رساند. نفسش بند آمده‌بود امّا لبخند رضایتمندانه‌انه بر لب داشت. همین‌که چشمش به هری بر روی زمین افتاد با حالتی پیروزمندانه گفت:

ـ خودشه! آفرین دراکو، عالی بود... وای، خیلی خوب بود... پنجاه امتیاز برای گروه اسلیترین! از این‌جا به بعد خودم می‌برمش... پاشو، پاتر!

هری از جایش برخاست و با عصبانیّت به هر دوی آن‌ها نگاه کرد.

پیش از آن هرگز آمبریج را به آن خوش‌حالی ندیده‌بود. او انگشت‌هایش را مثل گیره به دور بازوی هری قلاب کرد و درحالی‌که لبخند بازی بر لبش نشسته بود به مالفوی نگاه کرد و گفت:

ـ همین دور و اطراف بچرخ، ببین می‌تونی چند تا دیگه شونو گیر بندازی. به بقیّه بگو توی کتابخونه‌رو بگردن ببینن کسی نفس‌نفس می‌زنه. توالت‌هارو نگاه کنین. دوشیزه پارکینسون هم می‌تونه توالت دخترهارو بازرسی کنه... بدو برو...

با رفتن مالفوی، رو به هری کرد و با ملایم‌ترین و تهدیدآمیزترین لحن گفتارش گفت:

ـ و امّا تو... تو با من به دفتر مدیر می‌آیی، پاتر.

چند دقیقه بعد جلوی نگهبان سنگی بودند. هری نمی‌دانست چند نفر دیگر را دستگیر کرده‌اند. به یاد رون افتاد... خانم ویزلی او را می‌کشت... اگر هرمیون را قبل از گرفتن مدارک سمجش اخراج می‌کردند چه حالی می‌شد؟ این اوّلین جلسه‌ای بود که سیموس در آن شرکت کرده‌بود... نویل چه خوب پیشرفت کرده‌بود...

آمبریج گفت:

ـ زنبور ویژویژوی جوشان.

نگهبان بی‌ریخت سنگی به کناری پرید و دیوار پشت آن دو نیم شد. آن‌ها از پله‌های متحرک سنگی بالا رفتند. به در جلا داری رسیدند که کوبه‌ای به شکل شیر دال داشت. امّا آمبریج به خود زحمت در زدن نداد و درحالی‌که هنوز محکم دست هری را گرفته بود یکراست به داخل اتاق رفت.

دفتر دامبلدور پر از افراد مختلف بود. دامبلدور پشت میزش نشسته بود و با قیافه‌ای آرام نوک انگشت‌هایش را به هم چسبانده‌بود. پروفسور مک‌گونگال با قیافه‌ای جدّی و عصبی پشت سر او ایستاده

بود. کورنلیوس فاج، وزیر سحر و جادو، کنار آتش روی پنجه پاهایش به جلو و عقب تاب می‌خورد و از وضعیّتی که پیش آمده‌بود بی‌نهایت راضی و خشنود به نظر می‌رسید. کینگزلی شکلبولت همراه با جادوگری با چهره‌ی خشن و موهایی بسیار کوتاه و ضخیم که هری او را نمی‌شناخت در دو طرف در همچون دو نگهبان ایستاده بودند. چهره‌ی کک‌مکی و عینکی پرسی ویزلی با قلم پر و طومار سنگینی از کاغذ پوستی در کنار در، در حرکت بود. او با حالتی هیجان‌زده قلم پرش را آماده بر روی کاغذ پوستی نگه داشته بود گویی می‌خواست بر روی آن چیزی بنویسد.

تابلوی مدیره‌ها و مدیران سالخورده‌ی هاگوارتز امشب تظاهر به خواب نمی‌کردند. همه‌ی آن‌ها هشیار و گوش به زنگ بودند و آنچه را در اتاق می‌گذشت تماشا می‌کردند. وقتی هری وارد اتاق شد چند تن از آن‌ها یواشکی به تابلوهای مجاور خود رفتند و در گوش تابلوی همسایه‌شان چیزی گفتند.

همین‌که در پشت سرشان بسته شد هری دستش را از لای انگشت‌های آمبریج بیرون کشید. کورنلیوس فاج که رضایتی شرارت‌آمیز بر چهره‌اش سایه انداخته بود با غضب به هری نگاه کرد و گفت:

ـ به‌به، به‌به...

هری در مقابل، با بدترین حالتی که می‌توانست به او نگاه کرد. قلبش در سینه دیوانه‌وار می‌تپید امّا مغزش به‌طور عجیبی پاک و آرام بود.

آمبریج گفت:

ـ داشت به برج گریفندور برمی‌گشت. پسر مالفوی دستگیرش کرد.

در حالت صدایش شور و هیجان زنده‌ای محسوس بود؛ همان شور

وجدآمیزی بودکه هری هنگام مشاهده‌ی وضعیّت درمانده و فلاکت‌بار تریلانی در سرسرای ورودی در چهره‌ی آمبریج دیده‌بود.

فاج با حالتی تحسین‌آمیز گفت:

ـ جدّی؟ یادم باشه به لوسیوس بگم. خب، پاتر... بـه گـمونم خـودت می‌دونی برای چی آوردنت این‌جا.

هری دهانش را باز کرد تا با حالتی جسورانه بگوید: «بله.» امّا هنوز این کلمه را به‌طور کامل بر زبان نـیاورده‌بود کـه چشـمش بـه چـهره‌ی دامبلدور افتاد. او مستقیم به هری نگاه نکرده، نگاهش را در نقطه‌ای بالای شانه‌ی هری متمرکز کرده‌بود. همین‌که هری به او نگاه کرد سرش را به اندازه‌ی یکی دو سانتی‌متر حرکت داد و مخالفتش را برای هری به نمایش گذاشت. هری در نیمه‌ی این کلمه تغییر عقیده داد و گفت:

ـ بَل... نه!

فاج گفت:

ـ چی گفتی؟

هری قاطعانه گفت:

ـ نه.

ـ تو نمی‌دونی چرا آوردنت این‌جا؟

هری گفت:

ـ نه، نمی‌دونم.

فاج ناباورانه نگاهش را از هری به پروفسور آمبریج انداخت. هری همان یک لحظه بی‌توجّهی فاج را غـنیمت شـمرد و نگـاه دزدانـه‌ی دیگری به دامبلدور انداخت. دامبلدور نگاهش را به قالیچه انداخت و با تکان بسیار جزیی سرش، او را تأیید کرد و چشمک نامحسوسی زد.

فاج با لحنی کنایه‌آمیز گفت:

ـ پس یعنی تو نمی‌دونی که چرا پروفسور آمبریج تورو به این‌جا آورده؟

یعنی نمی‌دونی که قوانین مدرسه‌رو زیر پا گذاشتی؟

هری گفت:

ـ قوانین مدرسه؟ نه.

فاج با خشم حرفش را اصلاح کرد و گفت:

ـ یا حکم‌های آموزشی‌رو؟

هری با خونسردی گفت:

ـ تا جایی که می‌دونم، نه.

قلبش هنوز با شدّت و سرعت می‌تپید. البتّه گفتن این دروغ‌ها به مشاهده‌ی بالارفتن فشارخون فاج می‌ارزید امّا هری نمی‌توانست تصوّر کند که چه‌گونه می‌تواند بعد از گفتن آن‌ها قِصر دربرود. اگر کسی گروه الف‌دال را به آمبریج خبر داده‌بود هری، که سردسته‌ی گروه بود باید همان لحظه بار و بندیلش را می‌بست.

فاج که اکنون صدایش از شدّت خشم بم شده‌بود گفت:

ـ پس یعنی تو نمی‌دونی که یک سازمان دانش‌آموزی غیرقانونی در این مدرسه کشف شده؟

هری قیافه‌ی متعجّب و معصومانه‌ای به خود گرفت که چندان واقعی به نظر نمی‌رسید و گفت:

ـ نه، نشنیده بودم.

آمبریج از پشت سر او با زبان چرب و نرمش گفت:

ـ جناب وزیر، به نظر من اگر جاسوسمونو بیاریم بهتر می‌تونیم به نتیجه برسیم.

فاج گفت:

ـ بله، بله، حتماً این کارو بکنید.

و همین‌که آمبریج بیرون رفت فاج نگاه موذیانه‌ای به دامبلدور انداخت و گفت:

-هیچ‌چیز بهتر از یک شاهد خوب نیست، درسته، دامبلدور؟
دامبلدور سرش را کمی مایل کرد و با لحنی بسیار جدّی گفت:
-کاملاً درسته، کورنلیوس.

چند دقیقه‌ای همه در انتظار بودند و هیچ‌کس به دیگری نگاه
نمی‌کرد. آنگاه هری صدای بازشدن دری را از پشت سرش شنید.
آمبریج از کنارش گذشت و وارد اتاق شد او شانه‌ی ماریه‌تا، دوست
موفرفری چو را محکم گرفته بود و او با دو دستش صورتش را پوشانده
بود. پروفسور آمبریج با ملایمت پشت او را نوازش کرد و را به نرمی گفت:
-نترس عزیزم، نترس. دلیلی برای نگرانی وجود نداره، تو کار خوبی
کردی. جناب وزیر خیلی از کارت راضیه. به مامانت می‌گه که تو چه
دختر خوبی هستی. جناب وزیر، مادر ماریه‌تا...
آمبریج به فاج نگاه کرد و ادامه داد:
-در سازمان حمل‌ونقل جادویی کار می‌کنه، در اداره‌ی پودر پرواز. اون
در نگهبانی از آتش‌های هاگوارتز کمکمون می‌کرد.

فاج با حرارت گفت:
-خیلی عالیه، خیلی عالیه... پسر کو ندارد نشان از پدر... تو بیگانه
خوانش ننامش پسر... این دختر هم به مادرش رفته دیگه. خب، دیگه،
دخترم، سر تو بالا کن... خجالت نکش، ما می‌خوایم حرف‌های تورو...
به حق کله اژدری‌های یورتمه برو!

همین‌که ماریه‌تا سرش را بلند کرد فاج از تعجّب به عقب جستی زد
و چیزی نمانده‌بود خود را در آتش بیندازد. شروع به لعن و نفرین کرد و
با پایش حاشیه‌ی شنلش را لگد کرد و از آن دودی برخاست. ماریه‌تا
ناله‌ای کرد و یقه‌ی ردایش را تا ابروهایش بالاکشید. امّا در همین فاصله
تمام کسانی که در اتاق بودند صورت او را دیدند که بر روی آن
کورک‌های وحشتناک بنفش رنگی کنار هم قرار گرفته و از گونه و بینی او

عبور کرده‌بودند تا کلمه‌ی «خبرچین» را به نمایش بگذارند.

آمبریج با بی‌تابی گفت:

ـ جوش‌ها مهّم نیستند، عزیزم. فقط رداتو از جلوی دهنت کنار بکش و به وزیر بگو...

امّا ماریه‌تا ناله‌ی خفه‌ی دیگری کرد و با حرکت دیوانه‌وار سرش مخالفتش را نشان داد.

آمبریج با بدخلقی گفت:

ـ باشه، دختر ابله، خودم بهش می‌گم.

او لبخند جنون‌آمیزی را بار دیگر بر لب آورد و گفت:

ـ خب، جناب وزیر، همین دوشیزه اجکومب[1] که این‌جاست کمی بعد از شام امشب به دفترم اومد و گفت که می‌خواد یه چیزی به من بگه. اون گفت که اگه من به یک اتاق مخفی در طبقه‌ی هفتم برم که بهش می‌گن اتاق ضروریّات، در اونجا چیزی پیدا می‌کنم که به نفعمه. ازش سؤال‌هایی کردم و اون اقرار کرد که قراره اونجا جلسه‌ای تشکیل بشه. متأسّفانه همون موقع این طلسم...

او با بی‌قراری به صورت مخفی شده‌ی ماریه‌تا اشاره کرد و ادامه داد:

ـ به اجرا دراومد و دخترک وقتی صورت خودشو توی آینه‌ی دفترم دید وحشت‌زده شد و هیچ چیز دیگه‌ای به من نگفت.

فاج با حالتی که از نظر خودش مهرآمیز و پدرانه بود به ماریه‌تا نگاه کرد و گفت:

ـ خب، تو واقعاً شجاعت به خرج دادی، عزیزم. کار خیلی درستی کردی که به پروفسور آمبریج خبر دادی. حالا می‌شه به من بگی که توی این جلسه چه خبر بود؟ هدفشون چی بود؟ چه کسانی اونجا بودن؟

ولی ماریه‌تا حرف نزد. او با چشمانی ترسان و گشاد فقط سرش را

---

1 - Edgecombe

تکان می‌داد و مخالفت می‌کرد. فاج با بی‌قراری صورت ماریه‌تا را نشان داد و پرسید:

ـ برای این، ضدّ طلسمی نداریم؟ که بتونه راحت حرفشو بزنه؟

آمبریج با اکراه اقرار کرد:

ـ هنوز ضدّ طلسمشو پیدا نکرده‌م.

هری از مهارت هرمیون در اجرای طلسم‌های شوم احساس غرور و سربلندی کرد. آمبریج ادامه داد:

ـ اگر هم حرفی نزنه، زیاد مهّم نیست، جناب وزیر. من خودم می‌تونم بقیّه‌ی ماجرارو براتون تعریف کنم. جناب وزیر، یادتونه که در ماه اکتبر گزارشی براتون فرستادم و نوشتم که پاتر با چند تا از همشاگردیهایش در هاگزهد دهکده‌ی هاگزمید جمع شده‌بوده‌ن...

پروفسور مک‌گونگال حرف او را قطع کرد و گفت:

ـ براساس چه مدرکی این حرف‌رو می‌زنین؟

ـ مدرک من حرف‌های ویلی ویدرشینزه، مینروا، که اون موقع توی کافه بوده. درسته که همه جاش باندپیچی شده‌بوده ولی قدرت شنوایی اون هیچ صدمه‌ای ندیده.

آمبریج با لحنی تکبّرآمیز ادامه داد:

ـ اون همه‌ی حرف‌های پاترو شنید و با عجله یکراست به مدرسه اومد و به من گزارش داد...

پروفسور مک‌گونگال ابروهایش را بالا برد و گفت:

ـ آهان، پس برای همین بود که برای اون همه توالت نشخوارکننده تحت تعقیب قرار نگرفت! نظام قضایی ما براساس چه بینشی استواره!

جادوگر چاقی که بینی سرخی داشت از تابلوی پشت‌سر دامبلدور فریاد زد:

ـ چه فساد بی‌شرمانه‌ای! در دوران من وزارت سحر و جادو با مجرمین

کم‌اهمیّت تبانی نمی‌کرد، نه قربان، به هیچ‌وجه این کارو نمی‌کرد!

دامبلدور با ملایمت گفت:

ـ ممنونم فورتسکیو، دیگه کافیه!

پروفسور آمبریج ادامه داد:

ـ هدف پاتر از ملاقات با دانش‌آموزان این بود که اونارو ترغیب کنه که عضو یک انجمن غیرقانونی بشن و در این انجمن طلسم‌ها و نفرین‌هایی‌رو یاد بگیرن که وزارت سحر و جادو برای دانش‌آموزان مدرسه مناسب نمی‌دونه...

دامبلدور از بالای عینک نیم دایره‌ای‌اش که در نیمه‌ی بینی خمیده‌اش جای داشت نگاه نافذش را به آمبریج انداخت و به آرامی گفت:

ـ دلورس، من فکر می‌کنم در این مورد متوجّه اشتباهت نشدی.

هری به دامبلدور خیره شد. نمی‌دانست این‌بار چه‌طور می‌خواهد با گفتارش او را از این مخمصه نجات بدهد. اگر ویلی‌ویندزشینز همه‌ی حرف‌هایش را در هاگزهد شنیده‌بود امکان نداشت بتواند از این مشکل رهایی یابد.

فاج درحالی‌که روی پنجه‌ی پاهایش بالا و پایین می‌رفت گفت:

ـ اوه‌هو! بگذارین ببینیم جدیدترین داستانی که برای نجات پاتر سر هم کرده چیه! زودباش دامبلدور، بگو! ویلی‌ویدرشینز دروغ می‌گفته، آره؟ نکنه اون روز برادر دوقلوی پاتر توی هاگزهد بوده؟ نکنه این بار هم از همون توضیح‌های ساده‌ایه که با برگردوندن زمان به عقب یا زنده‌شدن مرده یا چند تا دیوانه‌ساز نامریی مربوط می‌شه؟

پرسی ویزلی از ته دل خندید و گفت:

ـ اوه، خیلی عالی بود، جناب وزیر، واقعاً عالی بود!

هری دلش می‌خواست به او لگد بزند. امّا در همان لحظه متوجّه

شد که دامبلدور نیز به آرامی لبخند می‌زند. او گفت:

ـ کورنلیوس، من نمی‌گم که هری اون روز در هاگزهد نبوده و مطمئنم که... هـری هـم ایـنو انکار نمی‌کنه. ایـنم انکار نمی‌کنم کـه هری می‌خواسته گروه دفاع در برابر جادوی سیاه تشکیل بده. مـن فقط می‌خوام به دلورس تذکّر بدم چون اشتباه می‌کنه که می‌گه در اون زمان چنین گروهی غیرقانونی بوده. اگه یادتون باشه حکم وزارت‌خونه در مورد ممنوعیّت تشکیل گروه‌های دانش‌آموزی دو روز بعد از رفتن هری به هاگزمید به اجرا دراومد. بنابراین اون در هاگزهد هیچ قانونی‌رو نقض نکرده.

قیافه‌ی پرسی طوری شد که انگار چیز سنگینی محکم به صورتش خورده‌بود... فاج در نیمه‌های بالاوپایین رفتن بر روی پنجه‌ی پاهایش میخکوب شد و دهانش باز ماند.

اوّلین کسی که به خود آمد آمبریج بود. او لبخند دلنشینی زد و گفت:

ـ بله، کاملاً درسته، جناب مـدیر. امّا الان شش‌ماه از صـدور حکم آموزشی شماره‌ی بیست‌وچهار گذشته. اگر هم اوّلین جلسه غیرقانونی نبوده، تمام جلساتی که بعد از اون تاریخ تشکیل شده که غیرقانونی بوده.

دامبلدور از بالای انگشت‌های درهـم گره کرده‌اش با تـوجّهی مؤدّبانه آمبریج را نگاه کرد و گفت:

ـ خب، اگر این ملاقات‌ها بعد از به اجرا دراومدن اون حکم ادامه پیدا کرده‌باشه معلومه که غیرقانونیه... آیا مدرکی دارین که نشون بده بعد از اون جلسه، جلسات دیگری هم تشکیل شده؟

هنگامی‌که دامبلدور صحبت مـی‌کرد هـری صـدایی را از پشت سرش شنید و تصوّر کرد کنیگزلی چیزی زمزمه کرده‌است. حاضر بود قسم بخورد که عبور چیز نرمی را مثل پروبال یک پرنده از کنارش

احساس کرده‌است. امّا وقتی مقابلش را نگاه کرد هیچ‌چیزی ندید.

آمبریج با همان لبخند باز وزغ‌مانند گفت:

ـ مدرک؟ مگه به حرف‌هام گوش نمی‌دادین، دامبلدور؟ پس فکر کردین دوشیزه اجکومب‌رو برای چی آورده‌م این‌جا؟

دامبلدور ابروهایش را بالا برد و گفت:

ـ اون می‌تونه درباره‌ی جلسات شش ماهه برامون توضیحی بده؟ من تصوّر کردم که اون درباره‌ی جلسه‌ای گزارش داده که امشب تشکیل شده.

آمبریج بلافاصله گفت:

ـ دوشیزه اجکومب، عزیزم به ما بگو که چند وقته این جلسات تشکیل می‌شه؟ می‌تونی با حرکت سرت جواب مثبت یا منفی بدی، عزیزم. مطمئنم که با این کار جوش‌ها بدتر نمی‌شه. آیا در شش ماه گذشته این جلسات به‌طور مرتّب تشکیل می‌شده؟

قلب هری به‌طور ناگهانی در سینه‌اش فرو ریخت. این همان حقیقتی بود که حتّی دامبلدور را نیز در تنگنا قرار می‌داد و او نمی‌توانست از آن بگریزد...

آمبریج با خوشرویی و چرب‌زبانی گفت:

ـ فقط با حرکت سرت جواب بده، عزیزم. زودباش دیگه، با این کار این طلسم شوم بدتر نمی‌شه...

همه‌ی کسانی‌که در اتاق بودند و به بالای سر ماریه‌تا خیره نگاه می‌کردند. فقط کاکل فرفری و چشم‌هایش از بالای یقه‌ی ردایش معلوم بود. چشم‌هایش، شاید در اثر انعکاس نور شعله‌های آتش مات و بی‌روح به نظر می‌رسید. و آن‌گاه هری در نهایت حیرت و شگفتی، سر ماریه‌تا را دید که به نشانه‌ی جواب منفی حرکت کرد.

آمبریج بلافاصله به فاج و سپس دوباره به ماریه‌تا نگاه کرد و گفت:

ـ مثل اینکه متوجّه سؤال من نشدی، عزیزم. پرسیدم آیا در شش‌ماه
گذشته در این جلسات شرکت کردی؟ شرکت کردی دیگه، درسته؟

ماریه‌تا دوباره با حرکت سرش جواب منفی داد.

آمبریج که کاسه‌ی صبرش لبریز شده بود گفت:

ـ برای چی سرتو این‌طوری تکون می‌دی، منظورت چیه؟

پروفسور مک‌گونگال با لحن خشنی گفت:

ـ به نظر من که جوابش کاملاً مشخّص بود. در شش ماه گذشته هیچ
جلسه‌ی مخفیانه‌ای وجود نداشته. درسته دوشیزه اجکومب؟

ماریه‌تا با حرکت سرش جواب مثبت داد.

آمبریج با خشم گفت:

ـ ولی امشب یه جلسه بوده! دوشیزه اجکومب، امشب یه جلسه بوده که
تو خودت به من گفتی در اتاق ضروریّات تشکیل شده! و پاتر
سردسته‌شون بوده، پاتر این انجمن‌رو درست کرده... برای چی سر تو
این‌طوری تکون می‌دی، دختر؟

پروفسور مک‌گونگال به سردی گفت:

ـ معمولاً وقتی کسی سرشو این‌طوری تکون می‌ده یعنی اینکه جوابش
منفیه، مگر اینکه دوشیزه اجکومب از زبون اشاره‌ای استفاده کنه که
ناشناخته باشه...

پروفسور آمبریج ماریه‌تا را گرفت و به سمت خودش برگرداند و
شروع به تکان‌دادن او کرد. لحظه‌ای بعد دامبلدور از جایش برخاست و
چوبدستی‌اش را بلند کرد. کنیگزلی جلو آمد و آمبریج ماریه‌تا را رها
کرد و شروع به تکان‌دادن دست‌هایش کرد چنان‌که گویی دست‌هایش
سوخته بود.

برای اوّلین بار چهره‌ی دامبلدور خشمگین شد و گفت:

ـ من به تو اجازه نمی‌دم که با دانش‌آموزان من با خشونت رفتار کنی،

دلورس.

کنیگزلی با صدای آرام و بمش گفت:

ـ بهتره به خودتون مسلّط باشین، خانم آمبریج. شما که نمی‌خواین خودتونو به دردسر بندازین.

آمبریج سرش را بلند کرد و به قامت بلند کنیگزلی نگاهی انداخت و درحالی‌که نفسش بند آمده‌بود گفت:

ـ نه، منظورم اینه که حق با توست، شکلبولت. من... من... یه لحظه کنترلمو از دست دادم.

ماریه‌تا درست همان جایی ایستاده بود که آمبریج او را رها کرده‌بود. به نظر نمی‌رسید که از حمله‌ی آمبریج مضطرب شده یا با بیرون آمدن از چنگ او آسوده‌خاطر شده‌باشد. او هم‌چنان یقه‌ی ردایش را تا چشم‌های خیره‌ی غیرعادی‌اش بالا کشیده بود و مستقیم به نقطه‌ای در مقابلش نگاه می‌کرد. هری یک لحظه به زمزمه‌ی ناگهانی کنیگزلی و آنچه عبورش را حس کرده‌بود شک کرد.

فاج که گویی می‌خواست قضیه را به نتیجه‌ی نهایی برساند گفت:

ـ دلورس، جلسه‌ی امشب... همونی که مطمئنیم تشکیل شده...

آمبریج حفظ ظاهر کرد و گفت:

ـ بله... بله... دوشیزه اجکومب به من خبر داد و من بلافاصله همراه با بعضی از دانش‌آموزان قابل اعتماد به طبقه‌ی هفتم رفتم تا اونارو در حین ارتکاب جرم دستگیر کنم. امّا ظاهراً بهشون خبر داده‌بودن که ما داریم می‌ریم اونجا برای این‌که وقتی به طبقه‌ی هفتم رسیدیم دیدیم هر کدوم از یک طرف دویدند و فرار کردند. امّا مهّم نیست، من اسم تک تکشونو این‌جا دارم. به دوشیزه پارکینسون گفتم به اتاق ضروریّات بره و ببینه چیزی جاگذاشته‌ن یا نه... ما احتیاج به مدرک داشتیم و اون اتاق مدرک‌رو به دستمون داد...

هری با وحشت دید که آمبریج از جیبش فهرست اسامی آن‌ها را درآورد که به دیوار اتاق ضروریّات نصب کرده‌بودند و آن را به دست فاج داد. او به نرمی گفت:

ـ همین‌که اسم پاترو توی فهرست دیدم فهمیدم که با چه جور چیزی سروکار داریم.

فاج که لبخندی رضایتمندانه چهره‌اش را فرا می‌گرفت گفت:

ـ عالیه. عالیه، دلورس... و حیرت‌انگیز...

او به دامبلدور نگاهی انداخت که همچنان چوبدستی‌اش از دستش آویخته بود و کنار ماریه‌تا ایستاده بود. فاج به آرامی گفت:

ـ می‌دونی اسم خودشونو چی گذاشته‌ن؟ *ارتش دامبلدور!*

دامبلدور دستش را دراز کرد و کاغذ پوستی را از دست فاج گرفت. او به عنوان آن نگاه کرد که ماه‌ها پیش به‌دست هرمیون نوشته شده‌بود و به نظر رسید لحظه‌ای از سخن گفتن بازمانده‌است. آنگاه لبخندی زد و سرش را بلند کرد و گفت:

ـ خب، بازی تموم شد. می‌خوای یه اقرار کتبی از من بگیری، کورنلیوس... یا اظهار شفاهی جلوی این همه شاهد کافیه؟

هری متوجّه شد که مک‌گونگال و کنیگزلی به هم نگاه کردند. ترس در چهره‌ی هر دو نمایان بود. هری نمی‌دانست چه خبر شده‌است و کاملاً معلوم بود که فاج نیز نمی‌داند. فاج آهسته گفت:

ـ اظهار شفاهی؟ چی... من نمی...؟

دامبلدور کاغذ پوستی را جلوی صورت فاج تکان داد و درحالی‌که همچنان لبخند می‌زد گفت:

ـ ارتش دامبلدور، کورنلیوس! این ارتش پاتر نیست، ارتش دامبلدوره!

ـ ولی... ولی...

ناگهان چهره‌ی فاج از هم باز شد و فهمید. با حالتی وحشت زده یک

قدم عقب رفت و نعره زد و دوباره از داخل آتش بیرون پرید. او بار دیگر لبه‌ی شنلش را با پا لگد کرد و آهسته گفت:

ـ تو؟

دامبلدور رضایتمندانه گفت:

ـ درسته.

ـ تو این سازمان‌رو تشکیل دادی؟

ـ بله.

ـ تو این دانش‌آموزان‌رو جمع کردی که ارتشت باشند؟

دامبلدور سرش را به نشانه‌ی جواب مثبت تکان داد و گفت:

ـ امشب قرار بود اوّلین جلسه باشه. فقط می‌خواستم ببینم می‌خوان به من ملحق بشن یا نه. حالا متوجّه شدم که دعوت از دوشیزه اجکومب اشتباه بوده.

ماریه‌تا سرش را به نشانه‌ی جواب مثبت تکان داد. فاج نگاهش را از او برداشت و به دامبلدور انداخت. آنگاه سینه‌اش را جلو داد و نعره زد:

ـ پس تو داشتی بر علیه من توطئه می‌کردی!

دامبلدور با شادمانی گفت:

ـ درسته.

هری فریاد زد:

ـ نه!

کینگزلی با حالتی هشداردهنده به او نگاه کرد. مک‌گونگال به‌صورتی تهدیدآمیز چشم‌هایش را گرد کرد امّا هری تازه متوجّه شده‌بود که دامبلدور چه قصدی دارد و نمی‌توانست بگذارد او چنین کاری بکند. او گفت:

ـ نه... پروفسور دامبلدور!

دامبلدور به آرامی گفت:

ـ ساکت باش، هری. وگرنه مجبور می‌شم از دفترم بیرونت کنم.

فاج که هنوز با وجد و سرور وحشت‌انگیزی به دامبلدور نگـاه
می‌کرد با عصبانیّت به هری گفت:

ـ راست می‌گه، پاتر، خفه‌شو! به‌به، به‌به، من امشب اومدم ایـن‌جـا کـه
پاترو اخراج کنم ولی حالا به جاش...

دامبلدور لبخندزنان گفت:

ـ به جاش می‌خوای منو دستگیر کنی. درست مثل اینه که آدم یه نات گم
کنه و به جاش یه گالیون پیدا کنه.

فاج که اکنون آشکارا از شادمانی می‌لرزید نعره زد:

ـ ویزلی! ویزلی همه چی رو نوشتی؟ همـه‌ی چیزهایی‌رو کـه گفت،
همه‌ی اعترافاتشو نوشتی؟

پرسی که از فرط عجله در نـوشتن قطـره‌های مـرکب بـه بینی‌اش
پاشیده بود مشتاقانه گفت:

ـ بله، قربان. همه‌رو نوشتم، قربان!

ـ اون قسمت‌رو نوشتی که گفت می‌خواسته بر علیه وزارتـخونه ارتش
درست کنه و برای متزلزل‌کردن موقعیّت من فعّالیّت می‌کرده؟

پرسی با شادمانی یادداشت‌هایش را از نظر گذراند و گفت:

ـ بله، قربان، نوشته‌م، قربان، بله!

فاج که اکنون از شور و شادی سر از پا نمی‌شناخت گفت:

ـ بسیارخب، یه نسخه از روی یادداشت‌هات تهیّه کن، ویزلی، و فـوراً
برای پیام امروز بفرست. اگه با یه جغد سریع‌السیر بفرستی به روزنامه‌ی
فردا صبح می‌رسیم.

پرسی به سرعت از اتاق خارج شـد و در را پشت سـرش بست. فاج
دوباره رو به دامبلدور کرد و گفت:

ـ حالا با همراهی مأمورین بـه وزارتـخونه مـی‌یای تـا بـه‌طور رسـمی

تشکیل پرونده بدیم و بعد هم می‌فرستیمت به آزکابان تا در اون‌جا منتظر جلسه‌ی محاکمه‌ت باشی!

دامبلدور به نرمی گفت:

ـ آه، بله، بله، فکرشو می‌کردم که چنین مشکلی پیش بیاد.

فاج که از فرط وجد و سرور صدایش می‌لرزید گفت:

ـ مشکل؟ مشکلی وجود نداره، دامبلدور!

دامبلدور با حالتی عذرخواهانه گفت:

ـ ولی متأسفانه به نظر من وجود داره.

ـ اِ... راستی؟

ـ مشکل این‌جاست که تو دچار این توهّم شدی که من... چه‌طوری بگم... فکر می‌کنی من آروم باهات می‌یام. متأسّفم، کورنلیوس، من خیال ندارم آروم و بی‌دردسر بیام. من به هیچ‌وجه قصد ندارم به آزکابان برم. البتّه، می‌تونم فرار کنم... امّا وقتم تلف می‌شه و اگه راستشو بخوای کارهای زیادی دارم که باید انجام بدم.

چهره‌ی آمبریج لحظه‌به‌لحظه سرخ‌تر می‌شد گویی وجودش را آب‌جوش فرا می‌گرفت. فاج با قیافه‌ی ابلهانه‌ای به او نگاه می‌کرد گویی با ضربه‌ای سر جایش میخکوب شده‌بود امّا باور نمی‌کرد. سرفه‌ی کوتاهی کرد و سپس به کنیگزلی و مردی نگاه کرد که موی کوتاه جو گندمی داشت و تنها کسی بود که در آن اتاق هیچ حرفی نزده‌بود. مرد با حالتی اطمینان‌بخش برای فاج سری تکان داد و جلو آمد و از دیوار فاصله گرفت. هری او را دید که با خونسردی دستش را به سمت جیبش برد. دامبلدور با مهربانی گفت:

ـ هیچ‌کار احمقانه‌ای نکن، داولیش! شکّی ندارم که تو یک کارآگاه تمام عیاری. هنوز یادم نرفته که در تمام امتحان‌های سطوح عالی جادوگری نمره‌ی «عالی» گرفتی. امّا اگه بخوای به زور منو دستگیر کنی مجبور

می‌شم بهت صدمه بزنم.

مردی که داولیش نام داشت با حالتی ابلهانه پلک زد. بار دیگر بـه فاج نگاه کرد امّا گویی این‌بار امیدوار بود سرنخی از او به دست آورد و بفهمد چه باید بکند.

فاج به خود آمد و پوزخندی زد و گفت:

ـ که این‌طور! پس تو می‌خوای یک تنه با من و داولیش و شکلبولت و دلورس دست و پنجه نرم کنی؟ آره، دامبلدور؟

دامبلدور لبخندزنان گفت:

ـ نه به ریش مرلین! مگر این‌که شما حماقت کنین و منو مجبور به این کار بکنین.

پروفسور مک‌گونگال دستش را به داخل ردایش بـرد و بـا صـدای بلندی گفت:

ـ اون تنها نیست!

دامبلدور با لحن تندی گفت:

ـ چرا هست، مینروا، هاگوارتز به وجودت احتیاج داره.

فاج چوبدستی‌اش را درآورد و گفت:

ـ دیگر مسخره‌بازی کافیه! داولیش، شکلبولت، بگیرینش!

ناگهان پرتو نقره‌فامی در اتاق درخشید و صدای بنگ بلندی شبیه به شلیک گلوله به گوش رسید و زمین به لرزه درآمد. دستی پس گـردن هری را گرفت و به زور او را نقش زمین کرد و بلافاصله پرتو نقره‌فام دیگری درخشید... چند تابلو فریاد زدند، فاوکس صدای جیغ‌مانندی درآورد و دود غلیظی فضای اتاق را پر کرد. هری کـه در مـیان فضای غبارآلود سرفه می‌کرد پیکر تیره‌ای را دید که در مقابلش تالاپی روی زمین افتاد. صدای جیغی به گوش رسید و چیزی گرمپی صداکرد و یک نفر فریاد زد: «نه!» سپس صدای شکستن شیشه‌ای بلند شد. صدای

گام‌های شتابان و در پی آن صدای ناله‌ای به گوش رسید و آنگاه همه‌جا ساکت شد.

هری تقّلا کرد که ببیند چه کسی در حال خفه‌کردن اوست و پروفسور مک‌گونگال را دید که کنارش قوز کرده‌بود. او هری و ماریه‌تا را از خطر دور نگه داشته بود. هنوز گردوخاک به آرامی از بالا بر سر و رویشان می‌ریخت. هری که آهسته نفس‌نفس می‌زد پیکر بلند قامتی را دید که به سویشان می‌آمد.

دامبلدور گفت:

ـ حالتون خوبه؟

پروفسور مک‌گونگال از جایش بلند شد و هری و ماریه‌تا را نیز بالا کشید و گفت:

ـ بله!

گردوخاک فرو می‌نشست و خرابی اتاق کم‌کم نمایان می‌شد. میز تحریر دامبلدور واژگون شده و همه‌ی میزهای پایه بلند بر زمین افتاده‌بود. ابزارهای نقره‌ای آن‌ها خرد و خمیر شده‌بود. فاج، آمبریج، داولیش و کنیگزلی بی‌حرکت بر روی زمین افتاده بودند. فاوکس، ققنوس دامبلدور، آهسته بالای سرشان چرخ می‌زد و به نرمی آواز می‌خواند. دامبلدور با صدای آهسته‌ای گفت:

ـ متأسفانه مجبور شدم کنیگزلی‌رو هم طلسم کنم وگرنه ممکن بود مشکوک به نظر برسه. اون خیلی زود دوزاریش افتاد و وقتی همه یه طرف دیگه‌رو نگاه می‌کردند به سرعت حافظه‌ی دوشیزه اجکومب‌رو تنظیم کرد. از قول من ازش تشکّر کن، مینروا، باشه؟ الان به سرعت اینا بیدار می‌شن و بهتره نفهمند که ما فرصتی برای صحبت‌کردن داشتیم. شما باید طوری رفتار کنین که انگار از اون لحظه‌ای که روی زمین افتادند هیچ زمانی نگذشته. خودشون هم یادشون نمی‌یاد...

پروفسور مگ‌گونگال آهسته پرسید:

ـ تو کجا می‌ری، دامبلدور؟ میدان گریمولد؟

دامبلدور لبخند تلخی زد و گفت:

ـ اوه، نه. من از این‌جا نمی‌رم که مخفی شـم. بـه زودی فاج پشیمون می‌شه که منو از هاگوارتز بیرون رانده، بهت قول می‌دم...

هری شروع به صحبت کرد و گفت:

ـ پروفسور دامبلدور...

ابتدا نمی‌دانست چـه بگویـد: چه‌قدر از تشکیل جلسات الف‌دال و درست‌کردن این‌همه دردسر پشیمان بود؛ یا چه‌قدر مـتأسّف بـود کـه دامبلدور برای جلوگیری از اخراج او از آن‌جا می‌رفت؟ امّا پیش از آن‌که بتواند چیزی بگوید دامبلدور حرف او را قطع کرد و گفت:

ـ گوش کن، هری، تو باید تمام تلاشت‌رو بکنی که چفت‌شدگی‌رو یاد بگیری، فهمیدی؟ هر کاری که پروفسور اسنیپ می‌گه انجام بده و حتماً هر تمرینی که بهت می‌ده قبل از خواب انجام بده تا ذهنتو در برابر هر خوابی ببندی... به زودی علّتشو می‌فهمی ولی باید به من قول بدی...

مردی که داولیش نام داشت تکانی خورد. دامبلدور مـچ هـری را گرفت و گفت:

ـ یادت نره... ذهنتو ببند...

امّا همین‌که دست دامبلدور با پوست هری تماس پیدا کرد درد شدیدی جای زخم روی پیشانی‌اش را فرا گـرفت و بـار دیگـر وجـودش از آن احساس وحشتناک مارگونه و آرزوی حمله‌کـردن، نیش‌زدن و آزردن دامبلدور لبریز شد...

دامبلدور آهسته گفت:

ـ به زودی می‌فهمی...

فاوکس همان‌طور که چرخ‌زنان بر فراز سرشان پرواز می‌کرد پایین

آمد. دامبلدور هری را رها کرد و دستش را جلو برد و دم بلند و طلایی ققنوس را گرفت. لحظه‌ای شعله‌ای درخشید و هر دو رفتند.

فاج از روی زمین بلند شد و گفت:

ـ کجا رفت؟ اون کجاست؟

کنیگزلی نیز از جا جست و فریاد زد:

ـ نمی‌دونم!

آمبریج فریاد زد و گفت:

ـ نمی‌تونه خودشو غیب کنه... توی این مدرسه هیچ‌کس نمی‌تونه...

داولیش فریاد زد:

ـ پلّه‌ها!

سپس با عجله خود را به در رساند و آن را باز کرد و خارج شد. بلافاصله کنیگزلی و آمبریج به دنبالش رفتند. فاج مردّد بود. سپس آهسته برخاست و گردوخاک جلوی ردایش را تکاند. سکوت طولانی و دردناکی بر فضا حاکم شده‌بود.

فاج آستین پاره‌ی بلوزش را صاف کرد و با لحن زننده‌ای گفت:

ـ متأسّفانه، کار دوستت دامبلدور تمومه، مینروا.

پروفسور مک‌گونگال با لحن نیشداری گفت:

ـ واقعاً این‌طوری فکر می‌کنی؟

امّا به نظر می‌رسید فاج حرف او را نشنیده‌است. نگاهی به اتاق ویران و درهم‌ریخته انداخت. چند تابلو او را هو کردند یکی‌دوتا از آن‌ها با دستشان برایش حرکات زننده‌ای را به نمایش درآوردند. فاج با حالتی بی‌اعتنا با حرکت سرش به هری و ماریه‌تا اشاره‌کرد و به پروفسور مک‌گونگال نگاهی انداخت و گفت:

ـ بهتره این‌دوتارو به خوابگاهشون ببری.

پروفسور مک‌گونگال چیزی نگفت و فقط هری و ماریه‌تا را به

سمت در برد. وقتی‌که در پشت سرشان بسـته مـی‌شد هـری صـدای
فینیاس نایجلوس را شنید که گفت:

ـ می‌دونین، جناب وزیر، من در خیلی موارد با دامبلدور اخـتلاف‌نظر
دارم... ولی اقرار می‌کنم که دامبلدور سبک خاصّ خودشو داره...

فصل ۲۸

بدترین خاطره‌ی اسنیپ

——— به فرمان ———

وزارت سحر و جادو

دلورس جـــین آمـبریج (بـازرس عـالی‌رتبه) جـانشین آلبوس دامبلدور، ریاست مدرسه‌ی علوم و فنون جادوگری هاگوارتز شده‌است.

فرمان فوق براساس حکم آموزشی شماره‌ی بیست‌وهشت صادر گردیده‌است.

امضا

کورنلیوس اسوالد فاج

وزیر سحر و جادو

اعلامیه‌ها شبانه در سرتاسر مدرسه نصب شدند امّا در آن‌ها

توضیح نداده‌بودند که چه‌گونه تک‌تک کسانی‌که درون قلعه بودند فهمیدند که دامبلدور در حضور دو کارآگاه، بازرس عالی‌رتبه، وزیر سحر و جادو و دستیار دون پایه‌اش فرار کرده‌است. فردای آن روز هری به هر سوی قلعه می‌رفت تنها چیزی که می‌شنید موضوع فرار دامبلدور بود و با این‌که جزییات آن را یک‌کلاغ‌چهل‌کلاغ کرده‌بودند (هری صدای یک دختر سال دوّمی را شنید که با اطمینان به دوستش می‌گفت سر فاج به شکل یک کدو حلوایی درآمده و اکنون در بیمارستان سنت‌مانگو است) بسیار عجیب به نظر می‌رسید که بقیه‌ی ماجرا با چه صحتی به دیگران منتقل شده‌است. برای مثال همه می‌دانستند که هری و ماریه‌تا تنها افراد حاضر در صحنه‌ی دفتر دامبلدور بوده‌اند و از آن‌جا که ماریه‌تا در درمانگاه بود هری تنها کسی بود که هرجا قدم می‌گذاشت همه دورش جمع می‌شدند و از او می‌خواستند ماجرا را برایشان بازگو کند.

در راه بازگشت از کلاس گیاه‌شناسی ارنی مک‌میلان پس از شنیدن مشتاقانه‌ی ماجرا از زبان هری با اطمینان گفت:

ـ دامبلدور به زودی برمی‌گرده. وقتی سال دوّم بودیم نتونستن از مدرسه زیاد دور نگهش دارن، این‌بار هم نمی‌تونن. راهب چاق به من گفت:

او با حالت مرموزی صدایش را پایین آورد و هری و رون و هرمیون مجبور شدند سرهایشان را جلو بیاورند تا بتوانند صدای او را بشنوند. آن‌گاه او ادامه داد:

ـ ... دیشب بعد از این‌که همه‌جای قلعه و محوطه‌رو دنبالش گشته‌ن آمبریج سعی کرده وارد دفتر دامبلدور بشه ولی نتونسته از جلوی نگهبان بدقیافه‌ی سنگی عبور کنه. دفتر مدیر خودبه‌خود در برابر اون قفل شده‌بوده...

ارنی پوزخندی زد و ادامه داد:

-گویا حسابی اوقاتش تلخ شده‌بوده...

آن‌ها از پلّه‌های سنگی بالا می‌رفتند که وارد سرسرای ورودی شوند و در همان هنگام هرمیون پرخاشگرانه گفت:

-باورکنین خیلی دلش می‌خواسته اون بالا توی دفتر مدیر بشینه و برای همه‌ی استادهای دیگه خدایی کنه، اون احمقِ ورم کرده‌ی دیوونه‌ی قدرتِ پیرِ...

-بالاخره می‌خوای جمله تو تموم کنی یا نه، گرنجر؟

دراکو مالفوی از پشت در بیرون آمد و بلافاصله کراب و گویل پشت سرش ظاهر شدند. صورت رنگ پریده و چانه‌ی نوک تیزش حالتی شرورانه داشت. او با لحن کشدارش گفت:

-متأسّفم مجبورم چند امتیاز از گریفندور و هافلپاف کم کنم.

ارنی بلافاصله گفت:

-فقط استادها می‌تونن از گروه‌ها امتیاز کم کنن.

رون با بداخلاقی گفت:

-آره، ما خودمون ارشدیم، یادته که؟

مالفوی پوزخندی زد و کراب و گویل نیز فوراً پوزخند زدند. سپس گفت:

-می‌دونم که ارشدها نمی‌تونن امتیاز کم کنن، پادشاه موذی[1]، ولی اعضای جوخه‌ی بازجویی[2] می‌تونن.

هرمیون با لحن تندی پرسید:

-کیا می‌تونن؟

مالفوی به «I» ظریف نقره‌ای رنگی که زیر مدال ارشدی‌اش قرار

---

1 - Weasel King

2 - Inquisitorial Squad

داشت اشاره کرد و گفت:

ـ اعضای جـوخـه‌ی بـازجـویی. گـروه بـرگـزیده‌ای از دانش‌آمـوزان کـه طرفدار وزارت سحر و جادواند و پروفسور آمبریج اونارو گلچین کرده، گرنجر. خلاصه این‌که اعضای جوخه‌ی بازجویی مـی‌تونن امـتیاز کـم کنن... بنابراین پنج امتیاز ازت کم می‌کنم، گرنجر، برای این‌که به مدیر جدیدمون بی‌احترامی می‌کردی... پنج امتیاز از مک‌میلان کـم مـی‌کنم برای این‌که با من مخالفت کردی... پنج امتیاز از پاتر کم می‌کنم چون از ریختش خوشم نمی‌یاد... ویزلی، چرا بلوزت از زیر ردات زده بیرون، مجبورم پنج امتیاز دیگه هم کم کنم... اوه، راستی... یادم رفته‌بود که تو گندزاده‌ای، گرنجر، پنج امتیاز هم برای این کم می‌کنم...

رون چوبدستی‌اش را بیرون کشید امّا هرمیون آن را کنار زد و گفت:

ـ نکن!

مالفوی آهسته گفت:

ـ کار عـاقلانه‌ای کـردی، گـرنجر. مـدیرمون عـوض شـده. دیگـه ورق برگشته! پاتی کوچولو... پادشاه موذی، خوش باشین...

او با کراب و گویل از ته دل خندید و با غرور و تکبّر از آن‌ها دور شد.

ارنی با قیافه‌ای منزجر گفت:

ـ داشت خالی می‌بست. امکان نداره بهش اجازه بدن امتیاز کم کنه... مگه مسخره بازیه... این نظام ارشدی‌رو تضعیف می‌کنه...

امّا هری و رون و هرمیون بی‌اختیار بـه سـوی سـاعت‌های شـنی غول‌پیکری برگشتند که در فرورفتگی دیوار پشت سرشان قرار داشتند و امتیاز گروه‌ها را نشان می‌دادند. آن روز صبح گریفندور و ریونکلا با هم مساوی بودند و امتیازشان از همه بیش‌تر بود. امّا حتّی همان لحظه که نگاه می‌کردند سنگ‌ها بالا مـی‌رفتند و از مقدار سنگ‌های مـخزن پایینی می‌کاستند. در واقع تنها شیشه‌ای که بدون تغییر مانده‌بود ساعت

شنی اسلیترین بود که مملو از سنگ زمرد بود.

صدای فرد به گوششان رسید که گفت:

ـ شما هم دیدین؟

او و جرج همان لحظه از پلکان مرمری پایین آمدند و به هری، رون، هرمیون و ارنی در جلوی ساعت‌های شنی پیوستند. وقتی شاهد بودند که چندین سنگ دیگر در ساعت شنی گریفندور بالا پرید هری با خشم گفت:

ـ همین الان مالفوی حدود ۵۰ امتیاز از ما کم کرد.

جرج گفت:

ـ آره، مونتاگ هم توی زنگ تفریح می‌خواست همین بلارو سر ما بیاره.

رون به تندی گفت:

ـ منظورت چیه که می‌گی «می‌خواست»؟

فرد گفت:

ـ آخه موفّق نشد تمام کلمات جمله‌شو به زبون بیاره. علّتش هم این بود که ما با سر انداختیمش توی کمد غیب شونده‌ی طبقه‌ی اوّل.

هرمیون که حسابی جا خورده بود گفت:

ـ ولی بدجوری تو دردسر می‌افتین!

فرد با خونسردی گفت:

ـ تا وقتی مونتاگ پیداش نشده، هیچی نمی‌شه... اونم که چند هفته‌ای طول می‌کشه، نمی‌دونم کجا فرستادیمش... در هر حال ما به این نتیجه رسیدیم که دیگه به دردسر اهمیّت ندیم.

هرمیون پرسید:

ـ مگه تا حالا اهمیّت می‌دادین؟

جرج گفت:

ـ البتّه که اهمیّت می‌دادیم. می‌بینی که تا حالا اخراج نشدیم.

فرد گفت:

ـ همیشه می‌دونستیم که تا کجا می‌تونیم پیش بریم و پامونو از گلیممون درازتر نکردیم.

جرج گفت:

ـ شاید گاهی به اندازه‌ی یه بند انگشت اون طرف‌تر رفته‌باشیم.

فرد گفت:

ـ امّا همیشه جلو خودمونو گرفتیم و جاروجنجال درست و حسابی راه ننداختیم.

رون با تردید پرسید:

ـ این دفعه چی؟

جرج گفت:

ـ خب راستش....

فرد گفت:

ـ حالا که دامبلدور رفته...

جرج گفت:

ـ به نظر ما یه ذرّه جاروجنجال...

فرد گفت:

ـ دقیقاً همون چیزیه که مدیر جدید عزیزمون سزاوارشه.

هرمیون آهسته زمزمه کرد:

ـ نباید چنین کاری بکنین! جدّی می‌گم! اون از خدا می‌خواد بهانه‌ای برای اخراجتون داشته باشه!

فرد به او لبخند زد و گفت:

ـ دِ نگرفتی، هرمیون! دیگه موندن در این‌جا برامون اهمیّتی نداره. اگه اصرار نداشتیم دینمونو به دامبلدور ادا کنیم همین الان راه‌مونو می‌کشیدیم و می‌رفتیم. خلاصه بهتون بگم...

او نگاهی به ساعتش انداخت و گفت:

ـ دیگه چیزی نمونده که مرحله‌ی اوّلش شروع بشه. اگه جای شما بودم زودتر می‌رفتم به سرسرای بزرگ که ناهار بخورم، این‌طوری استادها هم می‌بینن که شما هیچ دخالتی در این قضیه نداشتین.

هرمیون با نگرانی گفت:

ـ دخالتی در کدوم قضیه؟

جرج گفت:

ـ حالا خودتون می‌بینین. دیگه بدوین برین.

فرد و جرج برگشتند و در میان جمعیّت دانش‌آموزانی که برای صرف ناهار از پلکان مرمری پایین می‌آمدند گم شدند. ارنی که به شدّت مضطرب به نظر می‌رسید گفت که تکالیف درس تغییر شکلش را انجام نداده و دواندوان از آن‌ها دور شد. هرمیون نیز با حالتی عصبی گفت:

ـ به نظرم ما هم باید زودتر از این‌جا بریم، مبادا...

رون گفت:

ـ آره، بریم.

هر سه نفر به سمت درهای سرسرای بزرگ رفتند. همین‌که هری می‌خواست به سقف نگاه کند که آن روز پوشیده از ابرهای سفیدی بود که حرکت می‌کردند یک نفر از پشت به شانه‌ی هری زد و همین‌که رویش را برگرداند فیلچ را در برابر خود دید. چنان به او نزدیک بود که چیزی نمانده‌بود بینی‌هایشان به هم بخورد. با دستپاچگی چند قدم عقب رفت زیرا قیافه‌ی فیلچ، سرایدار مدرسه، از دور دیدنی‌تر بود. او درحالی‌که تندتند ابروهایش را بالا می‌انداخت گفت:

ـ مدیره‌ی مدرسه می‌خواد تورو ببینه، پاتر.

هری که هنوز در فکر کاری بود که فرد و جرج قصد انجام آن را

داشتند ابلهانه گفت:

ـ من نبودم.

فیلچ که غبغبش در اثر خنده‌ی خاموشی می‌لرزید خس‌خس‌کنان گفت:

ـ عذاب وجدان داری، آره؟ دنبالم بیا...

هری به رون و هرمیون در پشت سرش نگاهی انداخت. هـر دو نگران به نظر می‌رسیدند. آن‌گاه شانه‌هایش را بالا انداخت و به دنبـال فیلچ بـه سـرسـرای ورودی بـازگشت و بـا سیـل دانش‌آمـوزان گرسنه رودررو شد.

فیلچ بی‌نهایت سرحال و خوش‌حال به نظر می‌رسید. وقتی از پلکان مرمری بالا می‌رفتند زیرلب آوازی را زمزمه می‌کرد. همین‌که به اوّلین پاگرد پلکان رسیدند گفت:

ـ این‌جا همه‌چی داره عوض می‌شه، پاتر.

هری با خونسردی گفت:

ـ متوجّه شده‌م.

ـ آرره... سال‌ها بود که به دامبلدور می‌گفتم زیادی با شما راه می‌یاد.

فیلچ موذیانه کرکر خندید و ادامه داد:

ـ شما حیوونای کثیف کوچولو اگه می‌دونستین من اجازه دارم به بدن برهنه‌تون شلاق بزنم هیچ‌وقت جرأت نمی‌کردین گلوله‌های بـوگنـدو بندازین. اگه من می‌تونستم تـوی دفترم از قـوزک پا آویـزونتون کنم هیچ‌وقت بشقاب پرنده‌ی نیش‌دار توی راهروها پرت نمی‌کردین. وقتی حکم آموزشی بیست‌ونه برسه، پاتر، مـن دیگه اجازه دارم که این کارهارو بکنم... اون از وزیر خواسته که حکم اخراج بد عنق‌رو هم امضا کنه... حالا که اون مسؤول این‌جا شده همه‌چی داره عوض می‌شه...

هری در این فکر بود که آمبریج تا حدودی توانسته است فیلچ را به

سمت خود بکشد و بدترین جنبه‌ی این کار این بود که می‌توانست از او به عنوان یک اسلحه‌ی ارزشمند استفاده کند زیرا بـعد از دوقـلوهای ویزلی او تنها کسی بود که تمام راهروهای مخفی و سایر مخفیگاه‌های قلعه را مثل کف دستش می‌شناخت.

فیلچ دوباره شروع به بالا انداختن ابروهایش کرد و گفت:

ـ رسیدیم.

آنگاه سه بار به در ضربه زد و در را باز کرد و گفت:

ـ این پسره، پاتر، اومده خانم.

دفتر آمبریج، بعد از مجازات‌های پی‌درپی هری برایش بسیار آشنا بود و تنها فرقی که با گذشته داشت این بود که یک تخته چوبی بزرگ بر روی میز قرار داشت و بر روی آن با حروف طلایی درشتی نوشته بود: «مدیره‌ی مدرسه». آذرخش و پاک جاروهای فرد و جرج که با زنجیری به گل مـیخی روی دیـوار پشت مـیز تـحریرش آویـخته بـود قلبش را جریحه‌دار می‌کرد. آمبریج پشت میز تحریرش نشسته و سخت مشغول نوشتن چیزی بر روی کاغذهای پوستی صورتی رنگش بود امّا با ورود آن‌ها سرش را بلند کرد و لبخندی سراسر صورتش را فراگرفت. با لحن دلنشینی گفت:

ـ ازت ممنونم، آرگوس.

فیلچ تعظیم بلند بالایی کرد و تا جـایی‌که درد رماتیسمش اجازه می‌داد خم شد و گفت:

ـ خواهش می‌کنم، خانم، خواهش می‌کنم.

سپس با حالتی هیجان‌زده از آن‌جا رفت.

آمبریج به یک صندلی اشاره کرد و با لحن خشکی گفت:

ـ بشین.

هری نشست. آمبریج چند لحظه‌ای به نوشتن ادامه داد. هری سرگرم

تماشای بچّه گربه‌هایی بود که بر روی بشقاب‌های بالای سر آمبریج جست‌وخیز می‌کردند و در این فکر بود که این بار چه نقشه‌ی وحشتناک جدیدی برایش تدارک دیده‌است. بالاخره قلم پرش را زمین گذاشت و درست مثل وزغی که می‌خواهد مگس چاق و چلّه‌ای را ببلعد نگاه رضایتمندانه‌ای به او کرد و گفت:

ـ خب، چی میل داری؟

هری که اطمینان کامل داشت که حرف او را درست نشنیده‌است پرسید:

ـ چی؟

لبخندش گسترده شد و گفت:

ـ دوست داری چی بنوشی، آقای پاتر؟ چای؟ قهوه؟ آب کدوحلوایی؟

همان‌طور که این نوشیدنی‌ها را نام می‌برد چوبدستی‌اش را در هوا تکان می‌داد و یک فنجان یا لیوان پر از آن نوشیدنی بر روی زمین پدیدار می‌شد. هری گفت:

ـ هیچی میل ندارم، ممنونم.

ـ من ازت می‌خوام که یه چیزی با من بخوری.

و درحالی‌که ملایمت صدایش لحظه‌به‌لحظه خطرناک‌تر می‌شد گفت:

ـ یکی‌شو انتخاب کن.

هری شانه‌هایش را بالا انداخت و گفت:

ـ باشه... پس چای می‌خورم.

آمبریج از جایش برخاست و پشتش را به او کرد و با ادا و اطوار کمی شیر در آن ریخت. سپس با لبخند شوم و شرارت باری که بر چهره داشت با عجله به آن سوی میز آمد و آن را به دست هری داد و گفت:

ـ بگیر. زودتر بخورش که سرد نشه. خب، آقای پاتر... بعد از وقایع ناگوار دیشب... فکر کردم بهتره یه ذرّه با هم گپ بزنیم.

هری چیزی نگفت. آمبریج به پشتی صندلی تکیه داد و منتظر ماند. پس از آن‌که چندین لحظه طولانی به سکوت گذشت با بی‌خیالی گفت:

- چایتو نخوردی!

هری فنجان را به لبش نزدیک کرد و ناگهان دوباره آن را پایین آورد. یکی از بچّه‌گربه‌های نقّاشی شده‌ی مزخرف آمبریج چشم‌های درشت و گرد آبی رنگ داشت، درست همرنگ چشم سحرآمیز مودی چشم باباقوری بود و هری را به این فکر انداخت که اگر مودی می‌فهمید هری از دست یک دشمن آشنا چیزی را گرفته و خورده‌است چه می‌گفت؟

آمبریج که هنوز او را زیرنظر داشت پرسید:

- چی شده؟ شکر می‌خوای؟

هری گفت:

- نه.

او بار دیگر فنجان را به لبش چسباند و وانمود کرد جرعه‌ای می‌نوشد امّا در واقع دهانش را محکم بسته بود. لبخند آمبریج گسترده‌تر شد و زیرلب گفت:

- خوبه... خیلی خوبه... خب حالا بگو ببینم...

کمی به جلو خم شد و ادامه داد:

- *آلبوس دامبلدور کجاست؟*

هری فوراً گفت:

- نمی‌دونم.

او لبخندزنان گفت:

- بخور... بخور... ببین آقای پاتر، بیا بازی‌های بچّگانه‌رو کنار بگذاریم. من می‌دونم که تو می‌دونی اون کجا رفته. تو و دامبلدور از اوّل این قضیّه پشت هم بودین. به فکر موقعیّت خودت باش، آقای پاتر...

هری تکرار کرد:

ـ من نمی‌دونم اون کجاست...

او دوباره وانمود کرد که از فنجان چای می‌نوشد. آمبریج با دقّت خاصی او را زیرنظر داشت. سپس با قیافه‌ای نه چندان رضایتمند گفت:

ـ بسیار خب... در این صورت، می‌شه لطف کنی و جای سیریوس بلک‌رو به من بگی؟

توی دل هری خالی شد و آن دستش که به فنجان چای بود چنان لرزید که فنجان بر روی نعلبکی لغزید و صداکرد. بار دیگر لب‌هایش را محکم بست و فنجان را به دهانش برد طوری‌که مقداری از چای داغ از کنار لبش شرّه کرد و روی ردایش ریخت. هری خیلی زود جواب او را داد و گفت:

ـ نمی‌دونم کجاست.

آمبریج گفت:

ـ آقای پاتر، بگذار بهت یادآوری کنم که این من بودم که در ماه اکتبر نزدیک بود بلک جنایتکارو توی آتش گریفندور دستگیر کنم. من خوب می‌دونم که اون برای دیدن تو اومده‌بوده و مطمئن باش که اگه مدرکی داشتم هیچ کدومتون الان آزاد نبودین. سؤالمو تکرار می‌کنم،آقای پاتر... سیریوس بلک کجاست؟

هری با صدای بلندی گفت:

ـ نمی‌دونم. خودم هم خبر ندارم.

آن‌ها مدّتی طولانی به هم خیره نگریستند طوری که اشک در چشمان هری جمع شد. سپس آمبریج از جایش برخاست و گفت:

ـ بسیار خب، پاتر. این دفعه حرفتو باور می‌کنم ولی حواستو جمع کن. قدرت وزارت سحر و جادو پشتیبان منه. تمام راه‌های ارتباطی به داخل و خارج این مدرسه تحت نظره. یکی از مأمورین کنترل شبکه‌ی پرواز، تمام آتش‌های هاگوارتزرو کنترل می‌کنه البتّه غیر از آتش دفتر منو.

جوخه‌ی بازجویی من تمام نامه‌هایی رو که به این قلعه می‌یان یا از این جا می‌زن می‌خونن. و آقای فیلچ تمام راه‌های مخفی ورودی و خروجی قلعه‌رو زیر نظر داره. اگر من کوچک‌ترین مدرکی پیدا کنم... بوم!

دفتر آمبریج به لرزه درآمد. آمبریج به یک سو پرتاب شد و با قیافه‌ای حیرت‌زده میز تحریرش را گرفت که نیفتد.

- چی بود...؟

او به در خیره شده بود. هری این فرصت را غنیمت دانست و تمام چایش را در نزدیک‌ترین گلدان خشک خالی کرد. صدای گام‌های شتابان و جیغ‌های وحشت‌زده از چند طبقه پایین‌تر به گوش می‌رسید. آمبریج گفت:

- برمی‌گردم که با هم ناهار بخوریم، پاتر.

سپس چوب‌دستی‌اش را بالا گرفت و با سرعت از دفترش خارج شد. هری چند لحظه صبر کرد و بعد با عجله از اتاق بیرون رفت تا ببیند چه چیزی باعث آن آشوب شده‌است.

پیدا کردن آن چندان دشوار نبود. یک طبقه پایین‌تر جنجالی بر پا شده بود. یک نفر (که هری به خوبی می‌دانست چه کسی است) چیزی را منفجر کرده بود که به نظر می‌رسید صندوق بزرگی پر از وسایل آتش بازی سحرآمیز باشد.

اژدهاهایی که از جرقه‌های سبز و طلایی تشکیل می‌شدند به این‌سو و آن‌سوی راهروها پرواز می‌کردند و در همان حال با صدای بنگ بلندی شعله‌های آتشینی از آن‌ها خارج می‌شد. حلقه‌های آتشینی به رنگ صورتی تند به قطر یک‌ونیم متر با صدای ویژویژ مرگباری همچون بشقاب پرنده‌های متعدّد در هوا حرکت می‌کردند. فشفشه‌هایی که دنباله‌هایشان به شکل ستاره‌های نقره‌ای درخشان بود

از روی دیوارها کمانه می‌کردند. فشفشه‌های دیگری خودبه‌خود در هوا فحش و ناسزا می‌نوشتند. هری هر طرف را نگاه می‌کرد ترقه‌های آتشینی را می‌دید که مثل مین منفجر می‌شدند امّا به جای آن که بسوزند و خاموش شوند، یا فش‌فش‌کنان به پایان برسند، این وسایل اعجاب‌انگیز به گونه‌ای معجزه‌آسا، نیرو و شدّت بیش‌تری می‌گرفتند و هرچه هری بیش‌تر نگاه می‌کرد شدّت و قدرت آن‌ها نیز بیش‌تر می‌شد.

فیلچ و آمبریج از وحشت و هراس در وسط پلکان میخکوب شده‌بودند. هری در همان وقت حلقه‌ی آتشینی را دید که از بقیّه بزرگ‌تر بود و ظاهراً به این نتیجه رسیده‌بود که برای قدرت نمایی به فضای بیش‌تری نیاز دارد. با صدای ویژویژ وحشتناکی، چرخ‌زنان به سمت آمبریج و فیلچ رفت. هر دو از وحشت فریاد زدند و سر خود را دزدیدند. حلقه‌ی آتشین از بالای سرشان پرواز کرد و یک‌راست از پنجره‌ی پشت سرشان به‌سوی محوطه‌ی قلعه رفت. در این میان چندین اژدها و یک خفّاش ارغوانی بزرگ که به‌صورت تهدیدآمیزی دود می‌کرد از فرصت استفاده کردند و از در بازی در انتهای راهرو به سمت طبقه‌ی دوّم گریختند.

آمبریج جیغ زد و گفت:

ـ زودباش، فیلچ، زودباش. باید زودتر یه کاری بکنیم، وگرنه توی تمام مدرسه پخش می‌شن. *استیوپفای!*

پرتو سرخ رنگی از انتهای چوب‌دستی‌اش شلیک شد و به یکی از فشفشه‌ها برخورد کرد. فشفشه به جای آن‌که در هوا بی‌حرکت بماند با چنان شدّتی منفجر شد که سوراخی در یکی از تابلوها ایجاد کرد که ساحره‌ای احساساتی را در وسط چمنزاری نشان می‌داد. او به موقع فرار کرد و لحظه‌ای بعد در تابلوی مجاورش پدیدار شد و کوشید به

زور خود را در آن‌جا بدهد. دو جادوگر که در آن تابلو سرگرم کارت بازی بودند با دستپاچگی از جا پریدند تا جایی برای او باز کنند.

ـ با طلسم بیهوشی جادوشون نکن، فیلچ!

آمبریج با خشم چنان فریاد زده بود که گویی فیلچ چنین طلسمی را پیشنهاد کرده بوده‌است. فیلچ خس‌خس‌کنان گفت:

ـ حق با شماست، خانم مدیر.

فیلچ یک فشفشه بود و حتّی از طرز کار آتش‌بازی‌ها نیز سر در نمی‌آورد چه برسد به این‌که بخواهد آن‌ها را جادو کند. او به سمت نزدیک‌ترین گنجه دوید و در آن را باز کرد. جارویی از داخل آن بیرون کشید و با آن به جرقه‌ها ضربه زد امّا پس از چند لحظه جارو آتش گرفت.

هری به‌قدر کافی تماشا کرده‌بود. خنده‌کنان سرش را خم کرد و به سمت دری رفت که می‌دانست پشت فرشینه‌ای در امتداد راهرو قرار دارد و همین‌که وارد شد فرد و جرج را دید که درست پشت آن پنهان شده‌بودند. آن دو به نعره‌های آمبریج و فیلچ گوش می‌دادند و از شادی در پوست خود نمی‌گنجیدند.

هری به پهنای صورتش خندید و آهسته گفت:

ـ با شکوه بود... واقعاً با شکوه بود. کار و کاسبی دکتر فیلی‌باسترو کساد می‌کنین، ولی مهّم نیست...

جرج اشک‌هایی راکه از شدّت خنده از چشمانش سرازیر شده‌بود پاک کرد و آهسته گفت:

ـ خیلی ممنون... فقط خدا کنه این دفعه تصمیم بگیره ناپدیدشون کنه... با هر افسون ناپدیدی تعدادشون ده برابر می‌شه.

آن روز بعدازظهر نورافشانی‌ها ادامه داشت و سرتاسر مدرسه را فرا گرفت. با این‌که نورافشانی‌ها و به ویژه ترقّه‌ها خرابی به بار

می‌آوردند امّا ظاهراً استادان دیگر چندان به آن‌ها اهمیّت نمی‌دادند.

وقتی یکی از اژدهاها در کلاس پروفسور مک‌گونگال به پرواز درآمد و با سروصدای گوشخراشی شعله‌های آتش از آن بیرون زد او با حالتی تمسخرآمیز گفت:

ـ عجب... عجب... دوشیزه براون می‌شه لطفاً بدوی بری پیش خانم مدیر و بهش بگی که یکی از آتش‌بازی‌ها فرار کرده و اومده توی کلاس ما؟

نتیجه‌ی تمام آن جار و جنجال این شد که خانم مدیر در تمام بعدازظهر اوّلین روز ریاستش در مدرسه ناچار بود از این‌سو به آن‌سو بدود و به کلاس اساتیدی برود که او را احضار می‌کردند. ظاهراً هیچ‌یک از آن‌ها قادر نبودند بدون وجود او از شرّ نورافشانی‌ها خلاص شوند. وقتی زنگ آخر به صدا درآمد و دانش‌آموزان کیف به‌دست به برج گریفندور باز می‌گشتند هری با کمال مسرّت آمبریج را دید که با قیافه‌ای ژولیده و سیاه از دوده، درحالی‌که دانه‌های عرق بر چهره‌اش نشسته بود از کلاس پروفسور فلیت‌ویک بیرون آمد. پروفسور فلیت‌ویک با صدای نازک و جیرجیرمانندش گفت:

ـ خیلی ازتون متشکّرم، پروفسور! خودم می‌تونستم از شرّ فشفشه‌ها خلاص بشم ولی مطمئن نبودم که *اختیار* این کارو دارم یا نه...

سپس با چهره‌ای متبسّم در کلاس را در مقابل چهره‌ی خشمگین آمبریج بست.

آن شب فرد و جرج قهرمانان برج گریفندور بودند. حتّی هرمیون نیز به زور از میان جمعیّت دانش‌آموزان هیجان‌زده راهش را بازکرد و خود را به آن‌ها رساند تا تبریک بگوید. با حالت تحسین‌آمیزی گفت:

ـ آتش‌بازی‌های خارق‌العاده‌ای بودن.

جرج با تعجّب و خشنودی گفت:

ـ ممنونم. اسمشون ویژویژوی وحشی ویزلیه. فقط حیف که ته‌شونو درآوردیم حالا باید از اوّل شروع به تولید کنیم...

فرد که سرگرم سفارش گرفتن از دانش‌آموزان ذوق‌زده‌ی گریفندوری بود گفت:

ـ ولی ارزششو داشت. هرمیون، اگه می‌خوای اسمت وارد لیست انتظار بشه باید پنج گالیون برای جعبه‌ی انفجار اوّلیه بدی، بیست تا هم برای زرق و برق فزاینده‌ی دولوکسش می‌دی...

هرمیون به سوی میزی برگشت که هری و رون پشت آن نشسته بودند و به کیف‌هایشان طوری نگاه می‌کردند که انگار انتظار داشتند تکالیفشان از آن بیرون بپرد و خودبه‌خود انجام گیرد.

وقتی یکی از فشفشه‌های دم ستاره‌ای ویزلی از پشت پنجره گذشت هرمیون با خوشرویی گفت:

ـ چه‌طوره امشب به خودمون استراحت بدیم؟ آخه تعطیلات عید پاک از جمعه شروع می‌شه و ما کلّی وقت داریم...

رون ناباورانه به او زل زد و گفت:

ـ مطمئنی که حالت خوبه؟

هرمیون با خوش‌حالی گفت:

ـ حالا که پرسیدی... بگذار بهت بگم... من یه ذرّه یاغی شده‌م.

یک ساعت بعد که هری همراه با رون به خوابگاهشان رفتند صدای بنگ‌بنگ آتش‌بازی‌های باقی‌مانده هنوز از دور به گوش می‌رسید. وقتی هری ردایش را درآورد یکی از فشفشه‌ها درحالی‌که همچنان کلمه‌ی «پیف» را می‌نوشت پروازکنان از کنار برج گذشت.

خمیازه‌ای کشید و به رختخواب رفت. حالا که عینکش را برداشته بود فشفشه‌های درخشانی که گاه و بی‌گاه از مقابل پنجره می‌گذشتند در برابر چشمانش تار و مبهم شده، در پهنه‌ی آسمان تاریک همچون

ابرهایی درخشان، زیبا و اسرارآمیز به نظر می‌رسیدند. غلتی زد و به پهلو خوابید. خیلی دوست داشت بداند آمبریج در اوّلین روزی که مسئولیّت دامبلدور را به‌عهده گرفته‌بود چه احساسی داشت. نمی‌دانست فاج هنگامی که بشنود مدرسه در بیش‌تر ساعات آن روز در اوج اغتشاش و ناآرامی بوده‌است چه واکنشی از خود نشان می‌دهد... هری لبخندی زد و چشم‌هایش را بست...

صدای ویژویژ و بنگ‌بنگ آتش‌بازی‌های سرگردان در محوطه‌ی مدرسه ضعیف و ضعیف‌تر می‌شد... شاید هم هری به سرعت از آن‌ها دور می‌شد...

او یکراست در راهرویی فرود آمد که به سازمان اسرار می‌رسید... با سرعت به سمت در ساده‌ی سیاه می‌رفت... *بازشو... بازشو...*

در باز شد. او وارد اتاق دایره‌ای شکلی شد که دورتادور آن درهای متعدّدی بود. به آن سوی اتاق رفت و دستش را روی یکی از درهای یک شکل گذاشت. در به سمت داخل چرخید.

حالا در یک اتاق مستطیل شکل دراز بود که در آن صداهای تق‌تق ماشینی عجیبی به گوش می‌رسید. لکّه‌های نورانی رقصانی بر روی دیوارها نمایان بود امّا او برای بررسی آن‌ها درنگ نکرد... باید به راهش ادامه می‌داد...

دری در انتهای اتاق بود... آن نیز با اشاره‌ی دستش باز شد...

اکنون او در اتاق کم‌نوری به بزرگی یک کلیسا بود که در سرتاسر آن قفسه‌های بلند بی‌شماری به چشم می‌خورد که هر طبقه‌ی آن پر از گوی‌های کوچک و خاک‌گرفته‌ی شیشه‌ای بود... قلب هری از شدّت هیجان تندتند می‌زد... می‌دانست به کجا باید برود... او جلو رفت امّا صدای پایش در آن اتاق بزرگ و خلوت نپیچید...

چیزی در این اتاق بود که او با تمام وجود خواهان آن بود...

چیزی که او می‌خواست... یا شخص دیگری می‌خواست...

جای زخمش تیر می‌کشید...

بنگ! هری بلافاصله از خواب بیدار شد. گیج و خشمگین بود. صدای خنده فضای خوابگاه تاریک را پر کرده‌بود.

سیموس که در مقابل پنجره همچون سایه‌ای به نظر می‌رسید گفت:

-خیلی باحاله! یکی از اون حلقه‌های آتشین به یکی از فشفشه‌ها خورده و دارن با هم قاطی می‌شن و زادوولد می‌کنن. بیاین ببینین!

هری صدای حرکت دستپاچه‌ی رون و دین را شنید که از رختخوابشان بیرون می‌آمدند تا آن صحنه را بهتر ببینند. او آرام و بی‌حرکت در رختخوابش ماند تا این‌که سوزش جای زخمش فروکش کرد و ناامیدی تمام وجودش را در بر گرفت. احساس می‌کرد لذّت وصف‌ناپذیری را درست در آخرین لحظه از او گرفته‌اند... این‌بار خیلی پیش رفته بود...

خوکچه‌های بالدار صورتی و نقره‌ای درخشان پروازکنان از مقابل پنجره‌های برج گریفندور می‌گذشتند. هری دراز کشیده‌بود و به هیاهوی تشویق‌آمیز گریفندوری‌ها در خوابگاه طبقه‌ی پایین گوش می‌داد. وقتی به یاد درس چفت‌شدگی فردا شب افتاد انقباض تهوع‌آوری در دلش احساس کرد.

هری تمام روز بعد را با این فکر اضطراب‌آور گذراند که اگر اسنیپ بفهمد در طول آخرین خوابش چه‌قدر به درون سازمان اسرار نفوذ کرده به او چه می‌گوید. با وجدانی معذّب به یاد آورد که از آخرین درس چفت‌شدگی حتّی یک بار هم تمرینات آن را انجام نداده‌است. بعد از رفتن دامبلدور اتّفاق‌های زیادی افتاده‌بود. مطمئن بود که هر قدر هم سعی می‌کرد نمی‌تونست ذهنش را خالی کند. امّا گمان نمی‌کرد

اسنیپ عذر او را بپذیرد...

آن روز در کلاس‌ها کوشید تا در آخرین لحظات کمی تمرین کند امّا فایده‌ای نداشت. هربار که ساکت می‌شد تا فکرش را از شرّ تمامی افکار و احساسات خلاص کند هرمیون از او می‌پرسید چه اتّفاقی افتاده‌است. از آن گذشته، هنگامی‌که استادها برای مرور درس‌ها دانش‌آموزان را سؤال‌پیچ می‌کردند فرصت مناسبی برای خالی‌کردن مغزش نبود.

بعد از شام، خود را برای بدترین چیزها آماده کرد و روانه‌ی دفتر اسنیپ شد. امّا در وسط سرسرای ورودی چو با عجله به سویش آمد. هری از این‌که دلیلی برای به تعویق انداختن کلاسش پیدا کرده‌بود شاد و خوش‌حال شده، با دست به چو اشاره کرد که به گوشه‌ی سرسرای ورودی، کنار ساعت‌های شنی غول‌پیکر بروند. اکنون ساعت شنی گریفندور تقریباً خالی بود. هری گفت:

ـ بیا این‌جا. حالت خوبه؟ نکنه آمبریج درباره‌ی کلاس الف‌دال ازت چیزی پرسیده؟

چو با عجله گفت:

ـ اوه، نه. نه، فقط می‌خواستم... راستش فقط می‌خواستم بگم... هری، باور کن اصلاً فکرشم نمی‌کردم که ماریه‌تا بگه...

هری با بداخلاقی گفت:

ـ آهان، آره...

از نظر هری بهتر بود چو با دقّت بیش‌تری دوستانش را انتخاب کند. آخرین خبری که از ماریه‌تا داشت این بود که هنوز در درمانگاه است و خانم پامفری نتوانسته کورک‌های صورتش را ذرّه‌ای بهبود بخشد با این حال حتّی این خبر نیز چندان مایه‌ی تسلّی خاطرش نشده‌بود. چو گفت:

ـ اون خیلی دختر خوبیه... امّا خب اشتباه کرده...

ـ دختر خوبیه که اشتباه کرده؟ اون همهمونو فروخت، حتّی خودتورو!

چو ملتمسانه گفت:

ـ حالاکه به خیر گذشته و هیچ کدوممون توی دردسر نیفتادیم. میدونی که، مامانش توی وزارتخونهست. براش خیلی سخته...

هری با عصبانیّت گفت:

ـ بابای رون هم توی وزارتخونهست، و اگر هم توجّه نکردهباشی باید بهت بگم روی صورتش ننوشته «خبرچین»...

چو با حرص و ناراحتی گفت:

ـ هرمیون گرنجر واقعاً حقّهی کثیفی زد. باید به ما میگفت که اون فهرستـرو طلسم کرده...

هری با لحن سردی گفت:

ـ به نظر من که فکر بینظیری بود.

صورت چو سرخ شد و چشمهایش بیشتر از قبل درخشید و گفت:

ـ آهان، راستی یادم نبود... آره، این فکر هرمیون عزیز بوده...

هری با حالتی هشداردهنده گفت:

ـ حالا دوباره گریه نکنی.

چو فریاد زد و گفت:

ـ هیچم نمیخواستم گریه کنم!

هری گفت:

ـ آره، خوبه... فعلاً من خیلی کار دارم.

چو با خشم و ناراحتی گفت:

ـ پس برو به کارت برس!

آنگاه روی پاشنهی پا چرخید و با حالتی قهرآمیز از او دور شد.

هری که از خشم بر افروخته شدهبود از پلّههای سنگی دخمهی

اسنیپ پایین رفت. با اینکه تجربه نشان داده‌بود که هر بار خشمگین و آزرده‌است اسنیپ راحت‌تر می‌تواند در ذهنش نفوذ کند باز هم تا زمانی‌که به پشت در دخمه‌ی اسنیپ رسید به این فکر کرد که چه چیزهای دیگری درباره‌ی ماریه‌تا می‌توانسته به چو بگوید.

وقتی هری در را پشت سرش بست اسنیپ با لحن سردی گفت:

ـ تو دیر کردی، پاتر!

اسنیپ پشت به هری ایستاده بود و مثل همیشه سرگرم بیرون‌آوردن بعضی از افکارش و ریختن آن‌ها در قدح اندیشه‌ی دامبلدور بود. او آخرین رشته‌ی نقره‌ای را درون قدح سنگی ریخت و رویش را به سمت هری برگرداند و گفت:

ـ خب، تمرین کردی؟

هری که به یکی از پایه‌های میز اسنیپ چشم دوخته بود به دروغ گفت:

ـ بله.

اسنیپ با ملایمت گفت:

ـ خب، حالا معلوم می‌شه. چوبدستیتو در بیار، پاتر.

هری به جای همیشگی‌اش رفت و جلوی میز اسنیپ ایستاد طوری که میز بین آن‌ها قرار گرفت. خشمش نسبت به چو و نگرانی‌اش از اینکه اسنیپ این بار تا چه حد می‌تواند افکارش را بیرون بکشد باعث می‌شد قلبش تندتند بزند.

اسنیپ با بی‌حالی گفت:

ـ پس با شماره‌ی سه... یک... دو...

در دفتر اسنیپ باز شد و به دیوار خورد و دراکومالفوی با سرعت وارد شد.

ـ پروفسور اسنیپ، قربان... اوه... ببخشید...

مـالفوی بـا تـعجّب بـه اسـنیپ و هـری نگـاه مـی‌کرد. اسنیپ چوبدستی‌اش را پایین آورد و گفت:

ـ اشکالی نداره، دراکو. پاتر برای کلاس جبرانی معجون‌سازی اومـده این‌جا.

هری از زمانی‌که آمبریج برای بازرسی به کلاس هاگرید آماده‌بود تا آن شب دراکـو مـالفوی را آن‌قدر شـاد و سـرحـال نـدیده‌بود. هـری می‌دانست که صـورتش بـرافـروخته شده‌است و مـالفوی درحـالی‌که ابروهایش را برای او آهسته بالا می‌انداخت گفت:

ـ نمی‌دونستم.

هری حاضر بود هرچه لازم بود بدهد امّا حقیقت را فریادزنان برای مالفوی بازگو کند... یا بهتر از آن، او را با یک طلسم جادو کند.

اسنیپ پرسید:

ـ خب، دراکو، بگو چی شده؟

مالفوی گفت:

ـ پروفسور آمبریج، قربان... به کمکتون احتیاج داره. مونتاگ‌رو پیدا کرده‌ن، قربان. اون توی یکی از توالت‌های طبقه‌ی چهارم با سر فرو رفته و گیر کرده.

اسنیپ پرسید:

ـ چه‌طوری رفته اون تو؟

ـ نمی‌دونم، قربان. یه ذرّه گیجه.

ـ باشه، باشه، پاتر... به جای امشب، فرداشب درسمونو ادامه می‌دیم.

اسنیپ به سرعت از دفترش خارج شد. مالفوی پیش از رفتن، با حرکت لبش بی‌صدا به هری گفت:

ـ معجون‌سازی جبرانی؟

هری برافـروخته و خـروشان، چـوبدستی‌اش را در جیب ردایش

گذاشت و به طرف در رفت که از آن‌جا خارج شود. دست کم بـرای تمرین، بیست‌وچهار ساعت وقت داشت. هری مـی‌دانست که خطر از بیخ گوشش گذشته و باید شکرگزار باشد امّا این به قیمت پخش‌شدن خبر کلاس جبرانی معجون‌سازی او در مدرسه از زبان مـالفوی تـمام شده‌بود...

به در دفتر رسیده‌بود که چشمش به آن افتاد. نور لرزانی بر روی چهارچوب در می‌رقصید... آنگاه به یاد آورد: کمی شبیه به نـورهایی بود که دیشب در خواب دیده بود؛ همان نورهایی که در دوّمین اتـاق سازمان اسرار دیده‌بود.

هری برگشت. نور از درون قدح اندیشه می‌تابید که روی میز تحریر اسنیپ بود. محتویّات سفید و نقره‌فام درون قدح در هـم مـی‌پیچید و موج می‌زد. افکار اسنیپ... همان افکاری بود که اسنیپ نمی‌خواست هری در صورت متزلزل ساختن تصادفی قدرت دفاعی او، از آن‌ها با خبر شود...

هری به قدح اندیشه چشم دوخت و کنجکاوی وجـودش را لبـریز کرد... هری دو قدم جلوتر رفت و درحالی‌که به میز نزدیک‌تر می‌شد سخت به فکر فرو رفت. این چه چیزی بود که اسنیپ اصرار داشت از هری پنهان بماند؟

هری به پشت سرش نگاهی انـداخت. قلبش از هـمیشه تـندتر و محکم‌تر می‌زد. چه‌قدر طول می‌کشید تا اسنیپ مـونتاگ را از تـوالت بیرون آورد؟ آیا بعد از آن مستقیم به دفترش می‌آمد یا همراه مونتاگ به درمانگاه می‌رفت؟ بی‌تردید دوّمین گزینه را انتخاب می‌کرد... مونتاگ کاپیتان تیم‌کوییدیچ اسلیترین بود. اسنیپ مـی‌خواست مطمئن شود که حال او خوب می‌شود...

هری فاصله‌ی باقی‌مانده تا قدح انـدیشه را طی کـرد، جـلوی آن

ایستاد و به ژرفای ماده‌ی نقره‌فام خیره شد. لحظه‌ای مردّد ماند و گوشش را تیز کرد. آن‌گاه دوباره چوبدستی‌اش را درآورد. دفتر اسنیپ و راهروی پشت آن ساکت و خاموش بود. با ته چوبدستی‌اش به محتویات قدح اندیشه ضربه‌ای زد.

مادّه‌ی نقره‌ای رنگ درون آن با سرعت زیادی شروع به چرخیدن کرد. هری بر روی آن خم شد و دید که مادّه‌ی درون آن واضح و شفّاف می‌شود. بار دیگر از بالا، اتاقی را می‌دید گویی از پنجره‌ی گردی در سقف آن‌جا را نظاره می‌کرد... در واقع، سرسرای بزرگ را می‌دید مگر آن‌که اشتباه کرده‌باشد...

نفس‌هایش سطح افکار اسنیپ را مه‌آلود می‌کرد... گویی مغزش در برزخ مانده‌بود... کاری که برای انجامش شدیداً وسوسه می‌شد جنون‌آمیز به نظر می‌رسید... او سراپا می‌لرزید... هر لحظه ممکن بود اسنیپ بازگردد... امّا هری به یاد خشمش نسبت به چو افتاد، چهره‌ی ریشخندآمیز مالفوی را به یاد آورد و جرأت و جسارت پیدا کرد.

نفس عمیقی کشید و صورتش را در سطح افکار اسنیپ فرو کرد. بلافاصله کف اتاق در زیر پایش چرخشی ناگهانی کرد و هری را با سر به درون قدح اندیشه فرو برد...

او در فضای تاریک و سردی پایین می‌رفت، با سرعت سرسام‌آوری به دور خود می‌چرخید و بعد...

او در وسط سرسرای بزرگ ایستاده بود امّا از میزهای طویل چهار گروه اثری به چشم نمی‌خورد. در عوض، در سرتاسر آن‌جا حدود صد میز کوچک‌تر قرار داشت که همه به یک سو قرار گرفته بودند و بر روی هریک از آن‌ها دانش‌آموزی خم شده‌بود و تندتند بر روی کاغذ پوستی چیزی می‌نوشت. تنها صدایی که به گوش می‌رسید صدای غژغژ کشیده‌شدن قلم پر بر روی کاغذها و صدای خش‌خش گاه و بیگاه کاغذ

پوستی دانش‌آموزانی بود که کاغذشان را جابه‌جا می‌کردند. کاملاً معلوم بود که جلسه‌ی امتحان است.

آفتاب از پنجره‌های بزرگ سرسرای بزرگ به پشت سرهای خمیده‌ی دانش‌آموزان می‌تابید و از روی موهای خرمایی، حنایی و طلایی آن‌ها منعکس می‌شد. هری با دقّت به اطرافش نگاهی انداخت. اسنیپ می‌بایست جایی در آن اطراف باشد... این خاطره‌ی او بود...

او را سر میزی در سمت راستش یافت. هری به او نگاه کرد. اسنیپ نوجوان، قیافه‌اش همچون گیاهی که در تاریکی مانده‌باشد نحیف و رنگ‌پریده بود. موهایش صاف و لخت و چرب بود و بر روی میز پخش شده‌بود. بینی عقابی اسنیپ هنگام نوشتن، یک سانتی‌متر بیش‌تر با کاغذ پوستی فاصله نداشت. هری پشت اسنیپ ایستاد و بالای کاغذ امتحانش را خواند. بر روی آن نوشته بود:

دفاع در برابر جادوی سیاه
سطح مقدّماتی جادوگری

پس احتمالاً اسنیپ حدوداً پانزده‌شانزده ساله و درست هم‌سن و سال هری بوده‌است. دستش به سرعت بر روی کاغذ پوستی حرکت می‌کرد. او دست کم سی سانتی‌متر بیش‌تر از دانش‌آموزان مجاورش نوشته بود، درحالی‌که دستخطش نیز ریزتر و تودرتوتر بود.

ـ پنج دقیقه وقت دارین!

این صدا هری را از جا پراند. رویش را برگرداند و بالای سر پروفسور فلیت‌ویک را دید که کمی دورتر از او میان نیمکت‌ها قدم می‌زد. پروفسور فلیت‌ویک از کنار پسری گذشت که مویش مشکی و ژولیده بود... مویش ژولیده‌ی ژولیده بود.

هری چنان با سرعت به‌سوی او رفت که اگر بدنش جامد بود نیمکت‌های جلوی راهش را واژگون کرده‌بود. امّا به‌صورتی رویاگونه دو ردیف را رد کرد و به سوّمین ردیف رسید... پشت سر پسر مو مشکی نزدیک و نزدیک‌تر می‌شد... او اکنون صاف نشسته و قلم‌پرش را روی میز گذاشته بود. کاغذ پوستی‌اش را جلویش نگه داشته‌بود تا نوشته‌هایش را بخواند...

هری جلوی او ایستاد و به پدر پانزده‌ساله‌اش خیره نگاه کرد. شوری در دلش می‌جوشید. درست مثل این بود که با خطاهایی عمدی به خودش نگاه کند. رنگ چشم جیمز فندقی و بینی‌اش کمی کشیده‌تر از هری بود. روی پیشانی‌اش نیز اثری از جای زخم به چشم نمی‌خورد. امّا صورت و دهان و ابروهایشان کاملاً مثل هم بود. موهای جیمز نیز درست مثل هری در پشت سرش بالا جسته بود. دست‌هایش درست مثل دست‌های هری بود و وقتی جیمز بلند شد و ایستاد هری متوجّه شد که اختلاف قدشان یکی دو سانتی‌متر بیش‌تر نیست.

جیمز خمیازه‌ای طولانی کشید و موهایش را به هم ریخت و ژولیده‌تر از قبل کرد. آن‌گاه نگاه سریعی به پروفسور فلیت‌ویک انداخت و سرش را برگرداند تا پسری را نگاه کند که چهار صندلی عقب‌تر از او نشسته بود. خنده‌ی آشکاری بر چهره‌اش نشست.

هری بار دیگر با تعجبّی وجدآمیز سیریوس را دید که انگشتش را به نشانه‌ی موفقیّت به او نشان داد. سیریوس راحت و آسوده روی صندلی‌اش لمیده و صندلی را روی پایه‌های عقبی‌اش نگه داشته‌بود. او خیلی خوش‌قیافه بود. طرّه‌ای از موی سیاهش در اوج ظرافت و زیبایی بر روی چشمش افتاده‌بود و امکان نداشت موی جیمز یا هری بتواند چنان حالت زیبا و برازنده‌ای به خود بگیرد. دختری که پشت او نشسته بود امیدوارانه به او نگاه می‌کرد هرچند که ظاهراً او متوجّه نشده‌بود.

دو صندلی عقب‌تر از این دختر (هری‌پیچ و تاب خوشایندی در دلش احساس کرد) ریموس لوپین نشسته بـود. قیافه‌اش مـریض احـوال و چهره‌اش رنگ‌پریده به نظر می‌رسید (آیا بـه بـدر کـامل مـاه نـزدیک بودند؟) و تمام هوش و حواسش به امتحان بود. وقتی پاسخ‌هایش را می‌خواند اندکی اخم کرده‌بود و با انتهای قلمش چانه‌اش را می‌خاراند.

پس به این ترتیب دم باریک نیز مـی‌بایست جـایی در آن اطراف نشسته باشد... و هری پس از چند ثانیه توانست او را بیابد. پسر ریز نقشی با موی موشی رنگ و بینی نوک تیز را بـلافاصله پیـدا کـرد. دم باریک نگران به نظر می‌رسید. او به ورقه‌ی امتحانی‌اش خیره شده‌بود و ناخن‌هایش را می‌جوید و پاهایش را به زمین مـی‌کشید. هـرازگاهی امیدوارانه به ورقه‌ی دانش‌آموز مجاورش نگاهی مـی‌انداخت. هـری لحظه‌ای به او خیره شد سپس دوباره به جیمز در پشت سرش نگاه کرد که بر روی یک تکّه کاغذ پوستی خط‌خطّی می‌کرد. او عکس یک گوی زرّین را نقاشی کرده‌بود و حـالا حـروف «.L.E» را مـی‌نوشت. ایـن علامت اختصاری چه بود؟

پروفسور فلیت‌ویک جیرجیرکنان گفت:

ـ لطفاً قلم پرهاتونو بگذارین کنار! با تو هم هستم استه‌بینز! لطفاً سـر جاهاتون بنشینید تا من کاغذ پوستی‌هارو جمع کنم! اکسیو!

بیش از یکصد کاغذ پوستی یکراست به دست پروفسور فلیت‌ویک پرواز کردند و او را به پشت روی زمین انداختند. چند نفر خندیدند. دو سه نفر در ردیف جلو از جایشان برخاستند، زیر آرنج‌هایش را گرفتند و او را از زمین بلند کردند.

پروفسور فلیت‌ویک که نفس‌نفس می‌زد گفت:

ـ متشکّرم... متشکّرم. بسیار خب، حالا می‌تونین برین!

هری به پدرش نگاه کرد که با دستپاچگی روی حروف «.L.E» را

خط می‌زد که قبلاً به صورتی فانتزی نوشته بود. سپس از جا جست و قلم پر و سؤالات امتحانی را در کیفش جا داد که از پشتش آویزان بود. آن‌گاه همان‌جا ایستاد تا سیریوس به او برسد.

هری به اطرافش نگاه کرد و کمی آن‌طرف‌تر اسنیپ را دید که از لابه‌لای میز و نیمکت‌ها به‌طرف در می‌رفت تا به سرسرای ورودی برود. هنوز سخت مشغول خواندن سؤالات امتحانی‌اش بود. شانه‌های استخوانی‌اش را جلو آورده و قوز کرده‌بود. موهای چربش دو طرف صورتش راگرفته بود و چنان عصبی راه می‌رفت که عنکبوت را تداعی می‌کرد. دسته‌ای از دخترها که تندتند با هم حرف می‌زدند اسنیپ را از جیمز و سیریوس جدا انداخته بودند و هری با قرارگرفتن در وسط این گروه هم می‌توانست اسنیپ را ببیند هم گوشش را تیز کرده‌بود تا حرف‌های جیمز و دوستانش را بشنود.

وقتی به سرسرای ورودی آمدند سیریوس پرسید:

ـ از سؤال ده خوشت اومد، مهتابی؟

لوپین بلافاصله گفت:

ـ کیف کردم. پنج نشانه برای تشخیص گرگینه‌ها را نام ببرید. سؤال بی‌نظیری بود.

جیمز با نگرانی تمسخرآمیزی گفت:

ـ فکر می‌کنی تونسته باشی همه‌ی نشونه‌هارو بنویسی؟

آن‌ها به جمعیّتی پیوستند که مشتاقانه پشت درهای ورودی جمع شده‌بودند تا به محوطه‌ی آفتابی مدرسه بروند. لوپین گفت:

ـ فکر می‌کنم نوشتم. یک: روی صندلیم نشسته، دو: لباس‌های منو پوشیده، سه: اسمش ریموس لوپینه...

دم‌باریک تنها کسی بود که نخندید. او با نگرانی گفت:

ـ من شکل پوزه و مردمک چشم‌ها و دم پرپشتشو نوشتم... ولی هرچی

فکر کردم چیز دیگه‌ای یادم نیومد.

جیمز با بی‌حوصلگی گفت:

ـ عجب خنگی هستی، دم‌باریک. خوبه حالا ماهی یک‌بار با یه گرگینه پرسه می‌زنی...

لوپین ملتمسانه گفت:

ـ صداتو بیار پایین.

هری با نگرانی به پشت سرش نگاهی انداخت. اسنیپ که هنوز غرق در سؤال امتحانی‌اش بود با آن‌ها فاصله‌ی زیادی نداشت. امّا این خاطره‌ی اسنیپ بود و هری می‌دانست که اگر اسنیپ در محوطه‌ی مدرسه به سمت دیگری برود او دیگر نمی‌تواند بیش از آن به دنبال پدرش برود.

امّا وقتی اسنیپ نیز به دنبال پدرش و سه دوست او از سراشیبی چمن به سوی دریاچه رفت، هری نفس راحتی کشید. اسنیپ هنوز به ورقه‌ی سؤالات امتحانی‌اش چشم دوخته بود و ظاهراً نمی‌دانست به کدام سمت می‌رود. هری چند قدمی دوید تا بتواند از نزدیک، جیمز و بقیّه را زیرنظر داشته باشد. صدای سیریوس را شنید که گفت:

ـ برای من که مثل آب‌خوردن بود. هیچ بعید نیست که «عالی» بگیرم.

جیمز دستش را در جیبش کرد و یک گوی زرّین پر جنب‌وجوش را درآورد و گفت:

ـ آره، منم همین‌طور.

ـ اونو از کجا آوردی؟

جیمز با لحنی معمولی گفت:

ـ کش رفتم.

شروع به بازی با گوی زرّین کرد. آن را رها می‌کرد تا سی سانتی‌متر از او دور شود و بعد دوباره آن را می‌گرفت. سرعت عملش عالی بود.

دم‌باریک با حیرت به او نگاه می‌کرد. آن‌ها در سـایه‌ی هـمان درخت راش در کنار دریاچه ایستادند کـه هـری، رون و هـرمیون در یک روز یکشنبه زیر آن تکالیفشان را به پایان رسانده‌بودند. آن‌ها روی سبزه‌ها ولو شدند.

هری بار دیگر به پشت سرش نگاهی انداخت و در کمال مسرّت اسنیپ را دید که در سایه‌ی یک کپّه درختچه‌ی انبوه نشسته است. او مثل قبل غرق خواندن سؤالات امتحانی سطوح مقدّماتی جادوگری بود بنابراین هری به‌راحتی توانست در فاصله‌ی درخت راش و درختچه‌ها بماند و آن چهار نفر را در زیر درخت تماشا کند.

نور خورشید بر روی سطح آرام و بی‌حرکت دریاچه می‌درخشید و در کنار آن گروهی از دخترها کفش و جورابشان را درآورده و پاها را در آب خنک فرو کرده بودند و هرو کر می‌کردند.

لوپین کتابی در آورد و مشـغول خـواندن آن شـد. سـیریوس به دانش‌آموزانی نگاه مـی‌کرد کـه در اطرافشـان مـی‌پلکیدند. چهره‌ی خوش‌قیافه و مغرورش، خسته به نظر می‌رسید. جیمز همچنان سرگرم بازی با گوی زرّین بود و هر بار می‌گذاشت فاصله‌ی بیش‌تری بگیرد و هـر بـار نـزدیک بـود از دسـتش بگریزد امّا در آخـرین لـحظه آن را می‌گرفت. دم باریک به او خیره شده، دهانش باز مانده‌بود. هربار کـه جیمز با مهارت از فرار گوی زرّین جلوگیری می‌کرد و آن را می‌گرفت دم باریک لحظه‌ای نفس را در سینه حبس می‌کرد و سپس به تشویق او می‌پرداخت. هری در عجب بود که جیمز به او تذکّر نمی‌دهد کـه بر خودش مسلّط باشد امّا ظاهراً جیمز از جـلب تـوجّه دیگران لـذّت می‌برد. او متوجّه شد که پدرش عادت داشته دایم موهایش را به هـم بریزد گویی می‌خواسته مطمئن شود که موهایش صاف و مرتّب نیست. یکسره به دخترهایی نگاه می‌کرد که کنار دریاچه بودند.

بالاخره وقتی بار دیگر جیمز ماهرانه گوی زرّین را گرفت و دم باریک با شور و شوق هورا کشید سیریوس گفت:

ـ می‌شه اونو بگذاری کنار؟ قبل از این‌که دم‌باریک از هیجان خودشو خیس کنه بگذارش کنار.

جیمز گوی زرّین را در جیبش چپاند و گفت:

ـ اگه ناراحتت می‌کنه، چشم.

هری احساس می‌کرد سیریوس تنها کسی است که جیمز به خاطرش دست از خودنمایی برمی‌دارد. سیریوس گفت:

ـ حوصله‌م سررفته. کاشکی امشب بدر کامل بود.

لوپین از پشت کتابش با بدبینی گفت:

ـ هنوز امتحان تغییر شکلمونو ندادیم. اگه حوصله‌ت سررفته می‌تونی از من درس بپرسی... بیا بگیر.

لوپین دستش را دراز کرد تا کتاب را به او بدهد امّا سیریوس با بدخلقی گفت:

ـ دیگه نمی‌خوام به اون آشغالا نگاه کنم. همه‌شو بلدم.

جیمز آهسته گفت:

ـ پانمدی، این حالتو جا میاره. نگاه کن کی اون جاست...

او به نرمی گفت:

ـ عالیه، زرزروسه.

هری سرش را برگرداند تا ببیند سیریوس به چه کسی نگاه می‌کند. اسنیپ دوباره بلند شده‌بود و سؤالات امتحان را در کیفش می‌گذاشت. وقتی از سایه‌ی درختچه‌ها بیرون آمد و شروع به قدم‌زدن بر روی چمن‌ها کرد سیریوس و جیمز از جایشان بلند شدند. لوپین و دم‌باریک همان‌جا نشسته بودند. لوپین هنوز سرگرم خواندن کتابش بود امّا چشم‌هایش بر روی سطرهای کتاب حرکت نمی‌کرد و در اثر اخم، بین

ابروهایش چین افتاده‌بود. دم‌باریک با شور و اشتیاق به سیریوس و جیمز، و اسنیپ نگاه می‌کرد.

جیمز با صدای بلندی گفت:

ـ حالت خوبه، زرزروس؟

اسنیپ چنان به سرعت واکنش نشان داد که گویی انتظار حمله‌ی کسی را داشت. بلافاصله کیفش را انداخت، دستش را به داخل ردایش فرو کرد و هنوز چوبدستی‌اش را در نیاورده بود که جیمز فریاد زد: «*اکسپلیارموس!*»

چوبدستی اسنیپ سه مترونیم به هوا رفت و تالاپی روی چمن‌های پشت سرش افتاد. سیریوس قهقهه‌ی خنده را سر داد.

اسنیپ به زمین افتاده‌بود و می‌خواست شیرجه‌ای بزند تا چوبدستی‌اش را بردارد امّا سیریوس فریاد زد: «*ایمپدیمنتا!*»

همه‌ی دانش‌آموزانی که اطرافشان بودند، سرها را برگردانده، به آن‌ها نگاه می‌کردند. بعضی از آن‌ها از جایشان بلند شده‌بودند و جلو می‌آمدند تا از نزدیک آن صحنه را ببینند. گروهی نگران بودند و گروهی شادمان.

اسنیپ روی زمین افتاده‌بود و نفس‌نفس می‌زد. جیمز و سیریوس، چوبدستی‌ها را بلند کرده، به او نزدیک می‌شدند. جیمز سرش را برگرداند و نگاهی به جمع دخترهای کنار دریاچه انداخت. اکنون دم‌باریک نیز بلند شده‌بود و با اشتیاق از کنار لوپین رد می‌شد تا بهتر بتواند ببیند. جیمز گفت:

ـ امتحان چه‌طور بود، زرزرو؟

سیریوس بی‌رحمانه گفت:

ـ من داشتم نگاش می‌کردم. دماغش چسبیده بود به کاغذ پوستی. باور کن کاغذش پر از لکّه‌های چربی شده و حتی یک کلمه‌شم نمی‌تونن

بخونن.

چند نفر از دانش‌آموزان تماشاگر خندیدند. کاملاً مشخّص بود که اسنیپ محبوبیّت چندانی ندارد. دم‌باریک با حالتی تمسخرآمیز می‌خندید و صدایش گوشخراش شده‌بود. اسنیپ تقلاّ می‌کرد از جایش بلند شود امّا طلسم هنوز باطل نشده‌بود و او طوری تکان می‌خورد گویی دست‌وپایش را با طنابی نامریی بسته بودند.

اسنیپ که نفرت عمیقی بر چهره‌اش سایه افکنده بود به جیمز نگاه کرد و همان‌طور که نفس‌نفس می‌زد گفت:

ـ حالا صبر کن... صبر کن...

سیریوس با خونسردی گفت:

ـ برای چی صبر کنیم؟ مثلاً می‌خوای چی‌کار کنی، زرزروس، نکنه می‌خوای دماغتو با ردای ما پاک کنی؟

سیل ناسزا و وردهای شوم بر زبان اسنیپ جاری شد امّا چون چوبدستی‌اش با او سه متر فاصله داشت هیچ اتّفاقی نیفتاد. جیمز با خونسردی گفت:

ـ دهنتو آب بکش! *اسکرجیفای!*

بلافاصله کف صابون صورتی رنگی از دهان اسنیپ بیرون ریخت. دهانش پر از کف شده‌بود و او دهانش را باز کرده‌بود و داشت خفه می‌شد...

ـ *ولش کنین!*

جیمز و سیریوس سرشان را برگرداندند. دست آزاد جیمز بلافاصله به سمت موهایش رفت. این صدای یکی از دخترهای کنار دریاچه بود. موهای قرمز تیره پرپشتش بر روی شانه‌هایش افتاده‌بود و چشم‌های بادامی خیره‌کننده‌اش سبز بود... درست همرنگ چشمان هری.

مادر هری...

ـ حالت خوبه، اِوَنز؟

صدای جیمز ناگهان خوش‌آهنگ و بم و آرام شده‌بود. لی‌لی دوباره گفت:

ـ ولش کنین.

او طوری به جیمز نگاه می‌کرد که از انزجار و ناراحتی‌اش خبر می‌داد و در همان حال پرسید:

ـ مگه اون با شما کاری داشت؟

جیمز که ظاهراً دنبال بهانه‌ای می‌گشت گفت:

ـ خب، راستش همین‌که وجود *داره* کافیه دیگه، نمی‌دونم متوجّه منظورم می‌شی یا نه...

بسیاری از تماشاگرانی که دورشان حلقه زده بودند خنده را سر دادند. سیریوس و دم‌باریک نیز جزو آن‌ها بودند امّا لوپین که نگاهش با جدّیّت روی کتابش متمرکز مانده‌بود نمی‌خندید. لی‌لی هم نخندید. او با لحن سردی گفت:

ـ فکر کردی خیلی بانمکی؟ تو یک از خود راضی آشغال کلّه‌ی قلدری، پاتر. ولش کن و راحتش بگذار.

جیمز فوراً گفت:

ـ باشه، ولش می‌کنم، به شرطی که قبول کنی با هم به گردش بریم. باشه...؟ بیا دیگه... اگه بیای دیگه هیچ‌وقت چوبدستیمو به‌طرف زرزروس عوضی نمی‌گیرم.

در پشت سرش طلسم بازداری از میان می‌رفت و اسنیپ ذرّه‌ذرّه به چوبدستی‌اش نزدیک می‌شد و همان‌طورکه می‌خزید کف‌ها را تف می‌کرد.

لی‌لی گفت:

ـ اگه قرار بشه از بین تو و ماهی غول‌پیکر مرکب یکی‌رو برای گردش

رفتن انتخاب کنم اون یکی تو نیستی.

سیریوس به تندی گفت:

ـ بدشانسی آوردی، شاخدار!

سیریوس این را گفت و به سرعت به سمت اسنیپ برگشت و گفت: «اوی!»

امّا دیگر دیر شده‌بود. اسنیپ چوبدستی‌اش را به سمت جیمز گرفته بود. پرتو نوری نمایان شد و در یک سمت صورت جیمز بریدگی عمیقی ایجاد کرد. قطره‌های خون روی ردایش پاشید. جیمز چرخی زد و لحظه‌ای بعد با دوّمین پرتو نورانی، اسنیپ وارونه در هوا معلّق ماند. ردایش روی سرش افتاد و پاهای استخوانی و رنگ‌پریده‌اش با لباس‌زیر چرک و خاکستری‌اش نمایان شد.

بسیاری از کسانی‌که دور آن‌ها حلقه زده‌بودند و تماشا می‌کردند فریاد کشیدند و سوت زدند. سیریوس، جیمز و دم‌باریک قهقهه‌ی خنده را سر دادند.

لی‌لی که چهره‌ی خشمناکش لحظه‌ای کش آمده‌بود گویی می‌خواست لبخند بزند فریاد زد:

ـ بیارش پایین!

جیمز گفت:

ـ به روی چشم.

و چوبدستی‌اش را با تکانی سریع به سمت بالا حرکت داد. اسنیپ بر روی یک کپه گیاه انبوه افتاد. دست‌وپایی زد و ردایش را پایین انداخت و بلند شد. امّا همین‌که چوبدستی‌اش را بلند کرد سیریوس گفت: «لوکوموتور مورتیس!» بلافاصله اسنیپ به زمین افتاد و مثل یک الوار خشک و بی‌جان شد.

لی‌لی که حالا چوبدستی‌اش را درآورده‌بود فریاد زد:

ـ *راحتش بگذارین!*

جیمز و سیریوس با نگرانی به او نگاه کردند. جیمز صمیمانه گفت:

ـ اَه، اِوَنز، کاری نکن که تورو هم طلسم کنم.

ـ پس جادوشو باطل کن!

جیمز آه عمیقی کشید و رویش را به سمت اسنیپ برگرداند و ورد باطل‌کننده‌اش را بر زبان آورد. وقتی اسنیپ تقلاّ می‌کرد تا از زمین بلند شود جیمز گفت:

ـ بفرمایین. زرزروس، شانس آوردی که اِوَنز این‌جا بود...

ـ من به کمک گندزاده‌ی پست و کثیفی مثل اون احتیاجی ندارم!

لی‌لی درنگی کرد و سپس با لحن سردی گفت:

ـ باشه. بعد از این دیگه کاری به کارت ندارم. راستی، اگه من جای تو بودم، زرزروس، لباس زیرمو می‌شستم.

جیمز چوبدستی‌اش را به‌طور تهدیدآمیزی به سمت اسنیپ گرفت و نعره زد:

ـ از اِوَنز معذرت‌خواهی کن.

لی‌لی رویش را به سمت جیمز برگرداند و فریاد زد:

ـ لازم نیست تو مجبورش کنی عذرخواهی کنه. تو هم به اندازه‌ی اون بدی...

جیمز فریاد زد و گفت:

ـ چی؟ من هیچ‌وقت به تو نگفته‌م... همونی که خودت می‌دونی!

ـ یکسره موهاتو به هم می‌ریزی و فکر می‌کنی خیلی باحاله و انگار که همین الان از جاروت پیاده شدی. با اون گوی زرّین مسخره یکسره خودنمایی می‌کنی. توی راهروها راه می‌ری و هرکی ناراحتت کنه طلسمش می‌کنی چون می‌تونی... با اون کلّه‌ی پر بادی که داری تعجّب می‌کنم که می‌تونی با جاروت از زمین بلند بشی. واقعاً که حالم ازت به

هم می‌خوره.

لی‌لی روی پاشنه‌ی پا چرخید و با عجله از آن‌جا رفت. جیمز فریاد زد و او را صدا کرد:

ـ اِوَنز! آهای، اِوَنز!

امّا او به پشت سرش نگاه نکرد.

ـ هیچ معلومه اون چه شه؟

جیمز سعی کرده‌بود وانمود کند این پرسش برایش اهمیّت چندانی ندارد امّا موفّق نشده‌بود. سیریوس گفت:

ـ اگر اشتباه نکرده‌باشم معنیش اینه که اون فکر می‌کنه تو خیلی مغرور و متکبّری، رفیق.

جیمز که اکنون خشمگین به نظر می‌رسید گفت:

ـ آره، درسته.

پرتو نور دیگری نمایان شد و اسنیپ بار دیگر وارونه در هوا معلّق ماند. جیمز گفت:

ـ بچّه‌ها کی دلش می‌خواد لباس زیر زرزرو رو از تنش در بیارم؟

امّا هری هرگز نفهمید که جیمز این کار را انجام داد یا نه. دستی مانند چنگ خرچنگ محکم دور بازویش را گرفته بود و می‌فشرد. هری از درد چهره‌اش را درهم کشید و سرش را برگرداند تا ببیند چه کسی او را گرفته است و اسنیپ بزرگسال را دید که چهره‌اش از خشم سفید شده و پشت سرش ایستاده بود. او گفت:

ـ تفریح می‌کنی؟

هری احساس کرد به هوا می‌رود. آن روز تابستانی محو و ناپدید شد. او در فضای تاریک و سردی در هوا معلّق مانده‌بود و دست اسنیپ هنوز محکم بازویش را می‌فشرد. سپس به سرعت با حرکتی شیرجه‌مانند، گویی در هوا پشتک زده‌باشد، پاهایش به کف سنگی

دخمه‌ی اسنیپ برخورد کرد. بار دیگر کنار قدح اندیشه و در کنار میز تحریر اسنیپ قرار داشت و در دفتر تاریک و پر سایه‌ی استاد درس معجون‌سازی فعلی ایستاده‌بود.

اسنیپ چنان محکم دست هری را فشار می‌داد که احساس می‌کرد دستش بی‌حس می‌شود. او به هری گفت:

ـ پس... پس از اون وقت تا حالا این‌جا داشتی خوش‌گذرونی می‌کردی؟

هری که می‌کوشید دستش را آزاد کند گفت:

ـ نه... نه!

لب‌هـای اسـنیپ لرزیـد. صـورتش مثـل گـچ سـفید شـده‌بود و دندان‌هایش را نشان می‌داد. واقعاً ترسناک شده‌بود. او چنان با شدّت هری را تکان داد که عینکش به نوک بینی‌اش لغزید. اسنیپ گفت:

ـ پدرت مرد شوخ طبعی بوده، نه؟

ـ من... من... نمی...

اسنیپ با تمام نیرویش هری را هل داد و از خود راند. هری با شدّت بر روی کف دخمه افتاد. اسنیپ نعره زد:

ـ چیزهایی‌رو که دیدی برای هیچ‌کس بازگو نمی‌کنی!

هری که از جایش بلند می‌شد و می‌کوشید از اسنیپ هرچه بیشتر فاصله بگیرد گفت:

ـ نه... نه، به هیچ‌وجه نمی‌گم...

ـ بیرون، بیرون، دیگه نمی‌خوام توی این دفتر بیای!

هری با دستپاچگی بـه سـمت در مـی‌رفت کـه یک شیشـه پر از سوسک مرده بالای سرش منفجر شد. دستگیره‌ی در را چرخاند و دوان‌دوان از پله‌ها به راهرو رفت و تنها زمانی‌که سه طبقه از اسنیپ دور شده‌بود ایستاد تا نفسی تازه کند. به دیوار تکیه داد و همان‌طورکه نفس‌نفس می‌زد بازوی دردناکش را مالید.

او به هیچ‌وجه خیال نداشت به آن زودی به برج گریفندور برگردد یا
چیزی درباره‌ی آنچه دیده‌بود به رون و هرمیون بگوید. آنچه هری را به
شدّت ناراحت و وحشت‌زده کرده‌بود دادوبیداد اسنیپ یـا پرتاب
شیشه‌ی پر از سوسک به طرفش نبود... آزردگیش برای این بود که او
می‌دانست وقتی کسی را وسط عدّه‌ای تماشاگر مسخره مـی‌کنند چـه
حالی مـی‌شود. او دقیقاً مـی‌دانست اسـنیپ هـنگامی‌که در مـعرض
تمسخر و تحقیر پدرش قرار گرفته‌بود چه حالی داشت و با تـوجّه بـه
آنچه دیده‌بود به این نتیجه رسید که پدرش دقیقاً به همان خودپسندی
بود که اسنیپ همیشه می‌گفت.

فصل ۲۹

مشاوره‌ی شغلی

هرمیون با اخم گفت:

ـ آخه برای چی دیگه درس چفت‌شدگی نمی‌گیری؟

هری زیر لب گفت:

ـ بهت که گفتم... اسنیپ فکر می‌کنه حالا که من اصول اوّلیه‌شو یاد گرفته‌م دیگه خودم می‌تونم بقیه‌شو یاد بگیرم.

هرمیون با شکّ و تردید پرسید:

ـ پس یعنی دیگه اون خواب‌های مسخره‌رو نمی‌بینی؟

هری بدون آنکه به او نگاه کند گفت:

ـ خیلی کم‌تر شده.

هرمیون با دلخوری گفت:

ـ ولی به نظر من اسنیپ تا موقعی که تسلّط کامل پیدا نکردی نباید

درستو قطع کنه. هری، به نظر من باید بری پیشش و ازش خواهش
کنی...

هری با قاطعیّت گفت:

ـ نه. هرمیون، دیگه درباره‌ی این موضوع حرف نزن. باشه؟

اوّلیـن روز تـعطیلات عـید پـاک بـود و هـرمیون طبق عـادت
همیشگی‌اش بیش‌تر ساعات آن روز را به طراحی یک برنامه‌ی دقیق
برای درس خواندن هر سه نفرشان اختصاص داد. هـری و رون بـه او
اجازه‌ی این کار را داده‌بودند... این بهتر از جر و بحث با او بود و از آن
گذشته، ممکن بود به نفعشان باشد.

رون وقتی فهمید شش هفته‌ی دیگر تا امتحاناتش بـاقی مانده‌است
مات و مبهوت مـاند. هـرمیون درحالی‌که بـا نـوک چـوبدستی‌اش بـه
مربّع‌های جدول برنامه‌ی درسی رون ضربه می‌زد تا هریک متناسب با
موضوع درسی به یک رنگ درآیند از رون پرسید:

ـ برای چی این‌قدر تعجّب کردی؟

رون گفت:

ـ نمی‌دونم... آخه اتّفاق‌های زیادی افتاده...

هرمیون برنامه‌ی درسی رون را به دستش داد و گفت:

ـ بفرمایین. اگر بر طبق این برنامه درس بخونی تـوی امـتحانات مـوفّق
می‌شی.

رون با ناراحتی به برنامه‌اش نگاهی کرد و بلافاصله چهره‌اش بـاز
شد و گفت:

ـ تو یه شب در هفته به من استراحت دادی؟

هرمیون گفت:

ـ برای تمرین کوییدیچه.

لبخند روی لب رون خشک شد و با بی‌حوصلگی گفت:

ـ چه فایده‌ای داره؟ اگه پدرم امسال بتونه وزیر سحر و جادو بشه ما هم می‌تونیم جام کوییدیچ‌رو ببریم...

هرمیون حرفی نزد. او به هری نگاه می‌کرد که به دیوار سالن عمومی در مقابلش خیره شده‌بود و کج پا پنجه‌هایش را به دست او می‌کشید بلکه شروع به خاراندن زیر گوش‌هایش کند. از او پرسید:

ـ چی شده، هری؟

هری بلافاصله گفت:

ـ چی؟ هیچی نشده...

هری کتاب نظریه‌ی دفاعی جادویش را برداشت و وانمود کرد در فهرست آن به دنبال مطلبی می‌گردد. کج پا که از او ناامید شده‌بود جستی زد و به زیر صندلی هرمیون رفت. هرمیون با حالتی محتاطانه گفت:

ـ امروز چورو دیدم... اونم خیلی پکر بود... دوباره با هم دعواتون شده؟

هری با خوش‌حالی از این موضوع استقبال کرد و گفت:

ـ چی؟ اوه، آره... آره...

ـ سر چی؟

هری گفت:

ـ سر اون دوست خبرچینش، ماریه‌تا.

رون برنامه‌ی درسی‌اش را کنار گذاشت و با عصبانیّت گفت:

ـ آره، حق داری! اگه اون نبود...

رون شروع کرد به بدو بیراه گفتن به ماریه‌تا اجکومب و باعث خشنودی هری شد. او فقط باید قیافه‌ای عصبانی به خود می‌گرفت و با حرکت سرش حرف‌های او را تأیید می‌کرد و هر بار رون ساکت می‌شد تا نفسی تازه کند می‌گفت: «آره، درسته.» بدین ترتیب مغزش آزاد می‌ماند تا در اوج درماندگی و فلاکت در صحنه‌هایی غرق شود که در

قدح اندیشه دیده‌بود.

احساس می‌کرد این خاطره از درون او را می‌خورد. او بدون ذرّه‌ای شکّ و تردید گمان کرده‌بود والدینش افرادی خوب و بی‌نظیر بوده‌اند و با اطمینان خاصّی هیچ‌یک از بدگویی‌های اسنیپ درباره‌ی شخصیّت پدرش را باور نکرده‌بود. مگر افرادی چون هاگرید و سیریوس به او نگفته بودند که پدرش چه مرد نازنینی بوده‌است؟ (صدای غرولندی از پس ذهن هری به گوش رسید که می‌گفت: ای بابا! مگه ندیدی خود سیریوس چه جوری بوده؟ خودش هم به همون بدی بوده دیگه!) بله، او یک بار به‌طور مخفیانه حرف‌های پروفسور مک‌گونگال را شنیده‌بود که می‌گفت پدرش و سیریوس دایم در مدرسه دردسر درست می‌کرده‌اند و دوقلوهای ویزلی نیز راه آن‌ها را در پیش گرفته‌اند امّا هری حتّی نمی‌توانست تصوّر کند که فرد و جرج برای تفریح و سرگرمی کسی را وارونه در هوا معلّق نگه داشته‌اند... مگر این‌که کسی باشد که واقعاً از او متنفّر باشند... مثلاً کسی مثل مالفوی... یا شخص دیگری که واقعاً سزاوار چنین عملی باشد....

هری به دنبال بهانه‌ای می‌گشت که اسنیپ را سزاوار بلایی بداند که جیمز بر سرش آورده‌بود... امّا مگر لی‌لی نپرسیده‌بود: «مگه اون با شما چی کار داشت؟» و جیمز جواب داده‌بود: «همین‌که اون وجود داره کافیه. نمی‌دونم متوجّه منظورم شدی یا نه.» آیا جیمز تمام آن جنجال را فقط به این دلیل شروع نکرده‌بود که سیریوس حوصله‌اش سر رفته بود؟ هری حرف لوپین را در خانه‌ی میدان گریمولد به یاد آورد که گفته‌بود دامبلدور او را دانش‌آموز ارشد کرده‌بود به این امید که او بتواند در رفتار سیریوس و جیمز نظم و انضباطی به‌وجود آورد... امّا در قدح اندیشه او را دیده‌بود که همان‌جا نشسته و دست روی دست گذاشته بود تا هر کار می‌خواهند بکنند...

هری به خود گوشزد کرد که لی‌لی مداخله کرده‌بود. مادرش آبرومند و محترم بود امّا با به یادآوردن حالت چهره‌ی او هنگام فریادزدن بر سر جیمز بازهم ناراحت و آزرده می‌شد. کاملاً معلوم بود که او از جیمز متنفّر بوده‌است و هری نمی‌توانست بفهمد که آن دو در نهایت چه‌طور با هم ازدواج کرده‌بودند. حتّی یکی دوبار این فکر به ذهنش رسید که جیمز لی‌لی را وادار به ازدواج کرده‌است...

در پنج‌سال گذشته، فکرکردن به پدرش منبع آرامش و الهامش می‌شد. هربار کسی به او می‌گفت شبیه جیمز است لبریز از غرور و افتخار می‌شد. ولی حالا... وقتی به او می‌اندیشید احساس بدبختی و فلاکت می‌کرد.

روزهای تعطیل یکی پس از دیگری سپری می‌شدند. هوا گرم‌تر و روزها بلندتر می‌شدند. اکثر اوقات باد مطبوعی می‌وزید. امّا هری و سایر دانش‌آموزان سال پنجم و سال هفتم همگی در داخل قلعه محبوس شده‌بودند و دایم در مسیر کتابخانه در رفت‌وآمد بودند. هری وانمود می‌کرد بداخلاقی‌اش فقط به دلیل نزدیک‌شدن تاریخ امتحانات است و از آن‌جا که همکلاسی‌های سال پنجمی‌اش اغلب از فرط درس خواندن بیمار می‌شدند کسی به او خرده نمی‌گرفت.

ـ هری با تو حرف می‌زنم‌ها! مگه صدامو نمی‌شنوی؟

ـ هان؟

هری سرش را بلند کرد. جینی ویزلی که موهایش را جریان باد به هم ریخته بود وارد کتابخانه شده و سر میزی آمده‌بود که هری به تنهایی کنارش نشسته بود. جینی کنار هری نشست. یکشنبه شب و دیروقت بود. هرمیون به برج گریفندور برگشته بود تا طلسم‌های باستانی‌اش را مرور کند. رون تمرین کوییدیچ داشت.

هری کتاب‌هایش را به سمت خود کشید و گفت:

ـ اوه، سلام. چرا پس برای تمرین نرفتی؟
ـ تمرین تموم شد. رون رفت که جک اسلوپرو به درمانگاه برسونه.
ـ برای چی؟
جینی آه عمیقی کشید و گفت:
ـ خودمونم درست نمی‌دونیم ولی احتمال می‌دیم که با چماقش به خودش ضربه زده باشه... راستی، یه بسته همین الان رسید. قشنگ معلومه که بازش کرده‌ن و بعد دوباره با بی‌دقّتی بستنش. روی کاغذشم با مرکّب قرمز نوشته بودن: «توسّط بازرس عالی‌رتبه‌ی هاگوارتز بازرسی شد». تخم‌مرغ‌های عید پاکه که مامانم فرستاده. یکی هم برای تو فرستاده... بگیرش...
جینی یک تخم‌مرغ شکلاتی زیبا به‌دست هری داد که با گوی زرّین‌های ظریف شکری تزیین شده‌بود، بسته‌بندی آن نشان می‌داد که یک بسته زنبور ویزویزوی جوشان هم در آن هست. هری لحظه‌ای به آن نگاه کرد و چنان ناراحت شد که حالت تهوّع پیدا کرد و انقباضی را تا گلویش حس کرد. جینی آهسته پرسید:
ـ حالت خوبه، هری؟
هری با لحن تندی گفت:
ـ آره، خوبم.
امّا انقباض گلویش دردناک بود. نمی‌دانست چرا تخم‌مرغ عید پاک او را به آن حال‌وروز انداخته است.
جینی پافشاری کرد و گفت:
ـ این روزها تو واقعاً پکری، هری. می‌دونی چیه... مطمئنم که اگه با چو حرف بزنی...
هری با بی‌حوصلگی گفت:
ـ اونی که می‌خوام باهاش حرف بزنم چو نیست.

جینی که با دقّت او را نگاه می‌کرد پرسید:

ـ پس کیه؟

ـ من...

هری به اطرافش نگاهی انداخت تا مطمئن شود کسی به حرفشان گوش نمی‌دهد. خانم پینس با آن‌ها چند قفسه فاصله داشت و سرگرم مهرزدن به یک دسته کتاب بود و هاناآبوت با قیافه‌ای سراسیمه منتظر گرفتن آن‌ها بود.

هری جویده‌جویده گفت:

ـ ای کاش می‌تونستم با سیریوس حرف بزنم. امّا می‌دونم که نمی‌شه.

جینی متفکّرانه به او خیره ماند. هری بیش‌تر برای این‌که خود را سرگرم کند با وجودی که هیچ تمایلی نداشت تخم‌مرغ عید پاکش را باز کند تکّه‌ی بزرگی از آن را کند و در دهانش گذاشت.

جینی نیز تکّه‌ای از آن خورد و به آرامی گفت:

ـ خب، اگه خیلی دلت می‌خواد با سیریوس حرف بزنی، به نظر مـن می‌تونیم یه راهی پیدا کنیم...

هری با بی‌حوصلگی گفت:

ـ با وجود آمبریج کـه هـمه‌ی آتش‌هـارو کنتـرل مـی‌کنه و نـامه‌هامونو می‌خونه؟

جینی متفکّرانه گفت:

ـ وقتی آدم با فرد و جرج بزرگ شده باشه یاد می‌گیره که همیشه فکر کنه هر غیرممکنی ممکنه به شرطی که یه ذرّه جرأت و جسارت داشتـه باشی.

هری به جینی نگاه کرد. شاید این تأثیر شکلات بود... لوپین همیشه بعد از روبه‌روشدن بـا دیوانه‌سازها بـه او تـوصیه مـی‌کرد شکـلات بخورد... شاید هم برای این بود که پس از یک هفته آرزوی دیرینه‌اش را

بر زبان آورده بود. امّا درهرحال هرچه که بود باعث شده‌بود امیدوارتر از قبل شود...

ـ هیچ *معلومه شما چی کار دارین می‌کنین؟*

جینی از جا پرید و آهسته گفت:

ـ ای لعنتی! پاک یادم رفته بود...

خانم پینس با سرعت به طرف آن‌ها می‌آمد. صورت پرچین و چروکش از خشم کج و معوج شده‌بود. درحالی‌که جیغ می‌کشید گفت:

ـ شکلات توی کتابخونه؟ بیرون... بیرون... **بیرون!**

او با حرکت چوبدستی‌اش کتاب و کیف و شیشه‌ی مرکب هری را جادو کرد که آن‌ها را تا بیرون کتابخانه تعقیب کنند و پشت سرهم به سر و رویشان ضربه بزنند.

گویی برای تأکید هرچه بیش‌تر بر اهمیّت امتحاناتی که پیش‌رو داشتند، اندکی قبل از پایان تعطیلات، کوهی از جزوه و کتابچه و اعلامیه‌های متعدّد مربوط با مشاغل جادوگری بر روی میزهای گریفندور پدیدار شد. یک اعلامیه‌ی دیگر نیز بر روی تابلوی اعلانات به چشم می‌خورد که بر روی آن نوشته بود:

مشاوره‌ی شغلی

در اوّلین هفته‌ی ترم تابستانی همه‌ی دانش‌آموزان سال پنجم باید در جلسه‌ی کوتاهی با رییس گروه خود ملاقات کنند و در این جلسه به بحث و بررسی شغل آینده‌ی خود بپردازند. تاریخ دقیق ملاقات تک‌تک دانش‌آموزان در فهرست زیر تعیین شده‌است.

هری به فهرست نگاه کرد و متوجّه شد که در ساعت دوونیم بعدازظهر روز دوشنبه باید در دفتر پروفسور مک‌گونگال باشد. بدین‌ترتیب نصف بیش‌تر کلاس پیشگویی را از دست می‌داد. او و سایر دانش‌آموزان سال پنجم بیش‌تر ساعات آخرین تعطیلات آخر هفته را صرف مطالعه اطّلاعات شغلی کردند که در اختیار آن‌ها گذاشته بودند.

رون در آخرین شب تعطیلات غرق در مطالعه‌ی جزوه‌ای بود که بر روی آن نشان استخوان و چوبدستی بیمارستان سنت‌مانگو خودنمایی می‌کرد. بالاخره گفت:

ـ من که از شفابخشی خوشم نمی‌یاد. این‌جا نوشته که باید در امتحانات سطح عالی جادوگری در دروس معجون‌سازی، گیاه‌شناسی، تغییر شکل، وردهای جادویی و دفاع در برابر جادوی سیاه حدّاقل «E» بگیریم. طفلکی‌ها چه‌قدر کم توقّعند!

هرمیون با حواس‌پرتی گفت:

ـ خب، برای این‌که شغل پرمسؤولیتیه.

او سرگرم خواندن دفترچه‌ای نارنجی و صورتی‌رنگ بود که بالای آن نوشته بودند: آیا می‌خواهید در ارتباط با مشنگ‌ها فعّالیّت کنید؟ هرمیون گفت:

ـ انگار همکاری با مشنگ‌ها شرایط سختی نداره... تنها چیزی که می‌خوان یک مدرک سمج در مطالعات مشنگیه... آنچه بیش از هر چیز حایز اهمّیّت است اشتیاق، شکیبایی و حس شوخ طبعی شماست!

هری با بدبینی گفت:

ـ برای همکاری با شوهرخاله‌ی من برخورداری از حسّ شوخ طبعی کافی نیست. چیزی که بیش از هر چیز لازمه اینه که آدم بدونه کی باید سرشو بدزده...

هری که تا نیمه‌های جزوه‌ای درباره‌ی بانکداری را خوانده‌بود ادامه

داد:

ـ گوش کنین تا این جارو براتون بخونم... «آیا در جست وجوی شغل جالبی هستید که با سفر و ماجراجویی و گنجینه ای از پاداش های ارزشمند و مخاطره آمیز مربوط باشد؟ پس در فکر یافتن شغلی در بانک جادوگری گرینگوتز باشید که در حال حاضر برای انجام مأموریّت های هیجان انگیزی در خارج از کشور در زمینه ی طلسم شکنی نیروی تازه استخدام می کند...» امّا حیف که ریاضیات جادویی لازم داره... تو می تونی این شغل رو انتخاب کنی، هرمیون!

هرمیون اکنون سرگرم خواندن جزوه ای بود که بر روی آن نوشته بود: «آیا می دانید چه گونه می توان غول های غارنشین امنیّتی را تربیت کرد؟» او با بی توجّهی گفت:

ـ زیاد از بانکداری خوشم نمی یاد.

یک نفر در گوش هری گفت:

ـ هی!

هری سرش را برگرداند. فرد و جرج نزد آن ها آمده بودند. فرد پاهایش را کش داد و روی میز گذاشت و با این کار باعث شد چندین کتابچه درباره ی مشاغلی در وزارت سحر و جادو بلغزد و بر روی زمین بیفتد. سپس گفت:

ـ جینی درباره ی تو با ما حرف زد. می گفت می خوای با سیریوس صحبت کنی، آره؟

هرمیون دستش را دراز کرده بود تا کتابچه ای را بردارد که روی آن نوشته بود: «در سازمان حوادث و فجایع جادویی بدرخشید.» امّا در همان حال خشکش زد و گفت:

ـ چی؟

هری که می کوشید صدایش عادی باشد گفت:

ـ آره... آره خیلی دلم می‌خواد...

هرمیون صاف نشست و طوری به او نگاه کرد گویی آنچه را می‌دید باور نمی‌کرد و گفت:

ـ مسخره بازی در نیار. با وجود انگولک‌کردن آتش‌ها و بازرسی جغدها به‌دست آمبریج؟

جرج کش و قوسی به خود داد و لبخندزنان گفت:

ـ راستش ما فکر می‌کنیم بتونیم یه راهی پیدا کنیم. خیلی ساده است تنها کاری که باید بکنیم اینه که عملیات انحرافی اجرا کنیم. حتماً خودتون متوجّه شدین که بعد از اون جاروجنجال، در طول تعطیلات عید پاک سروصدامون در نیومده.

فرد در ادامه‌ی حرف او گفت:

ـ از خودمون پرسیدیم چه فایده‌ای داره که وقتی همه دارن استراحت می‌کنن آرامششونو برهم بزنیم؟ به خودمون جواب دادیم که هیچ فایده‌ای نداره. تازه اگه شلوغ‌بازی درمی‌آوردیم مزاحم درس خوندن بچّه‌ها می‌شدیم درحالی‌که به هیچ‌وجه راضی نبودیم چنین کاری بکنیم.

فرد نگاه زاهدمآبانه‌ای به هرمیون انداخت و با قاطعیّت سری تکان داد. هرمیون از این دوراندیشی آن‌ها جا خورده‌بود. فرد به تندی ادامه داد:

ـ ولی از فردا دوباره شروع می‌کنیم. و حالا که قراره یه خرده شلوغ‌بازی دربیاریم چه اشکالی داره ترتیبی بدیم که هری هم بتونه با سیریوس گپی بزنه؟

هرمیون دوباره طوری که انگار می‌خواست به شخص کند ذهنی چیزی را بفهماند گفت:

ـ آره، ولی حتّی اگر هم عملیات انحرافی اجرا کنین، هری چه‌طوری

می‌تونه با سیریوس حرف بزنه؟

هری به آرامی گفت:

ـ از دفتر آمبریج.

دو هفته‌ی تمام بود که هری به این موضوع فکر می‌کرد و هیچ راه دیگری نیافته بود تا جایگزین آن کند. آمبریج به او گفته بود تنها آتشی که بازرسی نمی‌شود آتش دفتر خودش است.

هرمیون که صدایش به زور درمی‌آمد گفت:

ـ نکنه ـ دیوونه ـ شدی؟

رون بروشور مشاغل مربوط به کشت و صنعت قارچ‌ها را پایین آورده بود و با بی‌حوصلگی به این گفت‌وگوها گوش می‌داد.

هری شانه‌هایش را بالا انداخت و گفت:

ـ فکر نمی‌کنم دیوونه شده باشم.

ـ می‌شه لطفاً بگی که چه‌طوری می‌خوای وارد دفترش بشی؟

هری که جواب این سؤال را در آستین داشت گفت:

ـ با چاقوی سیریوس.

ـ ببخشید چی فرمودین؟

هری گفت:

ـ کریسمس پیارسال سیریوس به من یه چاقو هدیه داد که هر قفلی رو باز می‌کنه. بنابراین حتّی اگر هم در دفترشو جادو کرده باشه که با *الوهومورا* باز نشه، که حتماً هم این کارو کرده...

هرمیون از رون پرسید:

ـ نظر تو در این باره چیه؟

هری ناخودآگاه به یاد اوّلین شامشان در خانه‌ی میدان گریمولد افتاد که خانم ویزلی از همسرش کمک طلبیده بود. رون که ظاهراً با این نظرخواهی احساس خطر کرده بود گفت:

ـ نمی‌دونم. اگه هری بخواد چنین کاری بکنه به خودش مربوطه.

فرد محکم به پشت رون زد و گفت:

ـ درست مثل یه دوست واقعی و یه ویزلی واقعی حرف زدی. پس تمومه. خیال داریم فردا این کارو بکنیم. درست بعد از ساعت درسی. برای این‌که وقتی همه توی راهروها باشند بیش‌ترین تأثیرو می‌گذاره. هری، ما کارمونو یه جایی توی قسمت شرقی قلعه شروع می‌کنیم تا اونو از دفترش کاملاً دور کنیم. فکر می‌کنم بتونیم... بیست‌دقیقه‌ای‌رو برات تضمین کنیم.

فرد این را گفت و نگاهی به جرج انداخت. جرج گفت:

ـ مثل آب خوردنه.

رون پرسید:

ـ چه جور عملیّات انحرافی اجرا می‌کنین؟

فرد که همراه جرج از جایش برمی‌خواست گفت:

ـ حالا می‌بینی، داداش کوچولو. البتّه اگه فردا حدود ساعت پنج یه سری به راهروی گریگوری چاپلوس بزنی حتماً می‌بینی.

فردای آن روز هری صبح خیلی زود از خواب بیدار شد و درست به اندازه‌ی همان‌روزی که قرار بود به جلسه‌ی دادرسی وزارت سحر و جادو برود مضطرب و نگران بود. آنچه او را نگران می‌کرد تنها دورنمای ورود غیرمجاز به دفتر آمبریج و استفاده از آتش بخاری او برای گفت‌وگو با سیریوس نبود هرچند که این موضوع به خودی‌خود کافی بود تا او را مضطرب سازد امّا در واقع بعد از آن‌که اسنیپ او را از دفترش بیرون انداخته بود این اوّلین باری بود که آن‌دو با هم روبه‌رو می‌شدند چراکه آن‌روز درس معجون‌سازی داشتند.

پس از آن‌که مدّتی در رختخوابش ماند و به آنچه آن روز در پیش

داشت اندیشید بسیار آرام بلند شد و به‌طرف پنجره‌ی کنار تخت نویل رفت و به چشم‌انداز زیبا و شکوهمند صبحگاهی چشم دوخت. گنبد نیلگون آسمان بی‌ابر و مه‌آلود بود. درست در برابر چشمان هری درخت راش سر به فلک کشیده‌ای قرار داشت که روزی پدرش در زیر آن اسنیپ را عذاب داده‌بود. هری نمی‌توانست حدس بزند که سیریوس برای توجیه آنچه او در قدح اندیشه دیده‌بود چه خواهدگفت امّا با تمام وجود می‌خواست آن ماجرا را از دریچه‌ی چشم سیریوس ببیند تا بتواند از عوامل آرامش‌بخشی که شاید در آن ماجرا نهفته بود باخبر شود و دلیل موجّهی برای رفتار پدرش به‌دست آورد...

چیزی توجّه هری را به خود جلب کرد. در حاشیه‌ی جنگل ممنوع جنب‌وجوشی مشاهده کرده‌بود. هری در برابر نور خورشید چشم‌هایش را تنگ کرد و هاگرید را دید که از میان درختان بیرون آمد. به نظرش رسید که او می‌لنگد. هاگرید در مقابل چشمان هری کشان‌کشان خود را به در کلبه‌اش رساند و به درون آن رفت. هری چند دقیقه‌ای به کلبه خیره ماند. هاگرید دیگر از کلبه‌اش بیرون نیامد امّا دود از دودکش کلبه بیرون زد. پس آسیب‌دیدگی هاگرید آن‌قدرها جدّی نبود که نتواند آتش روشن کند...

هری از جلوی پنجره یکراست به سمت چمدانش رفت و شروع به پوشیدن لباس‌هایش کرد.

با توجّه به دورنمای ورود غیرمجازش به دفتر آمبریج در آن روز، به هیچ‌وجه انتظار نداشت روز آرامی در پیش داشته باشد امّا تلاش پیگیر هرمیون برای منصرف ساختن او از به اجرا درآوردن نقشه‌اش در ساعت پنج، کاملاً برایش غیرمنتظره بود. برای اوّلین‌بار در کلاس تاریخ جادوگری پروفسور بینز، او نیز مانند هری و رون به درس توجّهی نداشت و در تمام مدّت با صدایی بسیار آهسته سیل هشدارهایش را

نثار هری می‌کرد. او نیز تمام تلاشش را به‌کار می‌بست که آن‌ها را نشنیده بگیرد.

ـ... اگه تورو اون‌جا پیدا کنه گذشته از این‌که اخراجت می‌کنه، به خوبی می‌تونه حدس بزنه که با فین‌فینی حرف می‌زدی و این دفعه وادارت می‌کنه محلول راستی‌رو بخوری و به سؤالاتش جواب بدی...

رون با صدایی آهسته و آزرده گفت:

ـ هرمیون، بالاخره می‌خوای توبیخ و سرزنش هری‌رو تموم کنی و به حرف بینز گوش بدی یا این‌که من خودم باید از حرفش یادداشت بردارم؟

ـ برای تنوّع هم که شده یه دفعه تو حرفاشو یادداشت کن، نمی‌میری که!

وقتی به دخمه‌ها رسیدند نه هری با هرمیون حرف می‌زد نه رون. هرمیون بی‌اعتنا به سکوت آن‌ها از فرصت استفاده می‌کرد و سیل خروشان هشدارهای بی‌وقفه‌ی هولناکش را با صدای فیس‌فیس‌مانند و پرحرارتی زیرلب نثارشان می‌کرد چنان‌که باعث شد سیموس پنج دقیقه‌ی تمام از وقتش را در جست‌وجوی درز یا روزنه‌ای در پاتیلش به هدر بدهد.

در این میان به نظر می‌رسید که اسنیپ تصمیم گرفته با هری طوری رفتار کند که انگار نامریی است. البتّه هری به این طرز رفتار کاملاً خو گرفته‌بود زیرا این روش دلخواه عمو ورنون بود و در نهایت هری خشنود بود که ناچار نیست بیش از آن عذاب بکشد. در واقع، در مقایسه با اظهارنظرهای تمسخرآمیز و نیشدار اسنیپ که هربار ناچار به تحمّل آن بود، برخورد جدیدش یک پیشرفت به شمار می‌رفت و هری در کمال خشنودی متوجّه شد که وقتی اسنیپ او را به حال خود گذاشت به راحتی توانست محلول شادی‌بخش را به عمل آورد. در آخر

کلاس مقداری از معجونش را با ملاقه در بطری نمونه ریخت و سرش را با چوب‌پنبه‌ای بست و یکراست به سمت میز اسنیپ رفت تا نمره‌اش را بگیرد. تصوّر می‌کرد که بالاخره موفّق می‌شود یک «E» بگیرد.

همین‌که رویش را برگرداند صدای شکستن چیزی را شنید. مالفوی با حالتی ذوق‌زده خنده را سر داد. هری به سرعت برگشت. نمونه‌ی معجونش روی زمین خرد و خاکشیر شده‌بود و اسنیپ که گویی دلش خنک شده‌بود با خرسندی به او نگاه کرد و به نرمی گفت:

ـ آخ، آخ! این دفعه هم صفر می‌گیری، پاتر...

هری چنان به خشم آمده‌بود که نمی‌توانست حرفی بزند. او با گام‌های بلند به سمت پاتیلش برگشت. می‌خواست شیشه‌ی نمونه‌ی دیگری را پر از معجون کرده، اسنیپ را وادار کند که به او نمره بدهد امّا متوجّه شد که بقیّه‌ی معجونش ناپدید شده و وحشت کرد.

هرمیون دست‌هایش را دور دهانش حایل کرد و گفت:

ـ ببخشید، هری. واقعاً ببخشید. فکر کردم کارت تموم شده، تمیزش کردم!

هری نتوانست به او جوابی بدهد. زنگ که خورد شتابان از پلّه‌های دخمه بالا رفت و حتّی به پشت سرش هم نگاه نکرد تا مطمئن شود می‌تواند هنگام صرف ناهار میان نویل و سیموس بنشیند و هرمیون نتواند دوباره درباره‌ی استفاده از دفتر آمبریج به او غر بزند.

وقتی به کلاس پیشگویی رسید حال و روزش چنان زار بود که قرار ملاقات مشاوره‌اش با پروفسور مک‌گونگال را پاک فراموش کرد و تازه وقتی رون از او پرسید چرا به دفتر او نرفته آن را به یاد آورد. با دستپاچگی برگشت و به طبقه‌ی بالا رفت و درحالی‌که به نفس‌نفس افتاده‌بود تنها چند دقیقه دیرتر رسید. همان‌طورکه نفس‌نفس می‌زد در

را بست و گفت:

ـ ببخشید، پروفسور. یادم نبود که...

پروفسور مک‌گونگال به تندی گفت:

ـ اشکالی نداره.

امّا هنگامی‌که صحبت می‌کرد از گوشه‌ی کلاس صدایی را شنید که مثل صدای بیرون‌دادن هوا از بینی برای ابراز ناخشنودی بود. هری به اطرافش نگاه کرد.

آمبریج تخته شاسی‌اش را روی پایش گذاشته و آن‌جا نشسته بود. نوار باریک پر زرق و برقی به گردنش بسته بود و لبخند بی‌رمق فوق‌العاده تکبّرآمیزی بر لبش خودنمایی می‌کرد.

پروفسور مک‌گونگال با حالتی خشک و رسمی گفت:

ـ بشین، پاتر.

وقتی بروشورهای متعدّد پخش شده بر روی میزش را زیرورو می‌کرد دستش می‌لرزید.

هری پشت به آمبریج نشست و وانمود کرد صدای غژغژ قلم پرش را بر روی تخته شاسی‌اش نمی‌شنود. پروفسور مک‌گونگال گفت:

ـ خب، پاتر، این جلسه برای اینه که درباره‌ی شغل‌هایی صحبت کنیم که برای آینده‌ت به فکرت می‌رسه و من بهت کمک می‌کنم که تصمیم بگیری در سال ششم و هفتم چه درس‌هایی رو ادامه بدی. تا حالا به این موضوع فکر کردی که بعد از تحصیل در هاگوارتز دوست داری چه کاری بکنی؟

هری شروع به صحبت کرد امّا متوّجه شد که صدای غژغژ قلم پری که از پشت سرش می‌شنود حواسش را کاملاً پرت می‌کند. پروفسور مک‌گونگال برای این‌که او را تشویق به حرف‌زدن بکند گفت:

ـ خب؟

هری جویده جویده گفت:

ـ راستش فکر کردم که شاید کارآگاه بشم.

پـروفسور مک‌گـونـگال بـروشور تـیـره‌ی کـوچکی را از تـوده‌ی کاغذهای روی میزش بیرون آورد و گفت:

ـ برای این کار باید نمره‌هات عالی باشه. اونا دست کم پنج مـدرک سطوح عالی جادوگری می‌خوان که هیچ کـدوم نبایـد کـم‌تر از سطح «فراتر از حدّ انتظار» باشه. بعدش باید در اداره‌ی کارآگاهان در رشته‌ای طولانی از آزمون‌های شخصیّت و استعداد شرکت کـنی. راه شغلی دشواریه پاتر، اونا فقط بهترین‌هارو می‌خوان. فکر نمی‌کنم در سه سال گذشته شخص واجدشرایطی‌رو برای این کار برگزیده باشند.

در آن لحظه پروفسور آمبریج با صدای بسیار ضعیفی سرفه کرد گویی می‌خواست بفهمد تا چه حدّی می‌تواند صدای سرفه‌اش را پایین بیاورد. پروفسور مک‌گونگال به او اعتنا نکرد و با صدایی کمی بلندتر از قبل به صحبتش ادامه داد و گفت:

ـ حتماً می‌خوای بدونی چه درس‌هایی‌رو باید ادامه بدی؟

هری گفت:

ـ بله. حتماً دفاع در برابر جادوی سیاه، درسته؟

پروفسور مک‌گونگال با صراحت گفت:

ـ طبیعتاً... من بهت توصیه می‌کنم...

پروفسور آمبریج سرفه‌ی دیگری کرد که این بار کمی بلندتر بـود. پروفسور مک‌گونگال لحظه‌ای چشمش را بست و دوباره باز کرد و به روی خود نیاورد که اتّفاقی افتاده است.

ـ من بهت توصیه می‌کنم تغییر شکل‌رو خوب بخوبی چون کارآگاه‌ها معمولاً ناچارند در ضمن کارشون دایم چیزهارو تغییرشکل بدن و به حـالت اوّل بـرگـردونن. ایـنـم بـایـد بـهت بگـم پاتر، که مـن فقط

دانش‌آموزانی‌رو در کلاس‌های سطوح عالی جـادوگریم مـی‌پذیرم کـه امتحان سمجشون در سطح «فراتر از حدّ انتظار» یا بالاتر باشه. بنابراین تو که در حال حاضر حدوداً در سطح «قابل قبول» هستی باید قبل از امتحان حسابی درس بخونی تا بتونی ادامه بدی. غیر از این باید درس وردهای جادویی‌رو بخونی که همه‌جا به دردت مـی‌خوره و همین‌طور درس معجون‌سازی‌رو.

پروفسور مک‌گونگال با لبخند بسیار مبهمی اضافه کرد:

ـ مطالعه‌ی زهرها و نوشداروهاشون مهّم‌ترین مطالعات کارآگاه‌هاست. اینم باید بهت بگم که امکان نداره پروفسور اسنیپ دانش‌آمـوزانی‌رو قبول کنه که امتحان سمجشون در سطحی پایین‌تر از عالیه. بنابراین...

پروفسور آمبریج شدیدترین سرفه‌اش را به کـار گـرفت. پـروفسور مک‌گونگال بدون آنکه به او نگاه کند گفت:

ـ می‌خوای قطره‌ی سرفه بهت بدم، دلورس؟

پروفسور آمبریج با همان خنده‌ی تصنّعی که هری از آن متنفّر بود گفت:

ـ اوه، نه، خیلی مـمنون. فـقط مـی‌خواسـتم بـبینم مـی‌تونم یـه لحظه حرفتونو قطع کنم، مینروا؟

پروفسور مک‌گونگال که دندان‌هایش را محکم روی هم مـی‌فشرد گفت:

ـ به جرأت می‌تونم بگم که می‌تونی.

پروفسور آمبریج با خوشرویی گفت:

ـ داشـتم فکر مـی‌کردم آیا آقای پاتر خـلق و خـوی مـناسبی بـرای کارآگاه‌شدن داره؟

پروفسور مک‌گونگال با حالتی تکبّرآمیز گفت:

ـ راستی؟ خب، پاتر...

او چنان به صحبتش ادامه داد گویی هیچ وقفه‌ای بین گفت‌وگویشان پیش نیامده و گفت:

ـ اگر تصمیمت جدّیه بهت توصیه می‌کنم تمام نیروتو روی این متمرکز کنی که سطح دروس تغییر شکل و معجون‌سازیتو به موقع بالا بکشی. پروفسور فلیت‌ویک در دو سال گذشته نمراتتو در حدّ بین «قابل قبول» و «فراتر از حدّ انتظار» تعیین کرده، در نتیجه درس وردهای جادوییت رضایت بخشه. در درس دفاع در برابر جادوی سیاه هم که عموماً نمراتت بالا بوده، مخصوصاً که پروفسور لوپین فکر می‌کرد تو... مطمئنی که نمی‌خوای بهت قطره‌ی سرفه بدم، دلورس؟

پروفسور آمبریج که با بلندترین صدایی که می‌توانست سرفه کرده‌بود لبخندی تصنّعی زد و گفت:

ـ اوه، احتیاجی نیست، مینروا، نگرانیم فقط از این بود که نکنه تازه‌ترین نمره‌های هری در درس دفاع در برابر جادوی سیاه جلوت نباشه. من کاملاً مطمئنم که یادداشتی برات گذاشته‌م...

پروفسور مک‌گونگال تکّه کاغذ صورتی رنگی را از لابه‌لای کاغذهای پوشه‌ی هری بیرون کشید و با حالت تنفرآمیزی گفت:

ـ کدومه... اینه؟

او نگاهی به کاغذ صورتی انداخت و ابروهایش کمی بالا رفت. بعد بدون هیچ اظهارنظری آن را دوباره لای پوشه گذاشت و ادامه داد:

ـ آره، داشتم می‌گفتم، پاتر، پروفسور لوپین فکر می‌کرد تو در این درس استعداد درخشانی از خودت نشون دادی و کاملاً مشخّصه که برای یک کارآگاه...

پروفسور آمبریج که سرفه‌اش را فراموش کرده‌بود با لحن شیرین و دلنشینی پرسید:

ـ معنی یادداشت منو درک نکردی، مینروا؟

پروفسور مک‌گونگال چنان دندان‌هایش را برهم می‌فشرد که کلماتی که بر زبان می‌آورد اندکی نامفهوم بود. او گفت:

ـ البتّه که درک کردم.

ـ پس اگه این‌طوره، من گیج شدم... متأسّفانه اصلاً نمی‌تونم بفهمم چرا به آقای پاتر امید واهی می‌دی...

پروفسور مک‌گونگال که هنوز از نگاه‌کردن به‌صورت آمبریج خودداری می‌کرد گفت:

ـ امید واهی؟ اون در تمام امتحانات دفاع در برابر جادوی سیاهش نمرات عالی گرفته...

ـ متأسّفم که ناچارم باهات مخالفت کنم، مینروا، ولی همون‌طور که در یادداشتم می‌بینی، هری سرکلاس من نمره‌های ضعیفی گرفته...

پروفسور مک‌گونگال بالاخره رویش را به سمت او برگرداند و مستقیم در چشم‌های او نگاه کرد و گفت:

ـ مثل این‌که باید منظورمو واضح‌تر بیان می‌کردم. اون در تمام امتحانات دفاع در برابر جادوی سیاه از یک استاد شایسته نمرات عالی گرفته.

لبخند پروفسور آمبریج ناگهان بر لبش خشکید درست به همان سرعتی که لامپی می‌ترکد. او به پشتی صندلی‌اش تکیه داد و کاغذی را روی تخته شاسی‌اش پشت‌ورو کرد. آن‌گاه با سرعت شروع به نوشتن کرد. چشم‌های ورقلمبیده‌اش تندتند از سمتی به سمت دیگر حرکت می‌کرد. پروفسور مک‌گونگال دوباره رویش را به‌طرف هری برگرداند. پرّه‌های نازک بینی‌اش می‌لرزید و شعله‌های خشم در چشم‌هایش زبانه می‌کشید. او پرسید:

ـ سؤالی نداری، پاتر؟

هری گفت:

ـ چرا، دارم. اگه آدم بتونه همه‌ی مدارک سطوح عالی‌رو که لازمه بگیره،

وزارتخونه چه جور آزمون شخصیّت و استعدادی از آدم می‌گیره؟

پروفسور مک‌گونگال گفت:

ـباید توانایی خودتو نشون بدی تا معلوم بشه که می‌تونی در برابر فشار و چیزهای دیگه واکنش مناسبی از خودت نشون بدی. باید استقامت و از خودگذشتگی داشته باشی چون دوره‌ی کارآگاهی سه سال طول می‌کشه و علاوه بر اون مستلزم برخورداری از مهارت و استادی در دفاع عملیه. یعنی به عبارت دیگه، بعد از دوران مدرسه هم مدّت زیادی باید مطالعه‌ی فراوان داشته‌باشی و درس بخونی بنابراین اگر آمادگی نداشته باشی...

آمبریج این بار با لحن بسیار سردی گفت:

ـبه نظر من اینم باید بدونی که وزارتخونه سوابق متقاضیان کارآگاهی‌رو هم بررسی می‌کنه. منظورم سوابق کیفری افراده.

ـ... اگر آمادگی نداشته باشی که بعد از هاگوارتز در امتحانات دیگری هم شرکت کنی ناچار می‌شی به دنبال یه شغل دیگه...

ـ... معنیش اینه که شانس این پسر برای کارآگاه‌شدن به اندازه‌ی شانس دامبلدور برای برگشتن به این مدرسه‌ست.

پروفسور مک‌گونگال گفت:

ـپس شانس زیادی داره.

آمبریج با صدای بلندی گفت:

ـپاتر سابقه‌ی کیفری داره.

پروفسور مک‌گونگال صدایش را از او بلندتر کرد و گفت:

ـپاتر از همه‌ی اتّهامات تبرئه شده.

پروفسور آمبریج از جایش برخاست. قدش چنان کوتاه بود که حالت ایستاده و نشسته‌اش با هم تفاوت چندانی نداشت. امّا رفتار ملایم ساختگی و عصبی‌اش جای خود را به چنان خشم خروشانی

داده بود که باعث می‌شد صورت پهن شُل و وارفته‌اش شرور و شیطانی به نظر برسد. او گفت:

ـ پاتر هیچ شانسی برای کارآگاه‌شدن نداره!

پروفسور مک‌گونگال نیز از جایش برخاست و ایستادن او با نشستنش خیلی فرق داشت. او و آمبریج مثل فیل و فنجان بودند. پروفسور مک‌گونگال با صدای زنگ‌داری گفت:

ـ پاتر، اگه یه روز به آخر عمرم هم مونده باشه بهت کمک می‌کنم که کارآگاه بشی! اگه مجبور بشم شبانه بهت آموزش بدم تا بتونی به نتایج مطلوب برسی حتماً این کارو می‌کنم!

آمبریج با صدایی که از فرط خشم اوج می‌گرفت گفت:

ـ وزیر سحر و جادو هیچ‌وقت هری‌پاترو استخدام نمی‌کنه!

پروفسور مک‌گونگال فریاد زد:

ـ تا موقعی که پاتر برای این‌کار آماده بشه وزیر سحر و جادوی جدیدی سرکار اومده!

پروفسور آمبریج با انگشت خپل و کوتاهش به مک‌گونگال اشاره کرد و درحالی‌که جیغ می‌کشید گفت:

ـ آهـان! بـله! بـلـه، بـلـه، بله! معلومه! این آرزوی توست، مینروا مک‌گونگال! دلت می‌خواد آلبوس دامبلدور جای کورنلیوس فاج‌رو بگیره! تو می‌خوای جای منو بگیری، هم معاون اوّل وزیر بشی هم مدیره‌ی این مدرسه!

پروفسور مک‌گونگال با حالتی بسیار تحقیرآمیز گفت:

ـ دیگه داری پرت و پلا می‌گی... پاتر، جلسه‌ی مشاوره‌مون تموم شد.

هری کیفش را روی شانه‌اش انداخت و شتابان از اتاق بیرون رفت. جرأت نمی‌کرد به آمبریج نگاه کند. در تمام طول راهرو صدای داد و فریاد پروفسور مک‌گونگال و آمبریج را می‌شنید.

آن‌روز بعدازظهر وقتی آمبریج با گام‌های بلندی وارد کلاس دفاع در برابر جادوی سیاه شد هنوز طوری نفس‌نفس می‌زد که گویی همان لحظه از مسابقه‌ی دو فارغ شده‌است.

همین‌که فصل سی‌وچهارم کتاب را باز کردند («مذاکره و پرهیز از انتقام‌جویی») هرمیون زیرلب گفت:

ـ امیدوارم در مورد کاری که می‌خواستی انجام بدی به نتیجه بهتری رسیده‌باشی. آمبریج از همین حالا حال و روز درست و حسابی نداره...

هرچند وقت یک‌بار، آمبریج نگاه غضب‌آلودی به هری می‌انداخت امّا هری سرش را پایین انداخته بود و در تمام مدّت به کتاب *نظریه‌ی دفاعی جادویش* با نگاهی خیره زل زده‌بود و فکر می‌کرد...

هری به خوبی می‌توانست حدس بزند که پروفسور مک‌گونگال وقتی هری را هنگام دستگیری برای ورود غیرمجاز به دفتر آمبریج ببیند چه قیافه‌ای پیدا می‌کند؛ آن‌هم فقط چند ساعت پس از زمانی که او ضمانت هری را کرده‌بود... امّا هیچ‌چیز نمی‌توانست او را وادار کند که به برج گریفندور بازگردد و امیدوار باشد که روزی در تعطیلات تابستان آینده فرصتی به‌دست آورده، از سیریوس درباره‌ی صحنه‌ای پرس‌وجو می‌کند که در قدح اندیشه دیده‌است... حتّی تصوّر انجام این کارهای معقول نیز باعث می‌شد حس کند وزنه‌ی سنگینی در وجودش پدید آمده‌است... از همه‌ی این‌ها گذشته فرد و جرج چه می‌شدند؟ آن‌ها برای اجرای عملیّات انحرافی آماده شده‌بودند و علاوه بر آن چاقویی که سیریوس به او داده‌بود همراه با شنل نامریی پدرش در کیفش آماده بود...

امّا اگر او را دستگیر می‌کردند...

ـ دامبلدور از خودگذشتگی کرد تا تو توی مدرسه بمونی، هری! اگه کاری کنی که امروز از مدرسه بندازنت بیرون زحمت اونو به هدر

دادی!

این صدای هرمیون بود که کتابش را بالاگرفته‌بود تا چهره‌اش را از نگاه آمبریج پنهان نگه‌دارد و زیرلب با هری حرف می‌زد.

می‌توانست این نقشه را کنار بگذارد و بیاموزد که چه‌گونه با خاطره‌ی رفتاری زندگی کند که پدرش در یک روز تابستانی، بیش از بیست‌سال پیش از خود نشان داده‌بود...

آنگاه به یاد زمانی افتاد که سیریوس در آتش سالن عمومی طبقه‌ی بالا ظاهر شده‌بود... «تو خیلی کم‌تر از اونی‌که فکر می‌کردم به پدرت شباهت داری... جیمز از خطرکردن لذّت می‌برد...»

امّا آیا او بازهم می‌خواست مثل پدرش باشد؟

در پایان ساعت درسی وقتی زنگ به صدا درآمد هرمیون با وحشت و نگرانی به او گفت:

ـ هری این کارو نکن! خواهش می‌کنم این کارو نکن!

هری جوابی نداد. نمی‌دانست چه باید بکند. از قرار معلوم رون تصمیم گرفته‌بود هیچ‌گونه توصیه یا اظهارنظری نکند. وقتی هرمیون بار دیگر دهانش را باز کرد تا بلکه هری را از این کار منصرف کند رون بدون آن‌که به هری نگاه کند به او گفت:

ـ می‌شه یه ذرّه راحتش بذاری؟ بذار خودش هر تصمیمی که می‌خواد بگیره.

وقتی هری از کلاس خارج شد قلبش تندتند می‌زد. به نیمه‌های راهروی بیرون کلاس که رسید صدای تردیدناپذیر عملیات انحرافی را از مسافتی دور شنید. صدای جیغ و فریاد از جایی در بالای سرش به گوش می‌رسید. افراد هیجان‌زده‌ای که در اطراف هری از کلاس‌ها بیرون می‌آمدند سر جایشان میخکوب شدند و هراسان به سقف نگاه کردند...

آنگاه آمبریج به سرعت از کلاسش بیرون آمد. او با بیشترین سرعتی می‌دوید که پاهای کوتاهش به او اجازه می‌داد. چوبدستی‌اش را بیرون کشیده بود و شتابان به سمت دیگر قلعه می‌دوید. اکنون زمان مناسب فرا رسیده‌بود: هری یا حالا باید نقشه‌اش را عملی می‌کرد یا باید به کلّی آن را فراموش می‌کرد.

هرمیون با صدای ضعیفی گفت:

ـ هری... خواهش می‌کنم!

امّا او تصمیمش را گرفته بود... کیفش را با حالتی متعادل‌تر روی شانه‌اش بالاکشید و شروع به دویدن کرد و در مسیری مارپیچی از میان دانش‌آموزانی گذشت که در خلاف جهت او می‌دویدند تا بفهمند آن جاروجنجال در بخش شرقی قلعه برای چه بود....

هری به راهرویی رسید که دفتر آمبریج در آن بود و آن را خالی و خلوت یافت. با سرعت به پشت لباس رزمی رفت که کلاهخودش را با صدای غژغژی چرخانده‌بود تا او را نگاه کند. در کیفش را باز کرد و چاقوی سیریوس را از آن بیرون آورد و شنل نامریی را پوشید. آنگاه آرام و با دقّت از پشت لباس رزم بیرون خزید. در راهرو جلو رفت تا به دفتر آمبریج رسید.

لبه‌ی چاقوی سحرآمیز را در شکاف درگذاشت و آهسته آن را بالا و پایین برد و بیرون آورد. صدای تلق ظریفی به گوش رسید و در باز شد. دزدکی به داخل اتاق رفت و به تندی در را پشت سرش بست و به اطراف نگاهی انداخت.

هیچکس در اتاق نبود. هیچ حرکتی در اتاق نبود جز جست‌وخیز شیطنت‌آمیز بچّه گربه‌های نفرت‌انگیز روی بشقاب‌ها که بالای جاروهای مصادر شده قرار داشتند.

هری شنلش را درآورد و باگام‌های بلندی خود را به بخاری دیواری

رساند. در طول چند لحظه آنچه را می‌خواست پیدا کرد: جعبه‌ای پر از پودر پرواز درخشان.

درحالی‌که دست‌هایش می‌لرزید جلوی آتشدان خالی دولا شد. پیش از آن هیچ‌گاه این کار را انجام نداده‌بود امّا گمان می‌کرد بداند نحوه‌ی انجام آن چه‌گونه است. سرش را به پیش بخاری چسباند و مشتش را پر از پودر پرواز کرد. پودر را بر روی کنده‌های برهم انباشته ریخت. بلافاصله با انفجار کوچکی شعله‌های سبز زمردین پدیدار شدند.

هری با صدای بلند و واضح گفت:

ـ میدان گریمولد، شماره‌ی دوازده.

یکی از عجیب‌ترین احساس‌هایی بود که تا آن زمان تجربه کرده‌بود. قبلاً با پودر پرواز جابه‌جا شده‌بود امّا در آن هنگام تمام بدنش در شبکه‌ی آتش جادویی سراسری در کشورشان به دور خود چرخیده بود. این‌بار زانوهایش محکم بر روی کف سرد دفتر آمبریج قرار داشت و فقط سرش بود که در آتش سبز زمردین می‌جنبید.

و آن‌گاه، چرخش سرش که به‌طور ناگهانی آغاز شده‌بود ناگهان متوقّف شد. یک لحظه گویی سرش را در لوله‌ی داغ اگزوز کرده‌بود. حالت تهوّع داشت. چشمش را باز کرد و متوجّه شد که از بخاری آشپزخانه به میز طویل و چوبی نگاه می‌کند که مردی کنار آن نشسته بود و با دقّت به یک کاغذ پوستی نگاه می‌کرد. هری گفت:

ـ سیریوس؟

مرد از جا پرید و سرش را برگرداند. امّا او سیریوس نبود، لوپین بود. او با قیافه‌ای حیرت‌زده گفت:

ـ هری! این‌جا چی کار... اتّفاقی افتاده؟ همه چی روبه‌راهه؟

هری گفت:

ـ آره. من فقط می‌خواستم... یعنی دلم می‌خواست... با سیریوس حرف
بزنم.

لوپین که هنوز گیج و سردرگم بود از جایش بلند شد و گفت:

ـ الان صداش می‌کنم. رفت بالا که دنبال کریچر بگـرده. مثل این‌که
دوباره رفته و زیر شیروانی قایم شده...

هری لوپین را می‌دید که با عجله از آشپزخانه بیرون می‌رفت. اکنون
چاره‌ای نداشت جز این‌که به صندلی و پایه‌های میز نگاه کند. تعجّب
می‌کرد که سیریوس هیچ‌گاه نگفته بـود صحبت‌کردن از درون آتش
چه‌قدر عذاب‌آور است. زانوهایش از تماس طولانی با کف سرد دفتر
آمبریج درد گرفته بود.

چـنـد لحظه بـعـد لوپین بـرگشت و سیریوس پشت سرش وارد
آشپزخانه شد.

سیریوس بلافاصله موهای بلند و سیاهش را از جلوی چشمانش
کنار زد و روی زمین نشست تا با هری در یک سطح قرار گیرد. لوپین نیز
روی زمین زانو زد.

سیریوس گفت:

ـ چی شده؟

لوپین نیز با نگرانی پرسید:

ـ حالت خوبه؟ احتیاج به کمک داری؟

هری گفت:

ـ نه. چیز مهمّی نیست... فقط مـی‌خواستم... دربـاره‌ی پـدرم حرف
بزنیم...

آن‌دو بـا تـعجّب بـه هم نگـاه کردند. امّا هـری فـرصتی بـرای
مـعـذّب‌شدن یـا احساس شـرمندگی نـداشت. درد زانـوهایش
لحظه‌به‌لحظه شدیدتر می‌شد و حدس می‌زد از آغاز عملیّات انحرافی

پنج دقیقه گذشته باشد... جرج فقط قول بیست دقیقه را به او داده‌بود. در نتیجه او یکراست به اصل مطلب و ماجرایی پرداخت که در قدح اندیشه دیده‌بود.

وقتی همه‌ی ماجرا را تعریف کرد لحظه‌ای سیریوس و لوپین ساکت ماندند. بعد لوپین به آرامی گفت:

ـ هری، به نظر من تو نباید براساس چیزی که اون‌جا دیدی درباره‌ی پدرت قضاوت کنی. اون فقط پونزده سالش بود...

هری با حرارت گفت:

ـ منم پونزده سالمه...

سیریوس با حالتی تسکین‌دهنده گفت:

ـ ببین، هری، جیمز و اسنیپ از همون اوّلین باری که چشمشون به هم افتاد از هم متنفّر بودند. از هم خوششون نیومد دیگه، منظورمو که می‌فهمی؟ به نظر من جیمز همه‌ی خصوصیّاتی‌رو داشت که اسنیپ می‌خواست داشته باشه. محبوبیّت داشت، در بازی کوییدیچ ماهر بود و تقریباً می‌شه گفت در همه کاری موفّق بود. درحالی‌که اسنیپ از اون آدم‌های غیرعادی بود که تا خرخره توی جادوی سیاه فرو رفته بودند. امّا جیمز از اوّل از جادوی سیاه متنفّر بود، حالا تو هر فکری می‌خوای درباره‌ش بکن.

هری گفت:

ـ آره، امّا علّت حمله‌ش به اسنیپ اصلاً موجه نبود... فقط برای این‌که تو گفته بودی حوصله‌ت سر رفته این کارو کرد.

لحن گفتار هری در پایان جمله‌اش کمی عذرخواهانه بود. سیریوس بلافاصله گفت:

ـ فکر می‌کنی به اون کارها افتخار می‌کنم؟

لوپین زیرچشمی به سیریوس نگاه کرد و گفت:

ـ ببین، هری، تو باید اینو بدونی که پدرت و سیریوس توی مدرسه، از هر نظر بهترین بودن... همه می‌گفتن اونا باحال‌ترین بچّه‌های مدرسه‌ن. حالا اگه گاهی زیاده‌روی می‌کرده‌ن...

سیریوس گفت:

ـ بهتر نبود می‌گفتی گاهی که تبدیل به الاغ‌های بی‌شعور و متکبّر می‌شدن؟

لوپین لبخند زد. هری با لحن دردناکی گفت:

ـ اون یکسره موهاشو به هم می‌ریخت.

لوپین و سیریوس خندیدند. سیریوس با حالت مهرآمیزی گفت:

ـ این عادتشو به کلّی فراموش کرده‌بودم.

لوپین با شوق و ذوق گفت:

ـ با گوی زرّینش بازی نمی‌کرد؟

یادآوری این خاطرات لبخندی بر لب آن‌دو نشانده‌بود و هری که با حیرت به آن‌ها نگاه می‌کرد گفت:

ـ چرا... راستش به نظر من یه ذرّه احمق بوده.

سیریوس با خوش‌حالی گفت:

ـ البتّه که یه ذرّه احمق بوده! ما همه‌مون احمق بودیم... هرچند که مهتابی زیاد احمق نبود...

او با قیافه‌ای حق به جانب به لوپین نگاه کرد امّا لوپین با حالتی مخالفت‌آمیز سرش را تکان داد و گفت:

ـ نه، منم هیچ‌وقت بهتون نگفتم دست از سر اسنیپ بردارین. هیچ‌وقت جرأت نکردم بهتون بگم که به نظر من اشتباه می‌کنین.

سیریوس گفت:

ـ خب، آره... ولی بعضی وقت‌ها باعث می‌شدی از کار خودمون شرمنده بشیم. اینم خودش خیلی بود...

هری حالا که به این‌جا رسیده‌بود می‌خواست هرچه در سر داشت بیرون بریزد و از این‌رو با سماجت گفت:

ـ راستی، یکسره به دخترهایی که کنار دریاچه‌بودن نگاه می‌کرد و می‌خواست توجّهشونو جلب کنه!

سیریوس شانه‌هایش را بالا انداخت و گفت:

ـ اوه، آره، هر وقت چشمش به لی‌لی می‌افتاد می‌زد به سرش. هربار که لی‌لی در اطرافش بود نمی‌تونست خودنمایی نکنه.

هری با درماندگی پرسید:

ـ چی شد که با پدرم ازدواج کرد؟ اونکه ازش متنفّر بود!

سیریوس گفت:

ـ نه بابا! متنفّر نبود!

لوپین گفت:

ـ از سال هفتم با هم بیرون می‌رفتن.

سیریوس گفت:

ـ البتّه این مربوط به زمانیه که بادکلّه‌ی جیمز یه ذرّه خالی شده‌بود.

لوپین گفت:

ـ و دیگه برای تفریح و سرگرمی کسی‌رو طلسم نمی‌کرد.

هری گفت:

ـ حتّی اسنیپ‌رو؟

لوپین آهسته گفت:

ـ راستش اسنیپ استثناء بود. آخه اونم از هر فرصتی برای طلسم‌کردن جیمز استفاده می‌کرد بنابراین نمی‌تونی جیمزرو برای این کار سرزنش کنی.

ـ مامانم هم با این قضیّه هیچ مخالفتی نداشت؟

سیریوس گفت:

ـ اگه راستشو بخوای، مامانت در این مورد چیز زیادی نمی‌دونست. منظورم اینه که جیمز، اسنیپ‌رو همراه خودش و لی‌لی به گردش نمی‌برد و جلوی مامانت اونو طلسم نمی‌کرد که...

از قیافه‌ی هری معلوم بود که هنوز متقاعد نشده‌است. سیریوس به او اخم کرد و گفت:

ـ ببین، هری، پدرت بهترین دوست من در تمام عمرم بود. آدم خیلی خوبی هم بود. خیلی‌ها در سنّ پونزده سالگی احمق و بی‌شعورند. امّا پدرت بعدش از اون حال و هوا دراومد.

هری با ناراحتی گفت:

ـ خب، باشه. هیچ‌وقت فکرشم نمی‌کردم که برای اسنیپ ناراحت بشم.

لوپین که بین دو ابرویش چین خفیفی نمایان شده‌بود گفت:

ـ راستی خوب شد یادم انداختی، اسنیپ وقتی فهمید همه‌ی این ماجرارو دیدی چه عکس‌العملی نشون داد؟

هری با بی‌توجّهی گفت:

ـ هیچی، فقط بهم گفت دیگه به من چفت‌شدگی یاد نمی‌ده. حالا انگار آش دهن سوزی...

ـ چی کار کرد؟

سیریوس چنان نعره زد که هری از جا پرید و دود غلیظی را به درون سینه‌اش فرو داد. لوپین به تندی گفت:

ـ جدّی می‌گی، هری؟ یعنی تدریستو متوقّف کرده؟

هری که از واکنش تند و بی‌تناسب آن‌ها تعجّب کرده‌بود گفت:

ـ آره، امّا اشکالی نداره. اصلاً برام مهّم نیست. راستش تازه راحت...

ـ من همین الان می‌یام اونجاکه با اسنیپ حرف بزنم!

سیریوس با قاطعیّت این را گفت و می‌خواست از زمین بلند شود که لوپین به زور او را نشاند و با لحنی جدّی گفت:

ـاگه قرار باشه کسی با اسنیپ حرف بزنه، اون منم! ولی هری، تو هم باید در اوّلین فرصت بری پیش اون و بهش بگی که به هیچ بهانه‌ای نباید درستو متوقّف کنه... اگه دامبلدور بفهمه...

هری به خشم آمد و گفت:

ـمن نمی‌تونم اینو بهش بگم. اگه بگم منو می‌کشه! وقتی از قدح اندیشه بیرون اومدیم نمی‌دونین قیافه‌ش چه شکلی شده‌بود...

لوپین با تحکّم گفت:

ـهری، در حال حاضر برای تو هیچ‌چیز مهّم‌تر از یادگرفتن چفت‌شدگی نیست. فهمیدی؟ هیچ‌چیز!

هری گذشته از آزردگیش، پریشان و نگران نیز شده‌بود. با این حال گفت:

ـباشه، باشه. سعی خودمو می‌کنم... که یه چیزی بهش بگم... ولی نمی‌تونم...

هری ساکت شد. از فاصله‌ی دور صدای قدم‌هایی را می‌شنید. از آن‌ها پرسید:

ـصدای پای کریچره که می‌یاد پایین؟

سیریوس نگاهی به پشت سرش انداخت و گفت:

ـنه، حتماً صدای پای یکی از طرف خودته...

قلب هری لحظه‌ای از تپیدن باز ایستاد. با دستپاچگی گفت:

ـمن دیگه باید برم.

بلافاصله سرش را از آتش خانه‌ی شماره‌ی دوازده میدان گریمولد بیرون کشید. لحظه‌ای به نظرش رسید که سرش بر روی شانه‌هایش می‌چرخد. سپس همان‌طور که جلوی بخاری آمبریج زانو زده‌بود به خود آمد و شعله‌های سبزرنگی را دید که رو به خاموشی می‌رفت.

صدای خس‌خس کسی را شنید که درست در پشت در دفتر آمبریج

می‌گفت:

ـ زودباش، زودباش! آه، در دفترشو باز گذاشته!

هری با شیرجه‌ای خود را به شنل نامریی‌اش رساند و همین‌که آن را روی خودکشید فیلچ وارد شد. او بی‌نهایت خوش‌حال به نظر می‌رسید و وقتی به آن‌سوی اتاق می‌رفت، دیوانه‌وار، زیرلب با خودش حرف می‌زد. یکی از کشوهای میز آمبریج را باز کرد و به جست‌وجوی کاغذهای درون آن پرداخت و گفت:

ـ موافقت با شلاّق... موافقت با شلاّق... حالا دیگه می‌تونم شلاّق بزنم... سال‌هاست که تنشون می‌خاره...

او یک برگ کاغذ پوستی را درآورد و بوسید؛ و بعد درحالی‌که آن را در سینه‌اش می‌فشرد با عجله از در بیرون رفت.

هری از زمین بلند شد. به کیفش دست زد تا مطمئن شود همراهش است و با دقّت همه‌جایش را وارسی کرد مبادا قسمتی از بدنش بیرون از شنل مانده‌باشد. آنگاه دستگیره‌ی در را چرخاند و پشت سر فیلچ از دفتر آمبریج خارج شد. فیلچ چنان به سرعت جلوتر از او می‌دوید که هری به یاد نداشت قبلاً او را در آن حال دیده باشد.

وقتی به پاگردی رسید که یک طبقه پایین‌تر از دفتر آمبریج بود به نظرش رسید که دیگر لازم نیست نامریی بماند. شنلش را درآورد و در کیفش گذاشت. آنگاه با عجله به راهش ادامه داد. از سمت سرسرای ورودی صدای جنب‌وجوش و فریاد می‌آمد. از پلکان مرمری پایین رفت و به نظرش رسید که همه‌ی دانش‌آموزان مدرسه در آن‌جا جمع شده‌اند.

درست مثل همان شبی بود که تریلانی اخراج شد. دانش‌آموزان کنار دیوارهای دورتادور سرسرای ورودی ایستاده و حلقه‌ی بزرگی را تشکیل داده‌بودند. (هری متوجّه شد که بعضی از آن‌ها سر و رویشان

آغشته به مادّه‌ای است که شباهت زیادی به گند شیره دارد) استادها و اشباح نیز در میان جمعیّت بودند. در میان تماشاگران، اعضای جوخه‌ی بازجویی از همه برجسته‌تر بودند و همگی به‌طور خارق‌العاده‌ای خشنود و راضی به نظر می‌رسیدند. بدعنق که بر فراز سر جمعیّت در هوا شناور بود از بالا به فرد و جرج نگاه می‌کرد که در وسط سرسرا ایستاده بودند و قیافه‌هایشان به‌طور تردیدناپذیری به کسانی شباهت داشت که سر بزنگاه دستگیر شده‌اند.

ـ که این‌طور!

این صدای آمبریج بود که با حالتی پیروزمندانه حرف می‌زد. او چند پله پایین‌تر از هری ایستاده بود و از آن بالا به شکارهای به تله افتاده‌اش نگاه می‌کرد. از همان جایی که ایستاده بود گفت:

ـ فکر کردین خیلی جالبه که راهروی مدرسه‌رو تبدیل به باتلاق کنین؟

فرد سرش را برگرداند و بدون ذرّه‌ای ترس به او نگاه کرد و گفت:

ـ آره، خیلی جالب بود.

فیلچ که با آرنج راهش را باز می‌کرد تا به آمبریج نزدیک‌تر شود از خوش‌حالی با صدایی که بیش‌تر شبیه به فریاد بود گفت:

ـ خانم مدیر، برگه‌رو آوردم.

او همان کاغذی را که جلوی چشم هری از کشوی آمبریج برداشته بود در هوا تکان داد و با صدای دورگه‌ای گفت:

ـ برگه‌رو آوردم، شلاّق‌ها هم که آماده‌ن... اوه بگذارین همین الان این کارو انجام بدم...

آمبریج گفت:

ـ بسیار خب، آرگوس.

آن‌گاه به فرد و جرج نگاه کرد و گفت:

ـ شما دو تا همین الان می‌فهمین که توی مدرسه‌ی من چه بلایی به سر

خطاکارها می‌یاد.

فرد گفت:

- می‌دونی چیه؟ فکر نمی‌کنم این‌طور باشه.

سپس رویش را به سمت برادر دوقلویش کرد و به او گفت:

- جرج، من فکر می‌کنم دیگه دوره‌ی آموزش تمام‌وقت مـا بـه آخـر رسیده.

جرج با خوش‌حالی گفت:

- اتّفاقاً منم به همین نتیجه رسیده‌بودم.

فرد از او پرسید:

- به نظرت وقتش رسیده که استعداد مـونو در دنیای واقعی مـحک بزنیم؟

جرج گفت:

- چه جور هم!

پیش از آن‌که آمبریج بتواند کلمه‌ای بر زبان بیاورد چوبدستی هایشان را بالا گرفتند و با هم گفتند: «اکسیو برومز!»

هری از دور صدای بلندی را شنید و وقتی به سمت چپش نگاه کرد درست به موقع سرش را دزدید... جاروهای فرد و جرج با سرعت از راهرو به سمت صاحبانشان پرواز می‌کردند. از جاروها هنوز زنجیر و گل میخی آویزان بود که آمبریج به وسیله‌ی آن‌ها جاروها را به دیوار نصب کرده‌بود. جاروها به سمت چپ پیچیدند، به سرعت از بـالای پلّه‌ها پایین آمدند به به‌طور ناگهانی در مقابل دوقلوها متوقّف شدند. از برخورد زنجیر آویخته از جاروها بـا سـنگفرش کـف سـرسرا صـدای جیرینگ‌جیرینگ بلندی به گوش رسید.

فرد پایش را در آن طرف جارویش گذاشت و به آمبریج گفت:

- فکر نمی‌کنم دیگه تورو ببینیم.

جرج نیز سوار جاروی خودش شد و گفت:

ـ لازم نیست زحمت بکشی و باهامون تماس بگیری.

فرد به جمعیّت خاموش تماشاگرانی که گردشان حلقه زده‌بودند نگاهی انداخت و با صدای بلندی گفت:

ـ هرکی دوست داره از اون باتلاق‌های قابل حملی بخره که نمونه‌شو طبقه‌ی بالا دیدین می‌تونه بیاد به کوچه‌ی دیاگون، شماره‌ی نودوسه، فروشگاه شوخی‌های سحرآمیز ویزلی. محل کار جدید ماست!

جرج با اشاره به آمبریج گفت:

ـ به اون دسته از دانش‌آموزان هاگوارتز که قسم بخورن از محصولات ما برای خلاص‌شدن از شرّ این خفاش پیر استفاده کنن، تخفیف ویژه می‌دیم.

آمبریج جیغ کشید و گفت:

ـ جلوشونو بگیرین!

امّا دیگر دیر شده‌بود. همین‌که اعضای جوخه‌ی بازجویی جلو رفتند فرد و جرج از زمین بلند شدند و چهار مترونیم از زمین فاصله گرفتند. گل‌میخ آهنی به‌طور خطرناکی در هوا تاب می‌خورد. فرد در بالای سرسرا به روح مزاحم قلعه نگاه کرد که با او در یک سطح قرار داشت و به او گفت:

ـ بدعنق، به نمایندگی از ما این‌جا رو براش جهنّم کن.

هری هیچ‌گاه ندیده‌بود که بدعنق از دانش‌آموزان اطاعت کند امّا با این حرف فرد، کلاه زنگوله‌دارش را از سرش برداشت و به آن‌ها ادای احترام کرد. فرد و جرج در بالای سر جمعیّتی که به تشویق آن‌ها پرداخته بودند، چرخی زدند و سپس با سرعت از درهای ورودی باز سرسرا به سوی چشم‌انداز شکوهمند غروب خورشید شتافتند.

فصل ۳۰

گراوپ

در چند روز بعد آن‌قدر داستان فرار و آزادی فرد و جرج در مدرسه بازگو شده‌بود که هری حدس می‌زد به زودی به افسانه‌های هاگوارتز بپیوندد. بعد از یک هفته حتّی کسانی‌که با چشم خودشان شاهد ماجرا بودند کم‌کم باور می‌کردند که دوقلوها را سوار بر جاروهایشان در حال شیرجه‌رفتن و بمباران آمبریج دیده‌اند که بمب‌های کود حیوانی و گلوله‌های بوگندو را یکی پس از دیگری به سویش پرتاب کرده، سپس از در سرسرا پروازکنان گریخته‌اند. بلافاصله پس از رفتن آن‌ها موج عظیم گفت‌وگوهای دانش‌آموزانی بالا گرفت که قصد تقلید از آن‌ها را داشتند و هری گاه و بیگاه صدای کسانی را می‌شنید که می‌گفتند: «خداوکیلی، یکی از همین روزها منم می‌پرم روی جاروم و از این‌جا می‌رم» یا «فقط کافیه یه بار دیگه کلاسمون این‌طوری باشه، اون‌وقت

منم اون کاری‌رو می‌کنم که ویزلی‌ها کردند...»

فرد و جرج کاری کرده‌بودند که هیچ‌کس نمی‌توانست به این زودی آن‌ها را فراموش کند. یکی از علّت‌هایش این بود که آن‌ها به هیچ‌کس نگفته بودند چه‌طور می‌توان باتلاقی را از میان برد که اکنون یکی از راهروهای قسمت شرقی طبقه‌ی پنجم را به‌طور کامل اشغال کرده‌بود. آمبریج و فیلچ روش‌های متعدّدی را برای از بین بردن آن آزموده بودند امّا همه‌ی آن‌ها بی‌نتیجه بود. سرانجام دورتادور آن قسمت را طناب‌کشی کردند و فیلچ که با خشم دندان‌هایش را روی هم می‌سایید مسؤول قایق‌رانی بر روی باتلاق و رساندن دانش‌آموزان به کلاس‌هایشان شد. هری اطمینان داشت که استادهایی مانند مک‌گونگال یا فلیت‌ویک می‌توانند در یک چشم برهم‌زدن باتلاق را ناپدید کنند امّا این بار هم مثل ماجرای ویژویژوهای وحشی، ترجیح می‌دادند شاهد تلاش و فعّالیّت آمبریج باشند.

بر روی در دفتر آمبریج دو سوراخ بزرگ به شکل دو جارو پدید آمده‌بود که پاک جاروهای فرد و جرج برای رسیدن به صاحبانشان بر روی در دفتر ایجاد کرده و از آن خارج شده‌بودند. فیلچ در جدیدی را جایگزین آن کرد و جاروی هری را به دخمه‌ها برد که بر طبق شایعات یک غول غارنشین امنیّتی مسلّح از آن پاسداری کند. امّا هنوز مشکلات آمبریج به پایان نرسیده‌بود.

عدّه‌ی زیادی از دانش‌آموزان از فرد و جرج الهام گرفته و برای تصاحب مقام خالی دردسرسازان مدرسه با یکدیگر رقابت می‌کردند. به رغم تعویض در، شخصی توانسته بود یک برقک پوزه‌دار پشمالو را در دفتر آمبریج بیندازد. برقک بلافاصله در جست‌وجوی اشیای درخشان، آن‌جا را زیروزبر کرد و با ورود آمبریج بر روی او پرید و شروع به گاززدن و درآوردن انگشترها از انگشتان خپل و کوتاهش کرد. بمب‌های

کود حیوانی و گلوله‌های بوگندویی که در راهروها می‌انداختند چنان زیاد بود که اجرای جادوی حباب سر، پیش از بیرون‌آمدن از کلاس‌های درس، برای دانش‌آموزان تبدیل به یک عادت جدید شده‌بود و باعث می‌شد هوای تمیز کافی برای تنفّس داشته باشند امّا تنها اشکالش این بود که قیافه‌هایشان طوری می‌شد گویی تنگ ماهی را وارونه بر سر گذاشته بودند.

فیلچ که یک تازیانه‌ی ویژه‌ی اسب‌ها را آماده در دست داشت دایم در راهروها قدم می‌زد و بی‌صبرانه در جست‌وجوی دانش‌آموزان خلاف‌کار بود امّا مشکلش این بود که تعداد آن‌ها چنان زیاد شده‌بود که نمی‌دانست به دنبال کدام یک از آن‌ها برود. اعضای جوخه‌ی بازجویی نیز به او کمک می‌کردند امّا یکسره اتّفاق‌های عجیب و غریبی برایشان می‌افتاد. ورینگتون، یکی از اعضای تیم کوییدیچ اسلیترین، که به ناراحتی پوستی وحشتناکی دچار شده‌بود به درمانگاه مراجعه کرد. پوسش طوری شده‌بود که انگار روکشی از جنس برشتوک روی آن کشیده‌بودند. پانسی پارکینسون، فردای آن روز در همه‌ی کلاس‌ها غیبت کرد و باعث شادی و سرور هرمیون شد. علّت غیبتش رویيدن شاخ گوزن بر روی سرش بود.

در این میان تازه معلوم شد که فرد و جرج پیش از ترک هاگوارتز تا چه حد قوطی خوراکی‌های جیم‌شویشان را فروخته‌اند. آمبریج همین‌که وارد کلاس می‌شد دانش‌آموزانی را می‌دید که به علّت غش، استفراغ، تب‌های خطرناک، یا خونریزی از هر دو سوراخ بینی جلوی در جمع شده‌بودند. درحالی‌که از خشم و ناامیدی جیغ می‌کشید تلاش می‌کرد منبع این عوارض مرموز را بیابد امّا دانش‌آموزان با سرسختی به او می‌گفتند که «آمبریج زده» شده‌اند. پس از مجازات چهار کلاس پی‌درپی و ناکامی در کشف راز آن‌ها، به ناچار از این کار منصرف شد و

به دانش‌آموزانی که خونریزی داشتند، غش می‌کردند، عرق می‌ریختند و استفراغ می‌کردند اجازه داد که دسته‌دسته از کلاسش بیرون بروند.

امّا حتّی مصرف‌کنندگان خوراکی‌های جیم‌شو نیز قادر به رقابت با استاد آشوب نبودند که کسی نبود جز بدعنق. به نظر می‌رسید که توصیه‌ی فرد در هنگام خداحافظی را بسیار جدّی گرفته است. با صدای بلندی دیوانه‌وار می‌خندید و از این سوی مدرسه به آن سو پرواز می‌کرد، میزها را واژگون می‌کرد، از درون تابلو بیرون می‌پرید و مجسّمه‌ها و گلدان‌ها را به زمین می‌انداخت. دوبار خانم نوریس را در لباس‌های رزم‌آهنین محبوس کرد و سرایدار خشمگین با شنیدن زوزه‌هایش آن را نجات داد. بدعنق فانوس‌ها را می‌شکست و شمع‌ها را خاموش می‌کرد. مشعل‌های شعله‌ور را درست بالای سر دانش‌آموزانی که جیغ می‌کشیدند حلقه‌وار بالا می‌انداخت و می‌گرفت، دسته‌ی کاغذ پوستی‌های روی هم چیده شده را به درون آتش یا بیرون از پنجره می‌انداخت. یک بار شیر تمام دستشویی‌های طبقه‌ی دوّم را باز گذاشت و سیلی به راه انداخت. هنگام صرف صبحانه یک کیسه پر از رتیل را وسط سرسرای بزرگ انداخت و بالاخره هر بار هوس می‌کرد به خود استراحتی بدهد سایه‌به‌سایه‌ی آمبریج پرواز می‌کرد و هربار که او شروع به صحبت می‌کرد برایش شیشکی در می‌کرد.

به نظر می‌رسید که هیچ‌یک از کارکنان مدرسه جز فیلچ، برای کمک به او به خود زحمت نمی‌دهند. در واقع یک هفته پس از رفتن فرد و جرج از مدرسه، یک بار که بدعنق سرگرم بازکردن یکی از چلچراغ‌های کریستال بود هری با چشم خود پروفسور مک‌گونگال را دید که از کنار او گذشت و حاضر بود قسم بخورد که او زیر لب به روح مزاحم گفته است: «باید از اون طرف بپیچونی تا باز بشه.»

از همه بدتر اینکه مونتاگ پس از اقامتش در توالت هنوز حالش بهتر

نشده‌بود. همچنان گیج و سردرگم بود و والدینش که برای مشاهده‌ی وضعیّت او آمـده‌بودند هنگامی‌که بـا گام‌های بـلند در جادّه جلو می‌آمدند خشمگین به نظر می‌رسیدند.

هرمیون‌که صورتش را به شیشه‌ی پنجره‌ی کلاس وردهای جادویی چسبانده‌بود تا بتواند آقا و خانم مونتاگ را هنگام ورود به قلعه ببیند با نگرانی گفت:

ـ لازم نیست بهشون بگیم؟ نمی‌خواد بگیم چه بلایی به سرش اومده؟ در این صورت ممکنه خانم پامفری بتونه معالجه‌ش کنه.

رون با بی‌توجّهی گفت:

ـ معلومه‌که نباید چیزی بگیم. اون حالش خوب می‌شه.

هری رضایتمندانه گفت:

ـ در هر حال اینم یه دردسر دیگه برای آمبریجه دیگه، درسته؟

هری و رون با چوبدستی به فنجان‌هایی‌که قرار بـود جادو کنند ضربه زدند. فنجان هری چهار پایه‌ی بسیار کوتاه درآورد که به سطح میز نمی‌رسیدند و بیهوده در هوا می‌جنبیدند. فنجان رون چهار پایه‌ی دراز و باریک درآورد که به سختی فنجان را در هوا نگه داشتند و چند لحظه‌ای لرزیدند و آخر سر تا شدند. در نتیجه فنجان شکست و دو نیمه شـد. هـرمیون بـه تندی گفت: «ریپارو!» و بـا یک حـرکت مـوجی چوبدستی‌اش فنجان رون را ترمیم کرد. سپس گفت:

ـ همه‌ی اینا درست، امّا اگه آسیب‌دیدگی مونتاگ دایمی باشه چی؟

رون‌که فنجانش بار دیگر با حالتی نامتوازن ایستاده بود و زانوهایش به شدّت می‌لرزید با آزردگی گفت:

ـ چه اهمیّتی داره؟ مونتاگ برای چی می‌خواست اون هـمه امتیاز از گریفندور کم کنه؟ این کارش درست بود؟ اگه می‌خوای نگران کسی باشی، هرمیون، بهتره نگران من باشی!

هرمیون فنجان خودش را گرفت که پاهای چینی پر نقش و نگار و محکمی داشت و با شادمانی جست‌وخیزکنان به آن‌سوی میز می‌رفت. سپس آن را جلویش روی میز گذاشت و گفت:

ـ تو؟ برای چی باید نگران تو باشم؟

اکنون فنجان رون می‌کوشید بر روی چهارپایه‌ی شکننده‌اش وزنش را تحمّل کند. رون او را نگه داشت و با لحن تلخی گفت:

ـ وقتی نامه‌ی بعدی مامانم بعد از عبور از بازرسی آمبریج بالاخره به دستم برسه بدجوری توی دردسر می‌افتم. هیچ بعید نیست دوباره برام عربده‌کش بفرسته.

ـ ولی...

رون با بدبینی گفت:

ـ حتماً می‌گه تقصیر من بوده که فرد و جرج رفته‌ن، حالا خودت می‌بینی. می‌گه من نباید می‌گذاشتم از مدرسه برن، باید ته جاروهاشونو می‌گرفتم و آویزون می‌شدم و از این‌جور چیزها... آره، همه‌ی تقصیرها می‌افته گردن من...

ـ اگه چنین حرفی بزنه خیلی بی‌انصافی کرده، تو که کاری نمی‌تونستی بکنی! ولی من مطمئنم که مامانت اینو نمی‌گه. یعنی خب، اگه واقعاً توی کوچه‌ی دیاگون یه مغازه خریده باشن معلومه که از مدّت‌ها پیش در فکر این کار بوده‌ن...

رون با چوبدستی‌اش چنان ضربه‌ی محکمی به فنجانش زد که پایه‌هایش کج شد و همان‌طور جلویش ایستاد. سپس گفت:

ـ آره، امّا آخه خود اینم مسئله‌ست. اونا این مغازه‌رو از کجا آورده‌ن؟ قضیّه یه ذرّه مشکوکه، نه؟ اجاره‌ی یه مغازه توی کوچه‌ی دیاگون یه عالمه گالیون می‌خواد. مامانم می‌خواد بدونه اونا چی کار کرده‌ن که این همه پول گیرشون اومده...

فنجان هرمیون آهسته به دور فنجان هری می‌دوید که هنوز پایه‌های
کوتاهش به سطح میز نرسیده‌بود. هرمیون آن را به حال خود گذاشت و
گفت:

- راستش این فکر به ذهن منم رسیده‌بود. یعنی ممکنه ماندانگاس
بهشون پیشنهاد کرده‌باشه اجناس دزدی بفروشن یا کار وحشتناک
دیگه‌ای بکنن؟

هری با لحن خشکی گفت:

- ماندانگاس این کارو نکرده.

رون و هرمیون باهم گفتند:

- از کجا می‌دونی؟

هری لحظه‌ای مردّد ماند امّا به نظرش رسید که زمان اعتراف فرا
رسیده‌است. حالا که ممکن بود سکوت او باعث شود دیگران به
درستکاری فرد و جرج شک کنند دیگر نمی‌توانست ساکت بماند. او
گفت:

- برای این‌که طلارو از من گرفتن. ماه ژوئن پارسال، جایزه‌ی مسابقه‌ی
سه جادوگرو دادم به اونا.

سکوتی لبریز از تعجّب و شگفتی برقرار شد و فنجان هرمیون
همان‌طورکه می‌چرخید از لبه‌ی میز افتاد و شکست. هرمیون گفت:

- وای؛ هری، امکان نداره!

هری با حالتی عصیانگرانه گفت:

- من این کارو کردم، اصلاً هم پشیمون نیستم. من به اون طلا نیازی
نداشتم درحالی‌که کار اونا در تولید وسایل شوخی عالیه...

رون که از شادی در پوست خود نمی‌گنجید گفت:

- عالیه! همه‌ش تقصیر توست، هری... دیگه مامان نمی‌تونه منو
سرزنش کنه! می‌شه بهش بگم؟

هری با بی‌حوصلگی گفت:

ـ آره، به گمونم بهتره بگی... مخصوصاً اگه ممکنه فکر کنه اونا پاتیل دزدی و از این جور چیزها می‌فروشند...

هرمیون تا آخر درس هیچ‌چیز دیگری نگفت امّا هری تردید داشت که خودداری او مدّت زیادی به‌طول انجامد. چنان‌که انتظار می‌رفت همین‌که زنگ تفریح خورد و آن‌ها از قلعه بیرون آمدند و در زیر نور آفتاب بی‌رمق ماه مه ایستادند هرمیون چشم‌هایش را ریز کرد و به هری خیره شد امّا همین‌که دهانش را باز کرد که با چهره‌ای مصمّم چیزی بگوید هری به او مهلت نداد و قاطعانه گفت:

ـ غرزدن هیچ فایده‌ای نداره، کاریه که شده. فرد و جرج طلاهارو گرفته‌ن و شواهد و قراین نشون می‌ده که مقدار زیادی شم خرج کرده‌ن. منم که نه می‌تونم، نه می‌خوام که این پول‌رو ازشون پس بگیرم. بنابراین بهتره بیخودی خودتو خسته نکنی، هرمیون.

هرمیون با آزردگی گفت:

ـ من‌که نمی‌خواستم از فرد و جرج حرف بزنم!

رون ناباورانه هوا را با شدّت از بینی خارج کرد و چشم‌غرّه‌ای به او رفت. هرمیون با عصبانیّت گفت:

ـ گفتم که، نمی‌خواستم از اونا چیزی بگم! در واقع، می‌خواستم از هری بپرسم کی می‌خواد بره پیش اسنیپ و ازش خواهش کنه چفت‌شدگی‌رو بهش یاد بده!

قلب هری فرو ریخت. پس از صحبت طولانی درباره‌ی فرار تاریخی فرد و جرج که به واقع ساعت‌ها به طول انجامید رون و هرمیون درباره‌ی سیریوس از او پرس‌وجو کرده‌بودند. هری که علّت اصرارش برای صحبت با سیریوس را از اوّل با آن‌ها در میان نگذاشته بود به دشواری توانست چیزی برای گفتن به آن‌ها بیابد. آخر سر به این نتیجه

رسید که این واقعیّت را برایشان بازگو کند که سیریوس از او خواسته است به آموزش درس چفت‌شدگی ادامه بدهد. امّا از همان وقت از کار خود پشیمان شده‌بود زیرا هرمیون لحظه‌ای از این موضوع غافل نمی‌شد و درست در لحظاتی که هری به هیچ‌وجه انتظار نداشت پشت سرهم این موضوع را پیش می‌کشید.

هرمیون گفت:

ـ بیخودی نگو که دیگه اون خواب‌های مسخره‌رو نمی‌بینی چون رون به من گفت که دیشب توی خواب دوباره حرف می‌زدی...

هری نگاه غضبناکی به رون انداخت. رون فقط توانست قیافه‌ای شرمنده به خود بگیرد و با حالتی عذرخواهانه جویده‌جویده بگوید:

ـ فقط یه ذرّه زیرلب حرف زدی... انگار می‌گفتی: «یه ذرّه جلوتر.»

هری در حق او بی‌رحمی کرد و به دروغ گفت:

ـ خواب می‌دیدم که دارم کوییدیچ شمارو نگاه می‌کنم. سعی می‌کردم تشویقت کنم که دستتو جلوتر ببری و سرخگون‌رو بگیری.

گوش‌های رون سرخ شد. هری از این انتقامجویی راضی و خرسند بود. او به هیچ‌وجه چنین خوابی ندیده بود.

دیشب بار دیگر خود را در راهروی سازمان اسرار دیده‌بود. او از اتاق دایره‌ای شکل عبور کرده، سپس از آن اتاق پر از صدای تق‌تق و نورهای رقصان گذشته بود و سرانجام خود را در آن اتاق غارمانند پر از قفسه یافته بود که گوی‌های شیشه‌ای خاک گرفته‌ی بی‌شماری در آن به چشم می‌خورد...

او شتابان یکراست به سوی ردیف شماره‌ی نود و هفت رفته، به سمت چپ پیچیده و در امتداد آن دویده‌بود... احتمالاً در همان وقت با صدای بلند حرف می‌زده‌است... *فقط* یه ذرّه جلوتر... زیرا احساس کرده‌بود ضمیر هشیارش، در کشمکش برای بیداری است... و پیش از

آن‌که به انتهای آن ردیف برسد خود را در رختخوابش یافته و به سقف تخت پرده‌دارش چشم دوخته بود.

هرمیون بار دیگر چشم‌هایش را ریز کرد و به هری خیره شد و گفت:

ـ تو داری سعی می‌کنی ذهنتو ببندی، نه؟ داری به تمرین درس چفت‌شدگی ادامه می‌دی، درسته؟

هری قیافه‌ای به خود گرفت که انگار با این حرف به او توهین شده‌بود امّا بدون آن‌که مستقیم به چشم‌های هرمیون نگاه کند گفت:

ـ معلومه که ادامه می‌دم.

امّا در حقیقت هری بی‌اندازه کنج‌کاو شده‌بود و می‌خواست بفهمد در آن اتاق پر از گوی‌های بلورین خاک‌آلود چه چیزی پنهان شده‌است از این‌رو ترجیح می‌داد آن خواب‌ها ادامه یابد.

مشکل این بود که تا شروع امتحانات فقط کم‌تر از یک ماه باقی‌مانده بود و هریک دقیقه وقت آزادشان به مطالعه اختصاص می‌یافت در نتیجه مغزش چنان از اطّلاعات اشباع شده‌بود که وقتی به رختخواب می‌رفت اصلاً خوابش نمی‌برد اگر هم به خواب می‌رفت مغز از توان افتاده‌اش در اکثر شب‌ها خواب‌های احمقانه‌ای درباره‌ی امتحانات برایش تدارک می‌دید. هری گمان می‌کرد آن بخش از مغزش که همیشه با صدای هرمیون در گوشش زمزمه می‌کرد از پرسه‌های شبانه‌ی او در راهرویی که به آن در سیاه ختم می‌شد احساس گناه کرده‌باشد زیرا هربار پیش از رسیدن به مقصد می‌کوشید او را بیدار کند.

رون که هنوز گوش‌هایش سرخ بود گفت:

ـ اگه تا قبل از شروع مسابقه‌ی اسلیترین و هافلپاف، مونتاگ حالش خوب نشه ممکنه ما شانس بردن جام کوییدیچ‌رو داشته باشیم.

هری با خوش‌حالی از تغییر موضوع صحبت استقبال کرد و گفت:

ـ آره، درسته.

ـ ببین، ما یه بازی‌رو باختیم، یه بازی‌رو بردیم. اگه شنبه‌ی دیگه اسلیترین به هافلپاف ببازه...

هری که دیگر نمی‌دانست با چه چیزی موافقت می‌کند گفت:

ـ آره، آره، درسته.

درست در همان لحظه چو از آن سوی حیاط جلو می‌آمد و عمداً به او نگاه نمی‌کرد.

قرار بود آخرین بازی مسابقات کوییدیچ که در آن تیم گریفندور در برابر تیم ریونکلا بازی می‌کرد در تعطیلات آخرین هفته‌ی ماه مه برگزار شود. اگرچه اسلیترین در آخرین مسابقه‌اش در برابر هافلپاف با اختلاف کمی بازی را باخته بود تیم گریفندور به دلیل دروازه‌بانی افتضاح رون (که البتّه هیچ‌کس درباره‌اش با رون حرفی نمی‌زد) جرأت نداشت برای پیروزی امیدوار باشد. امّا به نظر می‌رسید که خود او علّت جدیدی برای خوش‌بینی پیدا کرده‌باشد.

صبح روز مسابقه رون با قیافه‌ی گرفته‌ای به هری و هرمیون گفت:

ـ دیگه از این بدتر که نمی‌تونم باشم، درسته؟ دیگه چیزی برای از دست‌دادن ندارم.

اندکی بعد، وقتی هرمیون و هری از میان جمعیّت هیجان‌زده و پرشور به سوی زمین کوییدیچ می‌رفتند هرمیون گفت:

ـ می‌دونی چیه، به نظر من حالا که فرد و جرج نیستن ممکنه رون بهتر بتونه بازی کنه. اونا هیچ‌وقت درست و حسابی بهش قوّت قلب نمی‌دادن...

لونالاوگود از آن‌ها جلو زد. او چیزی بر روی سرش گذاشته بود که از قرار معلوم یک عقاب زنده‌بود. وقتی با بی‌خیالی از مقابل گروهی از

اسلیترینی‌ها می‌گذشت که او را نشان می‌دادند و کرکر می‌خندیدند هرمیون به او نگاه کرد و گفت:

ـ ای وای! اصلاً یادم نبود... چو هم بازی می‌کنه دیگه، نه؟

هری که این موضوع را از یاد نبرده بود فقط گفت:

ـ اوهوم.

آن‌ها در بالاترین ردیف جایگاه تماشاگران برای خود جایی پیدا کردند. روز آفتابی و دلپذیری بود. رون نمی‌توانست هوایی بهتر از آن را آرزو کند. هری نیز خداخدا می‌کرد که رون کاری نکند که اسلیترینی‌ها دوباره آواز «اونی که سرور و پادشاهمونه، ویزلیه» را سر دهند.

لی جردن که پس از رفتن فرد و جرج بسیار افسرده و ناامید شده‌بود مثل همیشه بازی را گزارش می‌کرد. وقتی اعضای تیم به سمت زمین می‌آمدند بدون شوق و ذوق همیشگی‌اش نام بازیکنان را اعلام کرد.

ـ برادلی... دیویس... چانگ.

وقتی چو قدم‌زنان وارد زمین شد هری مثل قبل قلبش در سینه فرو نریخت و این‌بار تنها لرزش ظریفی در سینه‌اش حس کرد. موهای سیاه صاف و برّاق چو در نسیم ملایم موج می‌زد. دیگر به آنچه ممکن بود پیش بیاید اهمیّتی نمی‌داد و تنها چیزی که می‌دانست این بود که دیگر تحمّل دعوا و جرّ و بحث را ندارد. حتّی گفت‌وگوی پرهیجان چو با راجر دیویس هنگام سوارشدن بر جاروهایشان نیز حسادتش را برمی‌انگیخت.

لی گفت:

ـ و بالاخره از زمین بلند شدند! دیویس بلافاصله سرخگون‌رو می‌گیره، حالا دیویس، کاپیتان تیم ریونکلا، با سرخگون از جلوی جانسون جا خالی می‌ده، از جلوی بل هم جا خالی می‌ده، از جلوی اسپینت هم جا خالی داد... داره یکراست می‌ره که گل بزنه! می‌خواد پرتاب کنه... و...

و...

جردن با صدای بلند فحشی داد و گفت:

ـ و گل می‌زنه!

هری و هرمیون همراه با سایر دانش‌آموزان گریفندوری غرولند می‌کردند. چنان‌که انتظار می‌رفت اسلیترینی‌ها در آن سوی جایگاه تماشاگران به‌طور نفرت‌انگیزی شروع به خواندن کردند:

اونی که عرضه‌ی هیچ کارو نداره، ویزلیه

اونی که حلقه‌ی انگشترو هم جا می‌گذاره، ویزلیه

در همان لحظه صدای نخراشیده‌ای در گوش هری گفت:

ـ هری... هرمیون...

هری سرش را برگرداند و صورت ریش‌دار عظیم هاگرید را بین دو صندلی دید. از قرار معلوم خودش را به زور میان ردیف پشتی جا داده و جلو آمده بود زیرا دانش‌آموزان سال اوّل و دوّمی که از جلویشان گذشته بود قیافه‌های گیج و ژولیده‌ای پیدا کرده بودند. معلوم نبود چرا هاگرید دولا شده است. احتمالاً می‌خواست از چشم کسی پنهان بماند. با این حال همچنان یک متر بلندتر از هرکس دیگری بود. او آهسته زمزمه کرد:

ـ بچّه‌ها، می‌شه با من بیاین؟ همین الان که همه سرگرم تماشای مسابقه‌ن؟

هری گفت:

ـ اِ نمی‌شه صبر کنی، هاگرید... تا مسابقه تموم بشه؟

هاگرید گفت:

ـ نه، هری، نه. باید همین حالا بیاین که بقیّه حواسشون پرته... خواهش

می‌کنم...

از بینی هاگرید قطره‌قطره خون می‌ریخت. هـر دو چشـمش کبود شده‌بود. هری از زمانی که هـاگرید بـه مـدرسه بـرگشته بـود او را از فاصله‌ی به این نزدیکی ندیده‌بود. چهره‌اش واقعاً اندوهگین بـه نظر می‌رسید. هری بلافاصله گفت:

ـالبتّه، البتّه که میایم.

هری و هرمیون در امتداد ردیف صندلی‌هایشان برگشتند و غرولند دانش‌آموزانی را درآوردند که ناچار بودند بایستند تا آن‌ها رد شـوند. افرادی که در ردیف هاگرید بودند غرولند نکرده بلکه مـی‌کوشیدند خود را هرچه جمع‌تر کنند تا او بتواند عبور کند. وقتی به پلّه‌ها رسیدند هاگرید گفت:

ـاز هردوتون ممنونم.

وقتی از پلّه‌ها به سمت سراشیبی چمن پایین مـی‌رفتند دایـم بـا نگرانی به اطراف نگاه کرد و گفت:

ـفقط خدا کنه اون نفهمه که ما داریم می‌ریم...

هری گفت:

ـمنظورت آمبریجه؟ نمی‌فهمه. تمام اعضای جوخه‌ی بازجویی پیشش نشسته‌ن، مگه اونارو ندیدی؟ حتماً احتمال مـی‌ده تـوی مسابقه دردسری پیش بیاد.

هاگرید گفت:

ـیه ذرّه دردسر اشکالی نداره...

هاگرید اندکی درنگ کرد تا از کناره‌ی جایگاه تماشاچیان نگاهی بـه محوطه‌ی چمن بیندازد که از آنجا تا کلبه‌ی هاگرید کشیده شـده‌بود. می‌خواست مطمئن شود که کسی آنجا نیست. سپس گفت:

ـباعث می‌شه ما وقت بیش‌تری داشته باشیم.

وقتی با عجله از روی چمن‌ها به سمت حاشیه‌ی جنگل می‌رفتند هرمیون با چهره‌ای نگران به هاگرید نگاه کرد و پرسید:

- چی شده، هاگرید؟

صدای هیاهوی بلندی از سمت زمین بازی به گوش رسید و هاگرید نگاهی به پشت سرش انداخت و گفت:

- حالا... حالا خودتون می‌بینین... ببینم کسی گل زد؟

هری با ناراحتی گفت:

- حتماً ریونکلا بوده.

هاگرید با حواس‌پرتی گفت:

- خوبه... خوبه... خیلی خوبه...

آن‌ها مجبور بودند هرچند قدم یک بار بدوند تا به او برسند که همچنان در زمین چمن جلو می‌رفت و چندوقت یک بار به اطرافش نگاهی می‌انداخت. وقتی به کلبه‌ی او رسیدند هرمیون بی‌اختیار به سمت چپ پیچید تا به سوی در جلویی کلبه برود امّا هاگرید از کنار کلبه‌اش رد شد و یکراست به زیر سایه‌ی بیرونی‌ترین درختان جنگل رفت و کمان تفنگی‌اش را برداشت که به درختی تکیه داشت. وقتی متوجّه شد که آن دو به دنبالش نیامده‌اند برگشت. با سر ژولیده‌اش به پشت سرش اشاره کرد و گفت:

- باید بریم این تو...

هرمیون که گیج شده‌بود پرسید:

- توی جنگل؟

هاگرید گفت:

- آره، بیاین، زود باشین، تا کسی مارو ندیده زودتر بیاین!

هری و هرمیون به‌هم نگاه کردند و پشت سر هاگرید رفتند و خود را لابه‌لای درختان پنهان کردند. هاگرید با گام‌های بلند در فضای سبز و

تیره‌ی جنگل پیش می‌رفت و تیر و کمانش از شانه‌اش آویزان بود. هری و هرمیون دوان‌دوان خود را به او رساندند. هری پرسید:

ـ هاگرید، چرا مسلّح اومدی؟

هاگرید شانه‌های عظیمش را بالا انداخت و گفت:

ـ اینو فقط برای احتیاط آوردم.

هرمیون با کمرویی پرسید:

ـ پس چرا اون روز که تسترال‌هارو نشونمون دادی کمان تفنگی‌رو نیاورده بودی؟

هاگرید گفت:

ـ آخه اون روز نمی‌خواستیم تا این‌جاها بیایم. تازه، اون روز قبل از بیرون اومدن فایرنز از جنگل بود درسته؟

هرمیون کنجکاوانه پرسید:

ـ چرا بعد از رفتن فایرنز وضعیّت فرق کرده؟

هاگرید نگاهی به اطرافش انداخت و آهسته گفت:

ـ علّتش اینه که بقیّه‌ی سانتورها حسابی از دست من کفری شده‌ن. قبلاً با من... خب راستش قبلاً هم رفتارشون زیاد دوستانه نبود... ولی خب با هم کنار می‌اومدیم. سرشون تو لاک خودشون بود امّا هروقت می‌خواستم باهاشون حرف بزنم سروکلّه‌شون پیدا می‌شد. امّا دیگه از این خبرها نیست...

هاگرید آه عمیقی کشید. هری که تمام هوس و حواسش به هاگرید بود و نیمرخ او را نگاه می‌کرد پایش به ریشه‌ی برآمده‌ی درختی گیر کرد و به ناچار از روی آن پرید و گفت:

ـ فایرنز گفت اونا برای این عصبانی شدند که اون می‌خواسته برای دامبلدور کارکنه، درسته؟

هاگرید با ناراحتی گفت:

ـ آره، ولی چه عصبانیّتی! خون جلوی چشمشونو گرفته‌بود. اگه من نرفته‌بودم جلو، فایرنزو زیر مشت و لگد کشته بودن.

هرمیون که جا خورده بود گفت:

ـ بهش حمله کردن؟

هاگرید که به زحمت در میان چندین شاخه‌ی فروافتاده راهش را باز می‌کرد با لحن تندی گفت:

ـ آره. نصف گله افتاده بودن به جونش.

هری که تحت تأثیر قرار گرفته‌بود با تعجّب گفت:

ـ اون‌وقت تو جلوشونو گرفتی؟

هاگرید گفت:

ـ معلومه که گرفتم. من که نمی‌تونستم همون‌جا وایسم و شاهد کشته‌شدنش باشم. شانس آورد که من از اون‌جا می‌گذشتم... قبل از این‌که برام هشدارهای احمقانه بفرسته فکر می‌کردم این خدمت منو فراموش نمی‌کنه.

او بخش آخر گفتارش را با شور و حرارتی ناگهانی اضافه کرده‌بود.

هری و هرمیون هاج و واج به هم نگاه کردند امّا هاگرید که اخم کرده‌بود توضیح دیگری نداد. او با اندوه و گرفتگی بیش‌تری گفت:

ـ خلاصه از اون به بعد، بقیّه‌ی سانتورها از من دلخورن. بدبختی اینه که اونا نفوذ زیادی توی جنگل دارن... باهوش‌ترین موجودات این‌جان.

هرمیون پرسید:

ـ برای همین اومدیم این‌جا؟ برای سانتورها؟

هاگرید سرش را تکان داد و گفت:

ـ نه بابا! برای اونا نیس... البتّه اونا می‌تونن کارمونو سخت‌تر کنن، آره... ولی دیگه چیزی نمونده... الان خودتون می‌بینین...

او پس از این تذکّر نامفهوم ساکت شد و کمی جلوتر رفت. هریک

قدم او سه قدم آن‌ها بود و به سختی می‌توانستند خود را به او برسانند.

هرچه در جادّه جلوتر می‌رفتند درختان جنگل بزرگ‌تر و انبوه‌تر می‌شدند چنان‌که هوا مثل هوای غروب، تاریک شده‌بود. آن‌ها از محوطه‌ی بی‌درختی که هاگرید در آن‌جا تسترال‌ها را به آن‌ها نشان داده‌بود خیلی دور شده‌بودند امّا تازه وقتی که هاگرید به‌طور غیرمنتظره‌ای از جاده خارج شد و سلانه‌سلانه از لابه‌لای درختان به سمت قلب جنگل رفت هری معذّب شد و پرسید:

ـ هاگرید، کجا داریم می‌ریم؟

هری به زحمت از میان تمشک‌های جنگلی درهم پیچیده‌ای رد می‌شد که هاگرید به راحتی از رویشان می‌پرید و به روشنی در نظر داشت که در گذشته با خروج از جاده‌ی خاکی جنگل چه بلایی به سرش آمده بود. هاگرید به آن‌ها که پشت سرش بودند نگاهی کرد و گفت:

ـ یه ذرّه جلوتره... بیا دیگه هری، الان دیگه نباید از هم جدا بمونیم.

پابه‌پای هاگرید حرکت‌کردن کار بسیار دشواری بود. او به راحتی از روی انبوه بوته‌های خار عبور می‌کرد گویی تار عنکبوتی بیش نبودند درحالی‌که ردای هری و هرمیون به خارها گیر می‌کرد و هرچند قدم یک بار چنان گیر می‌افتادند که ناچار بودند چند دقیقه توقّف کنند تا بتوانند خود را آزاد سازند. دست‌وپای هری پر از زخم و خراشیدگی شده‌بود. اکنون آن‌قدر در قلب جنگل پیش رفته‌بودند که هری در آن فضای تاریک هاگرید را به‌صورت پیکر عظیم و تیره‌ی نامشخّصی در مقابلش می‌دید. در آن سکوت دلگیر هر صدایی تهدیدآمیز به نظر می‌رسید. صدای شکستن یک شاخه‌ی نازک در فضا طنین می‌انداخت و هر خش‌خش ضعیفی حتّی اگر مربوط به حرکت گنجشکی بود باعث می‌شد هری با چشم‌های گشاده‌شده در تاریکی به دنبال منبع آن

بگردد. به نظرش می‌رسید که هیچ‌گاه نشده‌بود آن‌همه در قلب جنگل نفوذ کرده و با موجودی روبه‌رو نشده‌باشد... غیبت هرگونه موجودی در نظرش شوم و تهدیدآمیز بود....

هرمیون آهسته گفت:

ـ هاگرید، می‌شه چوبدستی‌هامونو روشن کنیم؟

هاگرید با صدایی نجواگونه جواب داد:

ـ اِ... باشه. راستش...

او به‌طور ناگهانی ایستاد و رویش را برگرداند. هرمیون به او برخورد کرد و به عقب افتاد امّا پیش از آنکه بر روی زمین بیفتد هری او را گرفت.

هاگرید گفت:

ـ بهتره یه دقیقه وایسیم تا قبل از این‌که برسیم همه چی‌رو براتون توضیح بدم.

هرمیون که تازه به کمک هری تعادل خود را حفظ کرده‌بود گفت:

ـ فکر خوبیه!

آنگاه او و هری با هم زمزمه کردند: «لومـوس!» و نـوک چوبدستی‌هایشان شعله‌ور شد. نور ضعیف و لرزان و چوبدستی بر روی صورت هاگرید می‌رقصید و هری متوجّه شد که چهره‌اش دوباره غمگین و نگران شده‌است. هاگرید گفت:

ـ خب، ... راستش... موضوع اینه که...

او نفس عمیقی کشید و ادامه داد:

ـ راستش احتمال زیادی وجود داره که همین روزها اخراج بشم.

هری و هرمیون به هم نگاه کردند و دوباره رویشان را به سمت هاگرید برگرداندند. هرمیون محتاطانه گفت:

ـ ولی تو که این‌همه وقت دوام آوردی، چی شده که فکر می‌کنی...

ـ آمبریج فکر می‌کنه من اون برقک‌رو توی دفترش انداختم.

هری نتوانست خودداری کند و پرسید:
ـ تو انداخته بودی؟
هاگرید با ناخشنودی گفت:
ـ نه، معلومه که نه! هر کاری که به موجودات جادویی مربوط بشه از چشم من می‌بینه. خودتونم می‌دونین که از وقتی برگشته‌م دنبال بهانه می‌گرده که اخراجم کنه. البتّه من دوست ندارم برم امّا فقط به خاطر شرایط خاصّی که... همین الان واسه‌تون توضیح می‌دم، این‌جا مونده‌م، وگرنه خودم می‌رفتم و نمی‌گذاشتم مثل تریلانی، جلوی همه‌ی مدرسه اخراجم کنه.
هری و هرمیون هر دو می‌خواستند مخالفتشان را ابراز کنند امّا هاگرید با یک حرکت دست غول پیکرش جلوی آن‌ها را گرفت و گفت:
ـ دنیا که به آخر نمی‌رسه. اگه از این‌جا برم می‌تونم به دامبلدور کمک کنم و در خدمت محفل باشم. گرابلی‌پلنک هم می‌یاد به شما درس می‌ده و... شما می‌تونین در امتحانات موفّق باشین...
صدایش لرزید و بغضش ترکید. هرمیون دستش را دراز کرد تا او را نوازش کند و او با دستپاچگی گفت:
ـ نگران من نباشین.
آن‌گاه دستمال خال‌خالی‌اش را از جیب جلیقه‌اش درآورد و چشم‌هایش را با آن پاک کرد و گفت:
ـ بچّه‌ها، اگه مجبور نشده‌بودم امکان نداشت این موضوع‌رو بهتون بگم. ببینین، اگه من برم... راستش من همین‌طوری نمی‌تونم برم... باید به یکی بگم... واسه این‌که من... به کمک شما دو تا احتیاج دارم. به کمک رون هم احتیاج دارم، البتّه اگه دلش بخواد کمک کنه.
هری بلافاصله گفت:
ـ ما حتماً کمکت می‌کنیم. تو از ما می‌خوای که چی کار کنیم؟

هاگرید با شدّت بینی‌اش را بالا کشید و بی‌آن‌که حرفی بزند آهسته به شانه‌ی هری ضربه زد امّا همان ضربه‌ی آهسته باعث شد هری از یک سو با تنه‌ی درختی برخورد کند. هاگرید همان‌طور که با دستمالش بینی‌اش را پاک می‌کرد گفت:

ـ می‌دونستم قبول می‌کنین. ولی من... هیچ‌وقت... فراموش نمی‌کنم... خب دیگه، بیاین بریم... اگه از این طرف یه ذرّه جلوتر بریم... مواظب خودتون باشین... این گزنه‌س...

آن‌ها پانزده دقیقه‌ی دیگر در سکوت به راهشان ادامه دادند. همین که هری دهانش را باز کرد که بپرسد چه‌قدر دیگر باید بروند هاگرید دست راستش را بالا آورد تا به آن‌ها علامت دهد که باید بایستند. هاگرید با ملایمت گفت:

ـ خیلی آسونه... حالا باید خیلی ساکت باشین...

آن‌ها آهسته جلو خزیدند و هری یک کپه خاک به اندازه‌ی هاگرید را در برابرش دید و با ترس و لرز حدس زد که لانه‌ی یک جانور بزرگ باشد. درختان دور آن از ریشه درآمده بودند در نتیجه، آن کپه‌ی خاکی در محوطه‌ی خالی از درختی قرار گرفته بود که انبوه شاخه‌های قطور و تنه‌ی درختان متعدّدی دورتادور آن را چون حصار یا مانعی احاطه کرده‌بود و در آن لحظه هری، هرمیون و هاگرید پشت آن ایستاده بودند.

هاگرید با صدایی بسیار آرام گفت:

ـ خوابیده.

چنان‌که انتظار می‌رفت هری غرش موزونی را از دور شنید که از قرار معلوم صدای حرکت یک جفت شش بود. زیرچشمی به هرمیون نگاه کرد که با دهان باز به کپه‌ی خاکی خیره شده‌بود. وحشت و هراس در چهره‌اش کاملاً نمایان بود. هرمیون با صدای آهسته‌ای که با وجود صدای نفس‌های موجود به خواب رفته به زحمت شنیده می‌شد گفت:

ـ هاگرید، اون کیه؟

این پرسش در نظر هری بسیار عجیب می‌نمود زیرا پرسشی که در ذهن خودش شکل می‌گرفت این بود: «این چیه؟»

هرمیون که چوبدستی‌اش در دستش می‌لرزید گفت:

ـ هاگرید، تو که گفتی... تو که گفتی هیچ کدومشون نمی‌خواستن بیان!

هری نگاهش را از هرمیون به هاگرید انداخت و تازه فهمید چه اتّفاقی افتاده‌است. آن‌گاه دوباره به کپه‌ی خاکی نگاه کرد و از ترس نفس در سینه‌اش حبس شد.

آن کپه‌ی خاکی که هری، هرمیون و هاگرید به راحتی می‌توانستند بر روی آن بایستند، همراه با صدای نفس‌های سنگینی به آرامی بالا و پایین می‌رفت. آن اصلاً یک کپه خاک نبود. کاملاً مشخّص بود که پشت خمیده‌ی یک...

هاگرید که درمانده به نظر می‌رسید گفت:

ـ راستش، اون اصلاً نمی‌خواست بیاد. ولی من مجبور بودم بیارمش، هرمیون، مجبور بودم!

هرمیون که صدایش طوری شده‌بود گویی می‌خواست گریه کند گفت:

ـ امّا آخه برای چی؟ آخه چرا... هاگرید!

هاگرید که معلوم بود خودش نیز نزدیک است به گریه بیفتد گفت:

ـ می‌دونستم که اگه اونو بیارم و... تر... تربیتش کنم... می‌تونم از جنگل ببرمش بیرون و به همه نشون بدم که بی‌آزاره!

هرمیون با صدای گوشخراشی گفت:

ـ بی‌آزار!

هاگرید با حرکت دست‌هایش دیوانه‌وار با ایما و اشاره به آن‌ها گفت که ساکت باشند و آن موجود عظیم غلتی زد و با صدای بلندی خرناس

کشید. هرمیون ادامه داد:

ـ در تمام این مدّت، اون تورو زخمی می‌کرد! تمام این زخم‌ها بـرای همین بوده!

هاگرید صادقانه گفت:

ـ اون حالیش نیست که زورش خیلی زیاده. دیگه داره بـهتر مـی‌شه و جنگ و جدال نمی‌کنه...

هرمیون با حواس‌پرتی گفت:

ـ پس برای همین بود که برگشتنت دو ماه طول کشید! اوه، هاگرید، اگه نمی‌خواست بیاد، پس تو برای چی آوردیش، اگه پیش هـم‌نوعان خودش می‌موند راحت‌تر نبود؟

هاگرید گفت:

ـ چون خیلی کوچیکه همه‌شون بهش زور می‌گفتن، هرمیون!

هرمیون گفت:

ـ کوچیکه؟ این کوچیکه؟

هاگرید که اشک‌هایش از صورت کبودش سرازیر شده‌بود و بـه روی ریش‌هایش می‌چکید گفت:

ـ هرمیون، نمی‌تونستم بگذارم اون‌جا بمونه، آخه اون برادرمه!

هرمیون که دهانش باز مانده‌بود به او خیره شد. هری آهسته گفت:

ـ هاگرید، منظورت از «برادر» اینه که...

هاگرید حرفش را تصحیح کرد و گفت:

ـ برادر ناتنی منه. مثل این مادرم بعد از جدایی از پدرم با یه غول ازدواج کرده و این بچّه‌رو به دنیا آورده که اسمش گراوپه...

هری گفت:

ـ گراوپ؟

هاگرید با نگرانی گفت:

ـ آره... وقتی اسم خودشو می‌گه همچی کلمه‌ای از دهنش بیرون می‌یاد. زیاد انگلیسی بلند نیست... من توی این مدّت سعی کردم یادش بدم... خلاصه باید بگم که از قرار معلوم مادرم این بچّه‌رو هم مثل من زیاد دوست نداشته. آخه غول‌های مادّه دوست دارن بچّه‌هاشون گنده باشن درحالی‌که این بچّه پیش بچّه غول‌های دیگه خیلی لاغرمردنی بوده، آخه قدّش فقط حدود چهار متر و هشتاد سانتی متره...

هرمیون با نیش و کنایه‌ای جنون‌آمیز گفت:

ـ آخ، بمیرم براش که این‌قدر کوچیکه! واقعاً مینیاتوریه!

ـ همه‌ی غول‌ها با لگد به این‌ور اون‌ور پرتش می‌کردن... نمی‌تونستم اون‌جا ولش کنم و بیام...

هری پرسید:

ـ خانم ماکسیم هم با آوردنش موافق بود؟

هاگرید درحالی‌که دست‌های بزرگش را پیچ‌وتاب می‌داد گفت:

ـ راستش اون می‌دونست که این موضوع چه‌قدر برای من مهمّه. ولی باید اقرار کنم که بعد از مدّتی از دستش خسته شد... برای همین موقع برگشتن از هم جدا شدیم... ولی اون قول داد که به هیچ‌کس نگه...

هری گفت:

ـ چه‌طوری تونستی بدون جلب توجّه کسی اونو بیاری؟

هاگرید گفت:

ـ برای همین این‌قدر طول کشید. فقط باید شب‌ها از توی مناطق جنگلی حرکت می‌کردم. البتّه اگه بخواد می‌تونه خودشو مخفی نگه داره ولی اون می‌خواست برگرده...

هرمیون روی ریشه‌ی یکی از درختان نشست و درحالی‌که با دو دست صورتش را پوشانده‌بود گفت:

ـ وای، هاگرید! چرا نگذاشتی برگرده؟ آخه تو با یه غول وحشی که

اصلاً نمی‌خواد این‌جا بمونه می‌خوای چی کار بکنی؟

هاگرید که هنوز با نگرانی دست‌هایش را به هم می‌پیچاند گفت:

ـ البتّه «وحشی» کلمه‌ایه که زیادی خشنه. اقرار می‌کنم که وقتی نحس شده‌بود یکی دوبار ضربه‌های ناجوری به من زد ولی داره بهتر می‌شه. خیلی بهتر شده، داره به این‌جا عادت می‌کنه...

هری پرسید:

ـ پس اون طناب‌ها برای چیه؟

در همان لحظه چشم هری به طناب‌هایی به کلفتی نهال درختان افتاده‌بود که دورتادور نزدیک‌ترین و بزرگ‌ترین درختان اطراف کشیده شده‌بود و تا جایی که گراوپ دراز کشیده و پشتش را به آن‌ها کرده‌بود ادامه می‌یافت.

هرمیون با صدای ضعیفی گفت:

ـ مجبوری ببندیش؟

هاگرید با دلواپسی گفت:

ـ آره... آخه می‌دونین، همون‌طوری که گفتم اون اصلاً حالیش نیست که زورش خیلی زیاده...

هری تازه متوجّه شد که علّت غیبت شک برانگیز موجودات دیگر چه بوده‌است. هرمیون با دلواپسی پرسید:

ـ حالا از من و هری و رون می‌خوای که چی کار کنیم؟

هاگرید با صدای دو رگه‌ای گفت:

ـ می‌خوام که بعد از رفتن من مراقبش باشین.

هری و هرمیون با درماندگی به هم نگاه کردند. هری با ناراحتی به یاد داشت که به هاگرید قول داده‌است که هر کاری بخواهد برایش انجام بدهد. هرمیون پرسید:

ـ یعنی ما باید چی کار کنیم؟

هاگرید با شور و شوق گفت:

ـ غذا و این جور چیزها لازم نداره! می‌تونه برای خودش غذا پیدا کنه، از این نظر مشکلی نداره. پرنده و گوزن و از این جور چیزها می‌خوره... نه، چیزی که اون لازم داره، یه همدمه. ای کاش کسی‌رو داشتم که سعی می‌کرد یه ذرّه بهش کمک کنه... بهش یاد بده...

هـری چـیزی نگـفت و فـقط رویش را بـرگرداند تا بـه مـوجود عظیم‌الجثّه‌ای نگاه کند که در مقابلشان روی زمین خوابیده بود. پشت گراوپ به آن‌ها بود. برخلاف هاگرید که انسانی بزرگ‌تر از حدّ معمول بود، گراوپ شکل و قیافه‌ی عجیبی داشت. آنچه هری در نظر اوّل تخته سنگ گرد و بزرگی در سمت چپ کپه‌ی خاکی می‌پنداشت سر گراوپ بود. اندازه‌ی سرش نسبت به تنه‌اش خیلی بیشتر از انسان‌ها بـود. سرش کاملاً گرد بود و موهای پر پشت و فرفری درهم تنیده‌ای به رنگ سرخس داشت. در یک سمت سرش لبه‌ی گوش گرد و بزرگش معلوم بود. سرش درست مثل عمو ورنون بود و انگار آن را یک‌راست روی شانه‌هایش گذاشته بودند و بین آن‌ها گردنی وجود نداشت. پشتش، در زیر چیزی که همچون لحاف قهوه‌ای کثیفی بود که از به هـم دوختن پوست جانوران پدید آمده‌باشد، پهن و فراخ می‌نمود و همان‌طور که خوابیده بود به نظر می‌رسید که بعضی از درزهای آن باز شده‌باشد. پاهایش را جمع کرده‌بود و هری کف پاهای بزرگ و برهنه‌ی کثیفش را می‌دید که هر یک به اندازه‌ی یک سورتمه بود بر روی زمین خاکی جنگل یکی بر روی دیگری قرار داشت.

هری با صدای پرطنینی گفت:

ـ تو از ما می‌خوای که چیز یادش بدیم؟

هری حالا می‌فهمید که هشدار فایرنز درباره‌ی چه بود. تـلاشش بی‌فایده‌ست. بهتره از این کار دست برداره. بـدیهی است کـه سـایر

موجودات جنگل نیز صدای هاگرید را شنیده بودند که بیهوده می‌کوشید به گراوپ انگلیسی یاد بدهد.

هاگرید امیدوارانه گفت:

- آره، فقط یه ذرّه باهاش انگلیسی حرف بزنین... چون به نظر من اگه بتونه حرف بزنه بهتر می‌فهمه که همه‌ی ما چه‌قدر دوستش داریم و دلمون می‌خواد این‌جا بمونه.

هری به هرمیون نگاه کرد که او نیز از لای انگشتانش به او نگاه می‌کرد. هری گفت:

- این موضوع باعث نشده که دلت بخواد نوربرت‌رو برگردونیم این‌جا؟

هرمیون با صدای لرزانی خندید و هاگرید که گویی حرف او را نشنیده بود گفت:

- پس این کارو می‌کنین؟

هری که نسبت به قولش احساس تعهّد می‌کرد گفت:

- سعی خودمونو می‌کنیم، هاگرید.

هاگرید به آن‌ها لبخند زد و درحالی‌که دستمالش را به‌صورت خیسش می‌کشید گفت:

- می‌دونستم که می‌تونم بهتون تکیه کنم... البتّه نمی‌خوام زیاد خودتونو به زحمت بندازین... می‌دونم که امتحان دارین... اگه بتونین هفته‌ای یه روز شنل نامریی‌رو بپوشین و بیاین این‌جا، یه ذرّه باهاش حرف بزنین خیلی خوب می‌شه... پس حالا می‌رم که بیدارش کنم... می‌خوام شمارو بهش معرّفی کنم...

هرمیون از جا پرید و گفت:

- چی؟ نه! هاگرید، نه، بیدارش نکن، باور کن اصلاً لازم نیست...

امّا هاگرید از روی تنه‌ی بزرگی که جلویشان قرار داشت رد شده‌بود و به گراوپ نزدیک می‌شد. وقتی به سه متری او رسید شاخه‌ی کلفت

شکسته‌ای را از زمین برداشت. سرش را برگرداند و به آن‌ها لـبـخـنـد اطمینان‌بخشی زد و سپس با انتهای شاخه‌ی درخت به نقطه‌ای در وسط پشت گراوپ سیخونک زد.

غول غرّشی کرد و صدایش در سکوت جنگل پیچید. پرندگانی که بالای سرشان روی شاخ و برگ درختان نشسته بودند جیک‌جیک‌کنان پرواز کردند و رفتند. گراوپ غول‌پیکر در مقابل هری و هرمیون از زمین بلند می‌شد. وقتی دست بزرگش را روی زمین گذاشت تا چهاردست‌وپا شود زمین زیر پایشان لرزید. گراوپ سرش را برگرداند تا ببیند چه چیزی و چه کسی آرامشش را برهم زده‌است.

هاگرید که با همان شاخه‌ای که در دست داشت عقب‌عقب می‌آمد و آماده بود تا دوباره به او سیخونک بزند. با صدایی که شادتر شده‌بود گفت:

ـ حالت خوبه، گراوپی؟ خوب خوابیدی؟

هری و هرمیون تا جایی که مـی‌تـوانـسـتـند عقب رفتند طوری‌که همچنان بتوانند غول را ببینند. گراوپ در میان دو درختی کـه هـنـوز ریشه‌کن نکرده‌بود زانو زده‌بود. آن‌ها به‌صورت بزرگ و حیرت‌انگیزش نگاه کردند که در تاریکی جنگل هـمـچـون قـرص خـاکـسـتـری مـاه در حرکت بود. درست مثل این بود که قیافه‌ای او را روی یک توپ بزرگ سنگی حک کرده‌باشند. بینی‌اش گـوشـتـالود و بـی‌شـکل بـود. دهـان اریبش پر از دندان‌های زردی بود که هریک به اندازه‌ی نیمی از آجر بودند. چشم‌های قهوه‌ای مایل به سبز لجنی داشت کـه چـون تـازه از خـواب بـیـدار شـده‌بود درست باز نـمـی‌شـدند. گراوپ دسـت‌هـای خاک‌آلودش را مشت کرد و با بند گردشده‌ی انگشتانش که به اندازه‌ی توپ کریکت بودند محکم چشم‌هایش را مالید. آنگاه به‌طور ناگهانی با سرعت و چابکی عجیبی روی پاهایش بلند شد.

هری صدای جیغ و ویغ هرمیون را می‌شنید که وحشت‌زده کنارش
ایستاده بود.

ـوای خداجونم!

سر دیگر طناب‌هایی که به درختان اطراف وصل بود به مچ دست‌ها
و پاهای گراوپ بسته شده‌بود و وقتی از جایش برخاست صدای ترق
تهدیدآمیزی از همان درختان به گوش رسید. همان‌طور که هاگرید
گفته‌بود طول قامت او حدود چهار متر و هفتاد هشتاد سانتی‌متر بود. با
چشم‌های قرمزش نگاهی به اطراف انداخت و دستش را که به اندازه‌ی
چترهای ساحلی بود دراز کرد و از شاخه‌های بالایی یک درخت کاج
سر به فلک کشیده لانه‌ی پرنده‌ای را برداشت و وارونه کرد. تخم‌های
پرنده به سوی زمین سقوط کرد و گراوپ وقتی دید هیچ پرنده‌ای در
لانه نیست با ناخشنودی غرش کرد. هاگرید دست‌هایش را بالای
سرش گرفت تا تخم‌ها روی سرش نیفتد.

هاگرید محتاطانه بالا را نگاه کرد مبادا تخم دیگری در حال سقوط
باشد و گفت:

ـگراوپی، من دو تا از دوستامو آورده‌م که تورو ببینن. بهت گفته بودم
ممکنه بیارمشون، یادته؟ یادت هست که گفتم ممکنه مجبور بشم به یه
سفر کوچولو برم و به دوستام می‌گم مدّتی مراقبت باشن؟ یادته،
گراوپی؟

امّا گراوپ فقط غرش کوتاه دیگری کرد. به هیچ‌وجه نمی‌شد فهمید
که او به حرف‌های هاگرید گوش می‌دهد یا از کلماتی که او بر زبان
می‌آورد سر در می‌آورد یا نه. او اکنون نوک درخت کاج را گرفته‌بود و آن
را به سمت خود می‌کشید. از قرار معلوم می‌خواست از مشاهده‌ی
پرش درخت پس از رهاکردن آن لذّت ببرد و ببیند تا چه حد دورتر
می‌رود.

هاگرید فریاد زد:

ـ گراوپی، این کارو نکن. همین‌طوری بقیّه‌رو از ریشه درآوردی...

هری چنان‌که انتظارش می‌رفت زمین پایین درخت را دید که شکاف برمی‌داشت. هاگرید فریاد زد:

ـ برات چند تا دوست آوردم. این دوستامونو ببین! آهای دلقک گنده، این پایینو نگاه کن! چند تا از دوستامو آوردم!

هرمیون ناله‌کنان گفت:

ـ وای، هاگرید، این کارو نکن!

امّا هاگرید که شاخه‌ی کلفت درخت را جلو برده‌بود به زانوی گراوپ سیخونکی زد.

غول نوک درخت کاج را رها کرد و درخت که به‌طور خطرناکی تاب می‌خورد بارانی از برگ‌های سوزنی‌اش را به سر و روی هاگرید ریخت. گراوپ پایین را نگاه کرد. هاگرید با عجله به سمتی رفت که هری و هرمیون ایستاده بودند و گفت:

ـ این هریه، گراوپ! هری پاتره! اگه من مجبور بشم برم، ممکنه هری به دیدنت بیاد، فهمیدی؟

غول تازه فهمیده بود که هری و هرمیون آن‌جا هستند. آن دو با ترس و لرز گراوپ را نگاه می‌کردند که سر عظیم سنگ مانندش را پایین می‌آورد تا با چشم‌های سرخش به آن دو نگاه کند. هاگرید گفت:

ـ اینو می‌بینی؟ این هرمیونه! هر...

هاگرید لحظه‌ای مردّد ماند سپس رو به هرمیون کرد و پرسید:

ـ هرمیون، اشکالی نداره هرمی صدات کنه؟ چون اسمت سخته یادش نمی‌مونه.

هرمیون جیرجیرکنان گفت:

ـ نه، هیچ اشکالی نداره.

ـ این هرمیه، گراوپ! اینم به دیدنت می‌یاد! خوش‌حال نشدی؟ هان؟ دو تا دوست برات آورده‌م... **گراوپی، نه!**

دست گراوپ به‌طور ناگهانی به سمت هرمیون می‌رفت... هری او را گرفت و عقب‌عقب به سمت درختی هل داد. در نتیجه دست گراوپ به تنه‌ی درخت خراشیده‌شد امّا چیزی به دستش نیامد.

هری و هرمیون پشت درخت به هم چسبیده بودند و صدای نعره‌ی هاگرید را می‌شنیدند که می‌گفت:

ـ ای پسر بد! ای گراوپی بد! خیلی پسر بدی شدی! چنگ نزن، آخ!

هری از پشت تنه‌ی درخت سرک کشید و هاگرید را دید که به پشت روی زمین افتاده و دستش را روی بینی‌اش گذاشته بود. گراوپ که ظاهراً توجّهش چندان جلب نشده‌بود بار دیگر صاف ایستاد و دوباره تا جایی که می‌توانست درخت کاج را به سمت خود کشید.

هاگرید درحالی‌که با یک دست بینی خون‌آلودش را فشار می‌داد و با دست دیگر کمان تفنگی‌اش را محکم نگه داشته بود از زمین بلند شد و با صدای خفه‌ای گفت:

ـ خب، اینم از این، حالا که همدیگه‌رو دیدین... هر وقت بیاین این‌جا شمارو می‌شناسه. آره...

هاگرید به گراوپ نگاه کرد که از کشیدن درخت کاج لذّت می‌برد امّا چهره‌ی سنگ مانندش همچنان خالی از هرگونه احساسی باقی مانده‌بود. ریشه‌های درخت هنگام بیرون آمدن از زمین ترق‌ترق صدا می‌داد. هاگرید گفت:

ـ خب دیگه، فکر می‌کنم برای امروز کافی باشه... خب، چه‌طور برگردیم؟

هری و هرمیون با حرکت سرشان با او موافقت کردند. هاگرید کمان تفنگی‌اش را دوباره روی شانه‌اش انداخت و همان‌طور که بینی‌اش را

فشار می‌داد از میان درختان جنگل راه بازگشت را در پیش گرفت.

تا مدّتی همه ساکت بودند حتّی وقتی صدایی از دور به گوششان رسید که نشان می‌داد گراوپ بالاخره درخت کاج را از ریشه درآورده‌است هیچ‌یک چیزی نگفتند. صورت هرمیون رنگ پریده و بی‌حالت بود. هری حتّی یک کلمه هم به نظرش نمی‌رسید که بگوید. اگر کسی می‌فهمید هاگرید گراوپ را در جنگل پنهان کرده‌است چه اتّفاقی می‌افتاد؟ هری به هاگرید قول داده‌بود که خودش، رون و هرمیون تلاش‌های بیهوده‌ی او برای تربیت این غول را ادامه بدهند... هاگرید، با وجود استعداد خارق‌العاده‌اش در فریفتن خویش و دوست‌داشتنی و بی‌آزار پنداشتن هیولاهای نیش‌دار، چه‌طور می‌توانست خود را گول بزند و به خود بقبولاند که گراوپ می‌تواند با انسان‌ها نشست و برخاست کند؟

هنگامی که هری و هرمیون تقلاّ می‌کردند تا از لابه‌لای گیاهان انبوه و درهم پیچیده‌ی پشت سر هاگرید بگذرند او بی‌مقدّمه گفت:

ـ صبر کنین.

از تیردانی که از شانه‌اش آویخته بود تیری درآورد و در کمان تفنگی‌اش گذاشت. هری و هرمیون چوبدستی‌هایشان را بالا گرفتند. اکنون که از حرکت باز ایستاده بودند می‌توانستند صدای جنب‌وجوشی را بشنوند که از فاصله‌ی نزدیکی به گوش می‌رسید. هاگرید به آرامی گفت:

ـ ای بابا!

صدای بم مردانه‌ای گفت:

ـ هاگرید، مگه بهت نگفته بودیم که این‌جا دیگه جای تو نیست؟

در نور سبز ضعیف و سایه روشن‌دار جنگل لحظه‌ای نیم‌تنه‌ی عریان مردی نمایان شد که به سویشان می‌آمد. سپس متوجّه شدند که نیم تنه‌ی او از کمر به بدن اسب کهری منتهی شده‌است. چهره‌ی

سانتور مغرور به نظر می‌رسید و گونه‌های برجسته‌ای داشت. موهای
سیاهش بلند بود. او نیز مانند هاگرید مسلح بود. تیردانش پر از تیر بود و
کمان بزرگی از شانه‌اش آویزان بود. هاگرید با صدای خسته‌ای گفت:

ـ حالت چه‌طوره، مگورین؟[1]

صدای خش‌خشی از سوی درختان پشت سانتور به گوش رسید و
چهار پنج سانتور دیگر پشت سر او پدیدار شدند. هری چهره‌ی ریشو و
بدن سیاه بن را شناخت. چهار سال پیش در همان شبی کـه فایرنز را
دیده‌بود با او نیز روبه‌رو شده‌بود. امّا در رفتار بن هیچ نشانه‌ای نبود که
از ملاقات پیشین او با هری خبر دهد. او با لحن بسیار ناخوشایندی
گفت:

ـ که این‌طور!

سپس رو به مگورین کرد و گفت:

ـ مثل این که با هم به توافق رسیده‌بودیم که اگر این انسان توی جنگل
پیدایش شد چه کار کنیم؟

هاگرید با بی‌حوصلگی گفت:

ـ منو می‌گی؟ فقط برای اینکه جلوتونو گرفتم که مرتکب قتل نشین؟

مگورین گفت:

ـ تو نباید دخالت می‌کردی، هاگرید. تو از آداب و رسوم و قوانین ما سر
در نمی‌یاری. فایرنز به ما خیانت کرده و باعث ننگ ما شده.

هاگرید با بی‌قراری گفت:

ـ من نمی‌دونم شما چـه فکـری مـی‌کنین، اون جـز کـمک بـه آلبـوس
دامبلدور هیچ کار دیگه‌ای نکرده...

سانتور خاکستری رنگی با صورت پرچین و چروک گفت:

ـ فایرنز تن به بردگی انسان‌ها داده.

---

1 - Magorian

هاگرید با لحن گزنده‌ای گفت:

ـ بردگی؟ اون داره به دامبلدور لطف می‌کنه، همین...

مگورین به آرامی گفت:

ـ اون داره دانش و اسرار مارو ذرّه‌ذرّه به انسان‌ها می‌فروشه. هیچ‌چیز نمی‌تونه این لکّه‌ی ننگ‌رو پاک کنه.

هاگرید شانه‌هایش را بالا انداخت و گفت:

ـ پس حرف شما اینه، امّا من شخصاً فکر می‌کنم شما دارین اشتباه بزرگی می‌کنین...

بن گفت:

ـ درست مثل تو، انسان. تو هم با این‌که بهت هشدار داده‌بودیم برگشتی به جنگل ما...

هاگرید با خشم گفت:

ـ گوش کن، ببین چی می‌گم. دیگه نشنوم کسی بگه جنگل «ما». به تو هیچ ربطی نداره که کی می‌یاد توی این جنگل و می‌ره...

مگورین با ملایمت گفت:

ـ به تو هم ربطی نداره، هاگرید. من امروز می‌گذارم از این‌جا بگذری و بری چون با بچّه‌هات...

بن با حالت تحقیرآمیزی گفت:

ـ اینا بچّه‌هاش نیستن! شاگردهای مدرسه‌ی اون بالا هستن، مگورین! احتمالاً از آموزش‌های فایرنز خائن بهره‌ای هم نصیبشون شده...

مگورین با آرامش گفت:

ـ در هر حال، کشتن کرّه‌ها جنایت بزرگیه... ما با افراد بی‌گناه کاری نداریم. هاگرید، امروز برو. امّا از این به بعد از این‌جا دوری کن. تو از همون وقتی که به فایرنز خائن کمک کردی از چنگ ما فرار کنه از دوستی با سانتورها محروم شدی.

هاگرید صدایش را بلند کرد و گفت:

ـ یه مشت قاطری که شما باشین نمی‌تونن منو از این جنگل بیرون کنن!

بن و سانتور خاکستری سم‌هایشان را روی زمین کشیدند و هرمیون با صدای زیر و وحشت‌زده‌ای گفت:

ـ هاگرید، بیا بریم، تورو خدا بیا بریم!

هاگرید جلو رفت امّا هنوز کمان تفنگی‌اش را بالا گرفته بود و با حالت تهدیدآمیزی به مگورین خیره نگاه می‌کرد. وقتی سانتورها از نظر ناپدید شدند صدای مگورین به گوش رسید که پشت سرشان داد می‌زد و می‌گفت:

ـ هاگرید، ما می‌دونیم توی جنگل چی نگه داشتی. دیگه کاسه‌ی صبرمون داره لبریز می‌شه!

هاگرید برگشت و از قیافه‌اش معلوم بود که می‌خواهد دوباره به سراغ مگورین برود. هری و هرمیون با تمام قدرتی که داشتند جلیقه‌ی پوست موش کوری هاگرید را می‌کشیدند تا او را وادار کنند به حرکت در مسیرشان ادامه بدهد. امّا هاگرید در همان حال فریاد زد:

ـ تا وقتی که این‌جاست باید تحمّلش کنین. اگه این‌جا جنگل شماست، جنگل اونم هست!

درحالی‌که همچنان اخمی بر چهره داشت پایین را نگاه کرد. وقتی آن‌ها را در حال کشیدن جلیقه‌اش دید چهره‌اش حالت شگفت‌زده و ملایم‌تری به خود گرفت. به نظر می‌رسید که پیش از آن لحظه چیزی حس نکرده‌است. او گفت:

ـ شما دو تا هم دیگه آروم باشین.

آنگاه برگشت که به راهشان ادامه بدهند. هری و هرمیون که به نفس‌نفس افتاده بودند دنبال او می‌رفتند. هاگرید گفت:

ـ امّا عجب یابوهایی هستن!

هرمیون گزنه‌هایی را که هنگام رفتن پشت سر گذاشته بودند دور زد و با نفس‌های بریده گفت:

ـ هاگرید، اگه سانتورها خوششون نمی‌یاد که انسان‌ها وارد جنگل بشن فکر نمی‌کنم من و هری بتونیم...

هاگرید با بی‌توجّهی گفت:

ـ شنیدین که چی گفتن، اونا به کرّه‌ها... ببخشید به بچّه‌ها آسیبی نمی‌زنن. از اون گذشته، ما نباید اجازه بدیم اینا بهمون زور بگن...

هرمیون دمغ شد و هری زیرلب به او گفت:

ـ امتحانش مجانیّه!

سرانجام ده دقیقه بعد بار دیگر به کوره راه جنگلی رسیدند. درختان باریک‌تر و تنک‌تر می‌شدند. بار دیگر تکّه‌هایی از آسمان آبی را بر فراز سرشان دیدند و صدای تردیدناپذیر فریاد شادی و هیاهویی از دور به گوششان رسید. وقتی دیگر از دور می‌توانستند ورزشگاه را ببینند هاگرید در زیر سایه‌ی درختی درنگ کرد و گفت:

ـ به نظر شما این یه گل دیگه بود؟ یا این‌که مسابقه تموم شده؟

هرمیون با درماندگی گفت:

ـ نمی‌دونم.

هری متوجّه شد که هرمیون قیافه‌ی ناجوری پیدا کرده‌است. لابه‌لای موهایش پر از خرده چوب و تکّه‌های ریز برگ بود. چند جای ردایش پاره شده‌بود و روی صورت و دست‌هایش چندین خراشیدگی به چشم می‌خورد. می‌دانست که قیافه‌ی خودش نیز بهتر از او نیست.

هاگرید که با چشم‌های تنگ کرده هنوز به ورزشگاه نگاه می‌کرد گفت:

ـ انگار تموم شده. نگاه کنین، بچّه‌ها اومده‌ن بیرون. زود باشین، اگه یه ذرّه بجنبین می‌تونین قاطی جمعیّت بشین. اون‌وقت هیچ‌کس نمی‌فهمه

اون جا نبودین!

هری گفت:

ـ فکر خوبیه... پس... فعلاً خداحافظ، هاگرید.

همین که اندکی از هاگرید دور شدند و دیگر صدایشان به گوشش نمی‌رسید هرمیون با صدای لرزانی گفت:

ـ من باور نمی‌کنم! باور نمی‌کنم! اصلاً حرفشو باور نمی‌کنم...

هری گفت:

ـ آروم باش، هرمیون!

هرمیون با بی‌تابی گفت:

ـ آروم باش! غول! یه غول تـوی جـنگل! مـارو بگـو کـه قـراره بـهش انگلیسی یاد بدیم! فکر کرده ما می‌تونیم از وسط گلّهی اون سانتورهای قاتل راحت رفت‌وآمد کنیم! من که اصلاً ـ حـرفشو ـ بـاور ـ نمی‌کنم!

آن‌ها به دانش‌آموزان هافل‌پاف ملحق شدند که تندتند با هم حرف می‌زدند و به سمت قلعه می‌رفتند؛ و هری برای آن‌که به هرمیون قوّت قلب بدهد با صدای آرامی به او گفت:

ـ فعلاً که لازم نیست کاری بکنیم! تا وقتی از این‌جا بیرونش نکرده‌ن که نمی‌خواد ما کاری بکنیم، شاید اصلاً بیرونش نکن!

هرمیون ناگهان ایستاد و افرادی که از پشت سرش می‌آمدند ناچار شدند خود را کنار بکشند تا به او برخورد نکنند. او گفت:

ـ بس کن دیگه، هری! معلومه که اخراجش می‌کنن. اگه راستشو بخوای با اون چیزی که دیدیم، هیچ‌کس هم آمبریج‌رو بـرای ایـن کار سـرزنش نمی‌کنه!

هری با خشم به هرمیون نگاه کرد و دید چشمانش آرام‌آرام پر از اشک می‌شود. هری به آرامی گفت:

ـ می‌دونم که جدّی نگفتی.

هرمیون با خشم چشم‌هایش را پاک کرد و گفت:
ـ نه... جدّی نگفتم... ولی آخه برای چی زندگی‌رو برای خودش... و ما جهنّم می‌کنه؟
ـ نمی‌دونم.

اونی که سرور و پادشاهمونه، ویزلیه
اونی که سرور و پادشاهمونه، ویزلیه
اونی که سرخگونو از دروازه رونده، ویزلیه
اونی که سرور و پادشاهمونه، ویزلیه

هرمیون با درماندگی گفت:
ـ ای کاش اینا دیگه این آوازو نمی‌خوندن. این همه خوندن، دلشون خنک نشد؟
سیل عظیم دانش‌آموزان از زمین بازی به سمت سراشیبی چمن می‌رفتند تا به قلعه بروند. هرمیون گفت:
ـ اوه، بیا قبل از روبه‌روشدن با اسلیترینی‌ها بریم توی قلعه.

اونی که عرضه‌ی هر کاری‌رو داره، ویزلیه
اونی که حلقه‌ی انگشترو هم جا نمی‌ذاره، ویزلیه
برای همینه که گریفندوری‌ها می‌خونن
اونی که سرور و پادشاهمونه، ویزلیه

هری آهسته گفت:
ـ هرمیون...
صدای آواز بلند و بلندتر می‌شد امّا جمعیّتی که آن را می‌خواندند

به جای اسلیترینی‌های سبز و نقره‌ای پوش، افرادی بودند که سرخ و طلایی پوشیده بودند و به سمت قلعه می‌رفتند. پیکر تنهای یک نفر بر روی شانه‌های آن‌ها نمایان بود.

اونی که سرور و پادشاهمونه، ویزلیه
اونی که سرور و پادشاهمونه، ویزلیه
اونی که سرخگونو از دروازه رونده، ویزلیه
اونی که سرور و پادشاهمونه، ویزلیه

هرمیون با صدایی بسیار آهسته گفت:

ـ نه!

هری با صدای بلندی گفت:

ـ آره!

رون نعره زد:

ـ هری! هرمیون!

رون از خود بی‌خود شده‌بود و جام نقره‌ای کوییدیچ را در هوا تکان می‌داد و نعره می‌زد:

ـ ما بردیم! ما بردیم!

وقتی از مقابل هری و رون می‌گذشت به او لبخند می‌زدند. عدّه‌ی زیادی جلوی درهای قلعه جمع شده‌بودند و باعث شدند سر رون محکم به چارچوب بالای در بخورد، با این حال هیچ‌کس حاضر نبود او را زمین بگذارد. جمعیّت که همچنان آواز می‌خواندند خود را جمع کردند و با ورود به سرسرای ورودی از نظر ناپدید شدند. هری و هرمیون لبخندزنان رفتن آن‌ها را تماشا کردند تا سرانجام آخرین انعکاس آواز «اونی که سرور و پادشاهمونه ویزلیه» نیز خاموش شد.

آن‌گاه به هم نگاهی کردند و لبخندشان محو شد. هری گفت:

موافقی تا فردا خبرهای جدیدرو بهش نگیم؟

هرمیون با صدایی خسته گفت:

ـ باشه، حتماً. من هیچ عجله‌ای ندارم...

آن‌دو با هم از پلّه‌ها بالا رفتند. همین‌که به درهای ورودی رسیدند هر دو بی‌اختیار رویشان را برگرداندند و به جنگل ممنوع نگاهی انداختند. هری مطمئن نبود درست دیده یا آن صحنه ساخته و پرداخته‌ی تخیّلش بوده‌است امّا به نظرش رسید که دسته‌ی کوچکی از پرندگان را دیده‌است که از روی سر شاخه‌ی درختان پرواز کردند و اوج گرفتند، درست مثل این بود که درختی که بر روی آن لانه داشتند از ریشه درآمده باشد.

فصل ۳۱

آزمون سمج

شور و شعف رون از کمک به گروه گریفندور برای به چنگ آوردن جام کوییدیچ چنان زیاد بود که فردای آن روز نیز آرام و قرار نداشت. تنها چیزی که می‌خواست این بود که درباره‌ی مسابقه حرف بزند و یافتن فرصتی برای اشاره به گراوپ، برای هری و هرمیون بسیار دشوار به نظر می‌رسید. البتّه آن‌ها نیز کوشش چندانی به کار نمی‌بستند. هیچ‌یک از آن‌ها تمایل نداشت خودش آن کسی باشد که رون را چنان بی‌رحمانه به عالم واقعیّت باز می‌گرداند. از آن‌جا که آن روز، هوا گرم و دلپذیر بود او را راضی کردند که به آن‌ها بپیوندد و برای مطالعه به زیر درخت راش در کنار دریاچه بیاید زیرا در سالن عمومی بیش‌تر احتمال داشت کسی صدایشان را بشنود تا آن‌جا. رون در ابتدا از این پیشنهاد چندان خوشش نیامده بود. در برج گریفندور هرکس از کنار صندلی‌اش

می‌گذشت به پشتش آهسته ضربه می‌زد و از آن گذشته، هرچند وقت یک‌بار آواز «اونی که سرور و پادشاهمونه، ویـزلیه» را برایش می‌خواندند و همه‌ی این‌ها بی‌نهایت او را شاد و مسرور می‌کرد امّا پس از کمی اصرار به این نتیجه رسید که بد نیست برای هواخوری بیرون برود.

آن‌ها زیر سایه‌ی درخت راش نشستند و کتاب‌ها را جلویشان پهن کردند و در این میان رون شاید برای دوازدهمین بار ماجرای اوّلین گلی را که در مسابقه گرفته بود با آب و تاب برایشان تعریف می‌کرد. او می‌گفت:

ـ خب. آخه چون قبلش گل دیویس‌رو نگرفته بودم زیاد از خودم مطمئن نبودم. ولی نمی‌دونم چی شد که وقتی برادلی یه هو جلوم سبز شد به خودم گفتم: تو می‌تونی *اینو بگیری!* فقط یک ثانیه فرصت داشتم که تصمیم بگیرم به کدوم طرف پرواز کنم، آخه می‌دونین چیه؟ ظاهرش طوری بود انگار می‌خواد به طرف حلقه‌ی سمت راست شوت کنه... سمت راست خودمو می‌گم... یعنی می‌شه سمت چپ خودش دیگه... امّا یه حسّ عجیبی داشتم که بهم می‌گفت داره کلک می‌زنه. بنابراین دلمو به دریا زدم و به سمت چپ پرواز کردم که می‌شه سمت راست اون... خلاصه بقیّه‌شم که خودتون دیدین...

رون با این نتیجه‌گیری، بی‌دلیل دستش را در موهایش فرو برد و آن را عقب زد تا به نظر برسد باد موهایش را به هم زده‌است. آنگاه به اطرافش نگاهی انداخت تا ببیند گروهی از دانش‌آموزان هافلپافی سال سوّمی ورّاج که از همه به آن‌ها نزدیک‌تر بودند حرف‌هایش را شنیده‌اند یا نه. سپس ادامه داد:

ـ بعدش، پنج دقیقه بعد که چیمبرز به طرفم اومد... چیه؟

رون با دیدن قیافه‌ی هری وسط جمله، حرفش را ناتمام گذاشت و

گفت:

ـ برای چی می‌خندی؟

هری به تندی گفت:

ـ نخندیدم.

و بلافاصله سرش را پایین انداخت و به یادداشت‌های تغییر شکلش نگاه کرد. او می‌کوشید قیافه‌اش را عادی جلوه بدهد. در واقع رون، هری را به یاد بازیکن کوییدیچ دیگری انداخته بود که روزی در زیر همین درخت موهایش را به هم ریخته بود. هری در ادامه حرفش گفت:

ـ فقط از این‌که بردیم خوش‌حالم، همین.

رون حرف او را مزه‌مزه کرد و گفت:

ـ آره، بردیم. راستی وقتی جینی گوی زرّین‌رو درست جلوی چانگ گرفت قیافه‌ی چانگ‌رو دیدی؟

هری با لحن تلخی گفت:

ـ حتماً گریه کرده، آره؟

ـ آره، ولی... گریه‌ش از عصبانیّت بود...

رون اخمی کرد و ادامه داد:

ـ ولی احتمالاً وقتی فرود اومد و جاروشو پرت کرد اون طرف دیدیش؟

هری گفت:

ـ اِ...

هرمیون آه عمیقی کشید و کتابش را زمین گذاشت و با حالتی عذرخواهانه به او نگاه کرد و گفت:

ـ خب، رون، اگه راستشو بخوای... نه، ندیدیم. راستش تنها قسمت مسابقه که من و هری می‌تونستیم ببینیم همون قسمت گل دیویس بود.

به نظر می‌رسید موی رون که با دقّت آشفته شده‌بود پژمرده شد و فرو افتاد. درحالی‌که نگاهش میان آن دو در نوسان بود با صدای

ضعیفی گفت:

ـ پس مسابقه‌رو تماشا نکردین؟ هیچ‌کدوم از گل‌هایی رو که گرفتم ندیدین؟

هرمیون با حالت تسلّی‌بخشی دستش را به سمت او دراز کرد و گفت:

ـ راستش... نه. ولی رون، باور کن ما نمی‌خواستیم بریم... مجبور شدیم!

رون که صورتش حسابی سرخ شده‌بود گفت:

ـ جدّی؟ برای چی؟

هری گفت:

ـ به خاطر هاگرید. اون تصمیم گرفت به ما بگه که چرا بعد از برگشتن از پیش غول‌ها اون‌قدر زخمی و مجروح می‌شده. از ما خواست که همراهش به جنگل ممنوع بریم. ما هم چاره‌ی دیگه‌ای نداشتیم... خودت که می‌دونی اخلاقش چه جوریه... خلاصه...

ماجرا را در طول پنج دقیقه برای رون تعریف کردند و در پایان، تردید و ناباوری جایگزین ناخشنودی چهره‌ی رون شد و گفت:

ـ یکی از اونا رو آورده و توی جنگل ممنوع قایم کرده؟

هری با قیافه‌ای جدّی گفت:

ـ آره.

رون که گویی با مخالفتش این ماجرا را از واقعیّت خارج می‌کرد گفت:

ـ نه. نه، امکان نداره...

هرمیون قاطعانه گفت:

ـ فعلاً که داره. قد گراوپ چهار متر و هشتاد سانتی‌متره و از ریشه‌کن‌کردن درخت‌های کاج شش‌متری لذّت می‌بره و در ضمن منو می‌شناسه...

هرمیون با ناخشنودی هوا را از بینی خارج کرد و ادامه داد:
ـ البتّه به نام هرمی.
رون خنده‌ای عصبی کرد و گفت:
ـ حالا هاگرید از ما می‌خواد که...
هری گفت:
ـ... که انگلیسی یادش بدیم، آره.
رون با قیافه‌ای حیرت‌زده گفت:
ـ عقل از سرش پریده.
هرمیون با ناراحتی گفت:
ـ آره.
سپس کتاب تغییرشکل *بینابینش* را ورق زد و به نمودارهایی خیره شد که چه‌گونگی تبدیل یک جغد به دوربین اپرا را نشان می‌داد و ادامه داد:
ـ آره، منم دارم به همین نتیجه می‌رسم. ولی بدبختانه از من و هری قول گرفته.
رون قاطعانه گفت:
ـ این‌که چیزی نیست، قولتونو زیر پا می‌گذارین. منظورم اینه که... بس کنین بابا! امتحاناتمون داره شروع می‌شه. همین‌طوری هم با اخراج‌شدن این‌قدر بیش‌تر فاصله نداریم...
رون انگشت شست و اشاره‌اش را نشان داد که بین آن‌دو یک میلی‌متر بیش‌تر فاصله نبود و ادامه داد:
ـ تازه... از همه‌ی اینا که بگذریم... نوربرت‌رو یادتونه؟ آراگوگ‌رو یادتونه؟ کی شده ما با رفقای هیولای هاگرید سروکار پیدا کنیم و توی دردسر نیفتیم؟
هرمیون با صدای ضعیفی گفت:
ـ می‌دونم... ولی خب... بهش قول دادیم دیگه!

رون دوباره موهایش را روی سرش خواباند و به فکر فرو رفت.
سپس آهی کشید و گفت:

ـ خب، هاگرید که فعلاً اخراج نشده، درسته؟ تا حالا که دوام آورده.
شاید تا آخر این ترم هم دوام بیاره و ما اصلاً مجبور نشیم بریم سراغ
گراوپ.

محوطه‌ی قلعه در زیر پرتو آفتاب، همچون تابلویی که همان لحظه
نقّاشی شده‌باشد، می‌درخشید. آسمان صاف و بی‌ابر به تصویر خود بر
روی سطح آرام و درخشان دریاچه لبخند می‌زد. چمن‌های محوطه
همچون مخمل سبزی گسترده شده‌بودند و گاه‌وبی‌گاه، با وزش ملایم
نسیمی موج می‌زدند. ماه ژوئن فرا رسیده بود امّا برای دانش‌آموزان
سال پنجم تنها یک پیام را به ارمغان آورده‌بود: سرانجام زمان آزمون
سطوح مقدّماتی جادوگری فرا رسیده‌است.

استادها دیگر به آن‌ها تکلیف شب نمی‌دادند. تمام ساعات کلاسی
به مرور موضوع‌هایی اختصاص داشتند که به گمان استادها بیش‌تر
ممکن بود در امتحان بیایند. آن فضای پر تب و تاب باعث شده‌بود هر
چیزی جز آزمون سمج از سر هری بیرون برود، هرچند که گاهی در
کلاس معجون‌سازی اغلب به این فکر می‌افتاد که آیا لوپین به اسنیپ
گفته است که باید به آموزش چفت‌شدگی به او ادامه بدهد یا نه: اگر
گفته بود که معلوم می‌شد اسنیپ لوپین را نیز درست مانند هری کاملاً
نادیده گرفته‌است. هری امیدوار بود همین‌طور شده‌باشد. او بدون
درس اضافی با اسنیپ هم به قدر کافی درگیر و آشفته بود. خوشبختانه
هرمیون نیز آن روزها چنان درگیر بود که دیگر درباره‌ی چفت‌شدگی
سماجت نمی‌کرد. اکثر اوقات در حال زمزمه‌کردن بود و چندین روز
بود که هیچ لباسی برای جن‌های خانگی نبافته بود.

با نزدیک‌شدن تاریخ آزمون سمج، هـرمیون تـنها کسی نـبود کـه رفتارش عجیب و غریب شده‌بود. ارنی مک‌میلان عادت آزاردهنده‌ای پیدا کرده‌بود و یکسـره از دیگـران دربـاره‌ی طـرز درس خـوانـدنشان پرس‌وجو می‌کرد.

یک بار که بیرون کلاس گیاه‌شناسی صف بسته بودند ارنی که برق شرارت در چشمانش نمایان بود از هری و رون پرسید:

ـ چند ساعت در روز درس می‌خونین؟

رون گفت:

ـ نمی‌دونم... خیلی

ـ از هشت ساعت بیش‌تره یا کم‌تره؟

رون که کمی احساس خطر کرده‌بود گفت:

ـ فکر می‌کنم کم‌تر باشه.

ارنی با افتخار سینه‌اش را جلو داد و گفت:

ـ من دارم هشت ساعت در روز درس می‌خونم. هشت یا نه ساعت. هر روز یک ساعت هم قبل از صبحانه درس مـی‌خونم. بـه‌طور مـتوسّط هشت ساعت. تـوی بـعضی از تـعطیلات آخـر هـفته ده ساعت هـم خونده‌م. دوشنبه نه ساعت درس خوندم، سه‌شنبه زیاد جـالب نـبود چون فقط تونستم هفت ساعت و یک ربع بخونم. بعدش چهارشنبه...

هری از پروفسور اسپراوت بی‌نهایت مـتشکّر بـود کـه هـمان وقت آن‌ها را به سمت گلخانه‌ی شماره‌ی سه راهنمایی کرد و ارنی ناچار شد سخنرانی‌اش را کوتاه کند.

در این میان دراکو مالفوی برای ایجاد رعب و وحشت راه جدیدی پیدا کرده‌بود. چند روز پیش از شروع امتحانات صدای او را شنیدند که با صدای بلندی به کراب و گویل می‌گفت:

ـ البتّه مهّم نیست که چه‌قدر درس بلد باشین. مهّم اینه که با کی آشنا

باشین. پدرم سال‌هاست با رییس اداره‌ی امتحانات جادوگری دوسته؛ اسمش گریزلدا مارچ بنکزه، یک شب برای شام دعوتش کرده‌بودیم...

هرمیون که ظاهراً نگران شده‌بود آهسته به هری و رون گفت:

ـ به نظر شما راست می‌گه؟

رون با ناراحتی گفت:

ـ اگر هم راست بگه ما هیچ کاری از دستمون بر نمی‌یاد.

نویل از پشت سر آن‌ها آهسته گفت:

ـ فکر نمی‌کنم راست گفته باشه برای این‌که گریزلدا مارچ‌بنکز یکی از دوستان مادر بزرگمه ولی هیچ‌وقت نشنیده‌م از خانواده‌ی مالفوی حرفی بزنه.

هرمیون بلافاصله پرسید:

ـ چه جور آدمیه، نویل؟ سختگیره؟

نویل با صدای آرامی گفت:

ـ راستش یه ذرّه مثل مادربزرگمه.

رون برای این‌که به او قوّت قلب بدهد گفت:

ـ آشنایی با اون که لطمه‌ای به کار تو نمی‌زنه، درسته؟

نویل با درماندگی بیش‌تری گفت:

ـ فکر نمی‌کنم اصلاً تأثیری داشته باشه. ولی خب، مادربزرگ هر دفعه به پروفسور مارچ بنکز می‌گه من به اندازه‌ی پدرم زرنگ نیستم... خودت که تو سنت مانگو شنیدی...

نویل سرش را پایین انداخته و به زمین چشم دوخته بود. هری، رون و هرمیون به یکدیگر نگاهی انداختند امّا نمی‌دانستند چه باید بگویند. این اوّلین باری بود که نویل درباره‌ی ملاقاتشان در بیمارستان جادوگرها حرف می‌زد.

در این میان، بین دانش‌آموزان سال پنجم و هفتم بازار سیاهی در

زمینه‌ی خرید و فروش اجناس تقویت‌کننده‌ی تمرکز، هوش و هشیاری به وجود آمده‌بود. هری و رون بیش از هر چیز وسوسه شده‌بودند که شربت مغز باروفیو را بخرند که یکی از دانش‌آموزان سال ششم ریونکلا به آن‌ها پیشنهاد کرده‌بود. نام او ادی‌کارمایکل بود و قسم می‌خورم که این تنها عاملی بوده که باعث شده او در تابستان سال گذشته نه مدرک عالی سمج بگیرد و پیشنهاد می‌کرد یک بطری نیم لیتری آن را تنها به قیمت دوازده گالیون از او بخرند. رون به هری اطمینان‌خاطر داده‌بود که به محض فارغ‌التحصیلی از هاگوارتز و پیداکردن شغل، نیمی از پول شربت را به او خواهدداد امّا پیش از آن‌که معامله سر بگیرد هرمیون بطری شربت را از کارمایکل گرفته و شربت درون آن را در توالت خالی کرده‌بود.

رون فریاد زد:

ـ ما می‌خواستیم اونو بخریم، هرمیون.

هرمیون با بداخلاقی گفته بود:

ـ خنگ‌بازی در نیارین، ممکن بود پودر پنجه‌ی اژدهای هارولد دینگل روهم بخرین و فکر کنین خیلی به درد بخوره.

رون با شوق و ذوق گفت:

ـ دینگل پودر پنجه‌ی اژدها داره؟

هرمیون گفت:

ـ دیگه نداره، مال اونم توقیف کردم. خودتونم باید بدونین که هیچ‌کدوم از این چیزها تأثیر نداره...

رون گفت:

ـ پنجه‌ی اژدها تأثیر داره! می‌گن تأثیرش باور نکردنیه. واقعاً مغز آدمو تقویت می‌کنه. باعث می‌شه چند ساعت آدم حسابی زرنگ بشه. هرمیون، یه ذرّه‌شو بده به من... ضرری نداره که...

هرمیون با لحنی جدّی گفت:

ـ اونی که من دیدم ضرر داشت. آخه من یه نگاهی بهش انداختم و دیدم در واقع فضله‌ای خشک شده‌ی داکسیه.

این اطّلاعات باعث شد شور و شوق هری و رون برای استفاده از محرک‌های مغز فروکش کند.

در جلسه‌ی بعدی درس تغییر شکل از برنامه‌ی امتحانی و جزئیات مربوط با نحوه‌ی برگزاری آزمون سمج آگاهی یافتند.

هنگامی‌که دانش‌آموزان تاریخ و ساعت برگزاری امتحانات را از روی تخته سیاه می‌نوشتند پروفسور مک‌گونگال گفت:

ـ همون‌طوری که می‌بینین، امتحانات سمجتون در طول دو هفته پی‌درپی برگزار می‌شه. صبح امتحان تئوری‌رو می‌دین و بعدازظهرش امتحان عملی برگزار می‌شه. البتّه امتحان عملی درس نجومتون شب برگزار می‌شه. اینم باید بهتون بگم که ورقه‌های امتحانتون‌رو با قوی‌ترین افسون‌های ضدّ تقلّب جادو کرده‌ن. استفاده از قلم پر پاسخگو، یادآور، سرآستین‌های جداشدنی برای تقلّب و مرکّب خود اصلاحگر در جلسه‌ی امتحان ممنوعه. متأسّفانه باید بگم که هر سال حدّاقل یک دانش‌آموز پیدا شده که فکر می‌کرده می‌تونه مقرّرات اداره‌ی امتحانات جادوگری‌رو زیر پا بگذاره و قِسر در بره. من فقط امیدوارم که این دانش‌آموز از گروه گریفندور نباشه. مدیره‌ی جدیدمون...

قیافه‌ی پروفسور هنگام بر زبان راندن این کلمه درست مثل قیافه‌ی خاله پتونیا در هنگام دیدن لکّه‌ی کثیفی بود که به سادگی پاک نمی‌شد. او ادامه داد:

ـ از رییس گروه‌ها خواسته که به دانش‌آموزانشون بگن که تقلّب مجازات شدیدی داره. معلومه دیگه، برای این‌که نتایج این امتحان

روی نظام جدید مدیره‌ی مدرسه تأثیر خواهدگذاشت...

پروفسور مک‌گونگال آه کوتاهی کشید. هری متوجّه لرزش پرّه‌های بینی نوک‌تیز او شد. پروفسور مک‌گونگال گفت:

ـ ولی خب، دلیلی نداره که برای این موضوع دست از تلاش و کوشش بردارین. شما باید به فکر آینده‌ی خودتون باشین.

هرمیون که دستش را بالا برده بود گفت:

ـ ببخشید، پروفسور، کی از نتایج امتحان باخبر می‌شیم؟

پروفسور مک‌گونگال گفت:

ـ در ماه ژوییه جغدی براتون می‌فرستیم.

دین توماس با زمزمه‌ای که شنیده می‌شد گفت:

ـ عالیه، دیگه مجبور نمی‌شیم تمام تعطیلات منتظر بمونیم.

هری مجسّم کرد که شش هفته‌ی تمام در اتاقش در پریوت درایو نشسته است و انتظار نتایج آزمون سمجش را می‌کشد. هری با بی‌حالی به خود گفت که دست کم مطمئن است در تابستان آینده یک نامه به دستش خواهد رسید...

قرار بود امتحان تئوری وردهای جادویی که اوّلین امتحانشان بود، در صبح روز دوشنبه برگزار شود. هری موافقت کرد که روز یکشنبه بعد از ناهار از هرمیون درس بپرسد امّا تقریباً بلافاصله پشیمان شد. هرمیون چنان پریشان بود که یکسره کتاب را از دست او می‌قاپید تا ببیند آیا پاسخ را به‌طور کامل گفته‌است یا نه و سرانجام وقتی لبه‌ی تیز کتاب موفقیّت در وردهای جادویی را محکم به بینی او زد کتاب را به هرمیون پس داد و درحالی‌که چشمش پر از اشک شده‌بود با لحنی جدّی گفت:

ـ چرا خودت این کارو نمی‌کنی؟

در این میان، رون درحالی‌که انگشت‌هایش را در گوش‌هایش فرو

کرده‌بود یادداشت‌های درس وردهای جادویی دو سال گذشته را می‌خواند. لب‌هایش بی‌صدا حرکت می‌کرد. سیموس به پشت روی زمین خوابیده‌بود معنی اصلی یک ورد جادویی را از حفظ می‌گفت و دین کتاب معیار افسون‌های سال پنجم را نگاه می‌کرد تا ببیند درست می‌گوید یا نه. پروتی و لاوندر که سرگرم تمرین وردهای جادویی حرکتی بودند با جامدادی‌هایشان روی لبه‌ی میز مسابقه‌ی سرعت گذاشته بودند.

شام آن شب را بسیار آرام و بی‌سروصدا خوردند. هری و رون که از صبح تا شب درس خوانده‌بودند با اشتها غذا می‌خوردند و زیاد با هم حرف نمی‌زدند. هرمیون یکسره کارد و چنگالش را در بشقابش می‌گذاشت و به زیر میز شیرجه می‌رفت تا از کیفش کتابی را بردارد و عدد یا مطلبی را در آن ببیند. رون به او می‌گفت اگر خوب شام نخورد آن شب نمی‌تواند بخوابد امّا در همان هنگام چنگال هرمیون از دست بی‌حسش افتاد و با صدای جیرینگ بلندی در بشقابش فرود آمد. درحالی‌که به سرسرای ورودی نگاه می‌کرد با صدای ضعیفی گفت:
ـ وای خداجونم، خودشونن؟ مسؤولین امتحاناتن؟

هری و رون مثل برق روی نیمکتشان چرخیدند. از درهای باز سرسرای بزرگ، آمبریج را دیدند که در کنار گروه کوچکی از ساحره‌ها و جادوگران سالخورده ایستاده بود. هری از این‌که می‌دید آمبریج عصبی و آشفته است بسیار راضی و خشنود بود.

رون گفت:
ـ میاین بریم و از نزدیک اونارو ببینیم؟

هری و هرمیون به نشانه‌ی موافقت سرشان را تکان دادند و با عجله به سوی در دو لنگه‌ای رفتند که به سرسرای ورودی باز می‌شد. همین‌که به آستانه‌ی در رسیدند قدم‌هایشان را آهسته کردند تا با وقار و

متانت از کنار ممتحن‌ها عبور کنند. هری حدس می‌زد پروفسور مارچ بنکز، ساحره‌ی کوچک اندام و خمیده‌ای باشد که صورتش چنان پرچین و چروک بود که به نظر می‌رسید روی آن را لایه‌ای تار عنکبوت پوشانده‌است. آمبریج با او بسیار مؤدّبانه صحبت می‌کرد. از قرار معلوم گوش پروفسور مارچ بنکز سنگین بود زیرا با این‌که فاصله‌اش با آمبریج حدود سی‌سانتی‌متر بود با صدای بسیار بلندی جواب او را می‌داد.

او با بی‌حوصلگی گفت:

ـ سفر خوبی بود. سفر خوبی بود. ما توی این مسیر خیلی رفتیم و اومدیم. خیلی وقته که از دامبلدور خبر ندارم...

آنگاه طوری به گوشه و کنار سرسرای ورودی نگاه کرد گویی انتظار داشت دامبلدور از یکی از انبارهای جارو بیرون بپرد و گفت:

ـ حتماً خبر ندارین اون کجاست.

ـ نه، اصلاً خبر نداریم.

آمبریج این را گفت و نگاه شرارت‌آمیزی به هری، رون و هرمیون انداخت که در آن لحظه پایین پلکان مرمری ایستاده‌بودند و رون وانمود می‌کرد بند کفشش را می‌بندد. سپس ادامه داد:

ـ امّا به جرأت می‌تونم بگم که وزارت سحر و جادو خیلی زود ردّی ازش پیدا می‌کنه.

پروفسور مارچ بنکز کوچک اندام گفت:

ـ ولی من فکر نمی‌کنم این‌طور باشه. اگه دامبلدور نخواد پیداش کنن، اونا نمی‌تونن کاری بکنن! من می‌دونم... وقتی داشت امتحان سطوح عالی جادوگریشو می‌داد من خودم در درس‌های تغییرشکل و وردهای جادویی ازش امتحان گرفتم... با چوبدستیش کارهایی می‌کرد که مـن قبلاً ندیده بودم...

وقتی هری، رون و هرمیون با کم‌ترین سرعتی که جرأتش را داشتند

پایشان را روی پلّه‌ها می‌گذاشتند آمبریج گفت:

ـ بله... خب، اجازه بدین شمارو به اتاق اساتید راهنمایی کنم... مطمئنم که بعد از سفرتون میل دارین یه فنجان چای بنوشین...

آن شب، از آن شب‌های ناخوشایند بود. همه می‌کوشیدند در آخرین فرصت مطلبی بخوانند امّا ظاهراً هیچ‌یک به نتیجه نمی‌رسیدند. هری زود به رختخواب رفت امّا به نظرش رسید که ساعت‌ها بیدار مانده‌است. به یاد چهره‌ی خشمگین پروفسور مک‌گونگال در جلسه‌ی مشاوره‌ی شغلی‌اش افتاد که اعلام کرد حتّی اگر یک روز به آخر عمرش مانده‌باشد به هری کمک می‌کند تا بتواند کارآگاه شود... حالا که زمان امتحانات فرا رسیده‌بود تأسّف می‌خورد که چرا یک شغل دست‌یافتنی‌تر را انتخاب نکرده‌است... می‌دانست که خودش تنها کسی نیست که خوابش نمی‌برد امّا هیچ‌یک از کسانی‌که در خوابگاه بودند حرفی نزدند و در نهایت یکی پس از دیگری به خواب رفتند.

صبح روز بعد، هنگام صرف صبحانه، هیچ‌یک از دانش‌آموزان سال پنجم حرفی نمی‌زد. پروتی وردهایی را زیرلب بر زبان می‌آورد و نمکدانی که جلویش بود پیچ می‌خورد. هرمیون چنان با سرعت کتاب موفقّیت در *وردهای جادویی* را مرور می‌کرد که چشم‌هایش سرخ شده‌بود. نویل نیز دایم کارد و چنگالش از دستش می‌افتاد و ظرف مارمالاد را واژگون می‌کرد.

وقتی همه صبحانه خوردند دانش‌آموزان سال پنجم و هفتم در سرسرای ورودی جمع شدند و سایر دانش‌آموزان به کلاس‌هایشان رفتند. در ساعت نه‌ونیم، دانش‌آموزان هر کلاس را به نوبت، برای ورود مجدّد به سرسرای بزرگ فرا می‌خواندند. سرسرای بزرگ را درست به شکلی درآورده بودند که هنگام برگزاری آزمون سمج پدرش، لوپین، سیریوس و اسنیپ بود و هری فضای آن را در قدح اندیشه دیده‌بود.

چهار میز طویل گروه‌ها را برده بودند و به جای آن‌ها تعداد زیادی میز و نیمکت‌های یک نفره گذاشته بودند که همگی‌رو به میز اساتید در انتهای سرسرا قرار داشتند. همان جایی که پروفسور مک‌گونگال‌رو به آن‌ها ایستاده بود. وقتی همه نشستند و آرام گرفتند پروفسور مک‌گونگال گفت:

- می‌تونین شروع کنین.

او ساعت شنی بزرگ را برگرداند که بر روی میز مجاورش قرار داشت و در کنار آن چندین قلم پر، شیشه‌های مرکّب و طومارهای کاغذ پوستی به چشم می‌خورد.

هری ورقه‌اش را برگرداند. قلبش با شدّت در سینه می‌تپید... هرمیون که در سوّمین ردیف در سمت راست هری بر روی صندلی‌اش نشسته بود که چهار صندلی جلوتر از او قرار داشت شروع به نوشتن کرده‌بود... هری به اوّلین سؤال نگاه کرد: *(الف) وردی را که برای به پرواز درآوردن اشیاء به کار می‌رود بنویسید. (ب) طریقه‌ی صحیح حرکت چوبدستی را برای انجام آن توضیح بدهید...*

هری یک لحظه خاطره‌ای را به یاد آورد که در آن چماقی در هوا بالا رفت و سپس با صدای بلندی بر روی کاسه‌ی سر ضخیم یک غول غارنشین فرود آمد... لبخندی بر لبش نشست، روی ورقه‌اش خم شد و شروع به نوشتن کرد...

دو ساعت بعد هرمیون درحالی‌که محکم ورقه‌ی امتحانش را نگه داشته‌بود با نگرانی گفت:

- زیاد سخت نبود، نه؟ من که نتونستم همه‌ی اون چیزهایی‌رو که درباره‌ی افسون‌های نشاط‌آور بلد بودم کامل بنویسم... آخه وقت کم آوردم... راستی شماها ضدّ افسون سکسکه‌رو نوشتین؟ من که مطمئن

نبودم باید بنویسیم یا نه، به نظرم زیادی بود. راستی سـؤال بیست و
سه...

رون با بدخلقی گفت:

ـ هرمیون، ما خودمون همه‌ی اینارو خوندیم... امتحان دادن خودش به
قدر کافی بد هست دیگه لازم نیست بعد از امتحان دوباره سؤال‌هارو
مرور کنیم.

دانش‌آموزان سال پنجم همراه با سایر دانش‌آموزان ناهار خـوردند
(برای صرف ناهار دوباره چهار میز طویل گروه‌ها در سرسرای بـزرگ
پـدیدار شـده‌بودند) و بـعد از آن دسته‌دسته بـه اتاق کـوچک پشت
سرسرای بزرگ رفتند. قرار بود آنجا منتظر بمانند تا برای شـرکت در
امتحان عملی اسمشان را صدا بزنند. هربار عدّه‌ی کمی از دانش‌آموزان
را بـه تـرتیب حروف الفبا صـدا مـی‌زدند و بـقیّه زیـرلب وردهـا را
می‌خواندند و حرکت چوبدستی را تمرین می‌کردند و اغلب ناخواسته
با نوک چوبدستی‌هایشان به سر و پشت دیگران ضربه می‌زدند.

نام هرمیون را خواندند. او درحالی‌که مـی‌لرزید هـمراه بـا آنتونی
گلدستاین، گریگوری‌گویل و دافنه‌گرین‌گراس از اتاق بیرون رفت.
دانش‌آموزانی کـه امتحانشان را مـی‌دادنـد بـه آن اتاق بـرنمی‌گشتند
بـنابرایـن هـری و رون نمی‌دانستند هرمیون چه‌طور امتحانش را
داده‌است. رون گفت:

ـ اون حـتماً امـتحانشو خـوب مـی‌ده... یـادته یه بـار تـوی یکی از
امتحان‌های وردهای جادویی صدودوازده درصد جواب داده‌بود؟

ده دقـیقه بـعد، پـروفسور فـلیت‌ویک اسـامی گروه دیـگری از
دانش‌آموزان را خواند:

ـ پارکینسون، پانسی... پتیل پادما... پتیل، پروتی... پاتر، هری.

رون آهسته گفت:

ـ موفّق باشی.

هری وارد سرسرای بزرگ شد. چنان محکم چوبدستی‌اش را گرفته بود که دستش می‌لرزید.

پـروفسور فـلیت‌ویک کـه پشت در ایسـتاده بـود بـا صـدای جیرجیرمانندش گفت:

ـ پاتر، پروفسور تافتی بیکاره.

سپس با دستش به سمت کسی اشاره کـرد کـه ظاهراً پیرترین و بی‌موترین ممتحن بود. در گوشه‌ای پشت میز کوچکی نشسته بود و با پروفسور مارچ‌بنکز که سـرگرم گرفتن امتحان عـملی از مالفوی بـود فاصله‌ی زیادی نداشت.

پروفسور تافتی گفت:

ـ این پاتره، نه؟ همون پاتر معروف؟

او برای اطمینان به یادداشتی که جلویش بود نگاهی انداخت و از پشت عینک رودماغی‌اش به هری نگاه کرد که به او نزدیک می‌شد.

هری با نگاهی زیرچشمی مالفوی را دید که بـا نـفرت بـه او نـگاه می‌کرد. لیوان نوشابه‌ای که مالفوی در هوا بلند کرده‌بود بر روی زمین افتاد و شکست. هری نتوانست جلوی خنده‌اش را بگیرد. پـروفسور تافتی نیـز در مقابل، با حالتی تشـویق‌آمیز بـه او لبـخند زد. بـا صـدای لرزانش گفت:

ـ همینه دیگه، نباید عصبی بشین... خب، می‌شه این جاتخم‌مرغی رو بگیری و کاری کنی که مثل چرخ‌وفلک بچرخه...

از نظر هـری امتحانش بـه‌طورکلّی خـوب پیش رفته‌بود. افسون پروازش را خیلی بهتر از مالفوی اجرا کرده‌بود امّا مـتأسّف بـود کـه وردهای تغییررنگ و افسون رشد را با هم قاطی کرده و باعث شده‌بود موشی که قرار بود آن را به رنگ نارنجی درآورد باد کند و پیش از آن‌که

بتواند اشتباهش را اصلاح کند موش بیچاره به اندازه‌ی یک گورکن شده‌بود. خوش‌حال بود که در آن لحظه هرمیون در سرسرای بزرگ نبوده‌است و پس از آن هم در این باره چیزی به او نگفت. امّا به رون می‌توانست بگوید زیرا رون باعث شده‌بود یک بشقاب غذاخوری جهش یابد و تبدیل به یک قارچ بزرگ شود امّا خودش نیز نمی‌دانست چرا چنین اتّفاقی افتاده‌است.

آن شب فرصتی برای استراحت نداشتند... آن‌ها بعد از شام یکراست به سالن عمومی رفتند و در مطالعه‌ی مطالب درس تغییرشکل غرق شدند که امتحان فردایشان بود. هری که مغزش پر از الگوهای پیچیده‌ی افسون‌ها و نظریه‌های گوناگون بود به رختخواب رفت.

صبح روز بعد، در امتحان کتبی، تعریف یکی از افسون‌های جابه‌جایی را فراموش کرد امّا به نظرش رسید که امتحان عملی‌اش بهتر از آن بوده‌است. دست کم توانسته ایگووانا[1]یش را به‌طور کامل ناپدید کند درحالی‌که هاناآبوت بیچاره که در میز مجاور امتحان می‌داد دست‌وپایش راگم کرد و راسویش را به یک دسته فلامینگو تبدیل کرد. او با این کار باعث شد امتحان ده دقیقه متوقّف شود زیرا ناچار بودند پرنده‌ها را بگیرند و از سرسرا بیرون ببرند.

در روز چهارشنبه امتحان گیاه‌شناسی را دادند (هری گذشته از نیش کوچکی که یک شمعدانی نیش‌دار به او زده بود، تصوّر می‌کرد امتحانش را نسبتاً خوب داده‌است). روز پنج‌شنبه امتحان دفاع در برابر جادوی سیاه داشتند. این بار برای اوّلین بار هری اطمینان داشت که در این درس قبول می‌شود. او در هنگام پاسخگویی به پرسش‌های کتبی هیچ مشکلی نداشت و در امتحان عملی بی‌نهایت شادمان و مسرور بود

---

۱ ـ نوعی مارمولک بزرگ که بومی مناطق استوایی قاره‌ی آمریکاست ـ م.

که درست جلوی چشم آمبریج تمام افسون‌های دفاعی و ضدّ طلسم‌ها را اجرا می‌کرد. آمبریج در نزدیکی درهایی ایستاده‌بود که به سرسرای ورودی باز می‌شدند.

این بار نیز پروفسور تافتی مسؤول امتحان گرفتن از هری بود و هنگامی‌که او افسون نابودی لولوخورخوره را تمام و کمال به نمایش گذاشت پروفسور تافتی گفت:

ـ احسنت! واقعاً خیلی عالی بود! خب، به نظر من دیگه کافیه، پاتر... فقط...

او کمی به جلو خم شد و گفت:

ـ من از دوست عزیزم، تیبریوس اوگدن شنیده‌م که تو می‌تونی سپر مدافع بسازی... می‌خوای نمره‌ی اضافی بگیری...؟

هری چوبدستی‌اش را بالا آورد و مستقیم به آمبریج نگاه کرد و در ذهن خود مجسّم کرد که او اخراج شده‌است.

ـ *اکسپکتو پاترونوم!*

گوزن نقره‌ای از انتهای چوبدستی‌اش بیرون آمد و در طول سرسرای بزرگ چهار نعل حرکت کرد. همه‌ی ممتحن‌ها سرها را برگرداندند تا حرکت آن را تماشا کنند و وقتی تبدیل به توده‌ای از غبار نقره‌فام شد پروفسور تافتی با وجد و سرور شروع به کف‌زدن کرد. دست‌هایش پر از رگ‌های برجسته و انگشتانش گره‌دار و کج‌ومعوج بودند. او گفت:

ـ عالی بود. خیلی خوب بود، پاتر، دیگه می‌تونی بری.

وقتی هری از کنار آمبریج می‌گذشت لحظه‌ای نگاهشان با هم تلاقی کرد. لبخند شرارت‌آمیزی در اطراف دهان گشادش می‌رقصید، امّا هری به او اعتنا نکرد. هیچ بعید نبود که در همان لحظه یک مدرک سمج «عالی» نصیب خود کرده‌باشد (امّا خیال نداشت در این باره به

کسی چیزی بگوید مبادا دچار اشتباه شده باشد).

در روز جمعه که هرمیون در امتحان طلسم‌های باستانی شرکت می‌کرد، هری و رون امتحانی نداشتند و چون دو روز تعطیل آخر هفته را در پیش داشتند به خود استراحت دادند. آن دو کنار پنجره نشسته بودند و با بی‌توجّهی شطرنج جادویی بازی می‌کردند. نسیم گرم تابستانی از پنجره‌ی باز به داخل می‌وزید و آن‌ها بدنشان راکش و قوس می‌دادند و خمیازه می‌کشیدند. هری از دور هاگرید را می‌دید که در حاشیه‌ی جنگل ممنوع به گروهی از دانش‌آموزان درس می‌داد. می‌کوشید حدس بزند آن‌ها به بررسی چه موجودی پرداخته‌اند. به نظرش رسید که آن‌ها با تک شاخ‌ها کار می‌کنند زیرا دانش‌آموزان پسر کمی عقب‌تر ایستاده بودند. در همان لحظه حفره‌ی تابلو باز شد و هرمیون با قیافه‌ای درهم و ناراحت از حفره بالا آمد. رون که بدنش را کش می‌داد و خمیازه می‌کشید پرسید:

ـ طلسم‌های باستانی چه‌طور بود؟

هرمیون با عصبانیّت گفت:

ـ کلمه‌ی «اِواز»رو اشتباه ترجمه کردم... معنیش «همکاریه» نه «دفاع». ولی من معنیشو با کلمه‌ی «اِیواز» اشتباه گرفتم.

رون با بی‌حالی گفت:

ـ اشکالی نداره، همه‌ش یه غلط داشتی، درسته؟ بالاخره قبول که می‌شی...

هرمیون با خشم گفت:

ـ اَه، دهنتو ببند، بابا! این می‌تونه همون یک اشتباهی باشه که باعث مردودی می‌شه. حالا از همه‌ی این حرف‌ها که بگذریم باید بگم یکی دوباره یه برقک دیگه انداخته توی دفتر آمبریج. نمی‌دونم با وجود در جدید دفترش چه‌طوری تونسته‌ن این کارو بکنن. امّا وقتی از جلوی

دفترش رد می‌شدم آمبریج جیغ‌های بنفش می‌کشید. از دادوقالش معلوم بود که برقکه می‌خواد یه تیکه از گوشت پاشو قلوه‌کن کنه...

هری و رون با هم گفتند:

- چه خوب!

هرمیون با حرارت گفت:

- هیچم خوب نیست! مگه یادتون رفته، اون فکر می‌کنه هاگرید این کارو می‌کنه. ما هم که به هیچ‌وجه دوست نداریم هاگرید اخراج بشه!

هری با دستش بیرون پنجره را نشان داد و گفت:

- هاگرید داره درس می‌ده. نمی‌تونه این کارو گردن هاگرید بندازه.

هرمیون که گویی خیال نداشت بر خشمش غلبه کند گفت:

- وای، هری، تو هم بعضی وقت‌ها واقعاً هالوبازی درمیاری‌ها! فکر کردی آمبریج منتظر می‌مونه تا قضیه به اثبات برسه؟

او با سرعت به سمت در خوابگاه دخترها رفت و پشت سرش در را محکم به هم کوبید. رون با صدایی بسیار آهسته گفت:

- عجب دختر دوست‌داشتنی و خوش اخلاقیه!

سپس به وزیرش سیخونکی زد تا جلو برود و یکی از اسب‌های هری را خرد و خمیر کند.

بداخلاقی هرمیون در بیش‌تر اوقات تعطیلات آخر هفته ادامه داشت امّا هری و رون که بیش‌تر ساعات شنبه و یکشنبه را صرف خواندن معجون‌سازی می‌کردند به راحتی می‌توانستند او را نادیده بگیرند. روز دوشنبه امتحان معجون‌سازی داشتند، همان امتحانی که هری هیچ رغبتی برای شرکت در آن نداشت و مطمئن بود موجب برباد رفتن تمام آرزوهایش برای کارآگاه‌شدن می‌گردد. چنان‌که انتظار داشت امتحان کتبی معجون‌سازی سخت بود با این حال مطمئن بود که در زمینه‌ی سؤال معجون مرکّب پیچیده نمره‌ی کامل را می‌گیرد. او در سال

دوّم به‌طور غیرقانونی از این معجون خورده‌بود و تمام تأثیرهای آن را تمام و کمال می‌دانست.

آزمون عملی بعدازظهر به آن وحشتناکی که تصوّر می‌کرد، نبود. عدم حضور اسنیپ در مراحل تهیّه‌ی معجون‌ها باعث می‌شد او بیش از هر زمان دیگری در کلاس معجون‌سازی، احساس آرامش کند. حتّی نویل نیز که در نزدیکی هری نشسته بود خیلی خوش‌حال‌تر از اوقاتی به نظر می‌رسید که در کلاس معجون‌سازی بود. وقتی پروفسور مارچ‌بنکز گفت: «لطفاً از پاتیل‌هاتون فاصله بگیرین، وقتتون تموم شد.» هری چوب پنبه‌ی بطری نمونه‌اش را گذاشت و با اینکه تصوّر نمی‌کرد نمره‌ی چندان خوبی بگیرد حس می‌کرد اگر بخت یاری کند می‌تواند قبول بشود.

وقتی به سمت سالن عمومی گریفندور می‌رفتند پروتی با صدایی خسته گفت:

ـ فقط چهار تا امتحان دیگه مونده!

هرمیون با پرخاشگری گفت:

ـ فقط چهار تا! هنوز امتحان ریاضیّات جادویی من مونده که شاید بشه گفت سخت‌ترین درس دنیاست!

هیچ‌کس حماقت نکرد که با او یکی‌به‌دو کند. بنابراین هرمیون نتوانست دق‌دلی‌اش را سر آن‌ها خالی کند و به همین اکتفا کرد که بر سر گروهی از دانش‌آموزان سال اوّلی داد و بیداد کند که با صدای بلندی در سالن عمومی می‌خندیدند.

هری مصمّم بود که امتحان مراقبت از موجودات جادویی روز سه‌شنبه را با موفقیّت پشت سر بگذارد تا مایه‌ی سرشکستگی هاگرید نشود. امتحان عملی این درس، بعدازظهر آن روز بر روی چمن‌های کنار جنگل ممنوع برگزار شد. در این آزمون دانش‌آموزان باید یک

تیغالو را در میان ده دوازده خارپشت تشخیص می‌دادند. (تنها شگرد تشخیص آن‌ها این بود که یک ظرف پر از شیر را به نوبت جلوی آن‌ها بگیرند. تیغالوها موجودات بسیار شکّاکی بودند که تیغ آن‌ها خواصّ سحرآمیز فراوانی داشت، و اگر حس می‌کردند کسی قصد مسموم‌کردن آن‌ها را دارد از کوره درمی‌رفتند). پس از آن باید طرز صحیح نگه‌داشتن یک داربد را نشان می‌دادند؛ بعد از آن باید بدون دچارشدن به سوختگی‌های جدّی به یک خرچنگ آتش[1] غذا می‌دادند و آن را تمیز می‌کردند و در آخر باید در میان مجموعه‌ای از موادّ غذایی، چیزهایی را برمی‌گزیدند که در برنامه‌ی غذایی یک تک شاخ بیمار می‌گنجد.

هری هاگرید را می‌دید که با نگرانی از پشت پنجره‌ی کلبه‌اش آن‌ها را نگاه می‌کرد. وقتی ممتحن هری که این‌بار ساحره‌ی چاق و کوتاه قامتی بود به او لبخند زد و گفت که می‌تواند برود، هری انگشتش را به نشانه‌ی موفقیّت به هاگرید نشان داد و بعد از آن به‌سوی قلعه بازگشت.

آزمون کتبی نجوم در صبح روز جمعه به خوبی به پایان رسید. هری اطمینان نداشت که نام تمام قمرهای مشتری را به درستی نوشته باشد امّا دست کم مطمئن بود که هیچ‌یک از آن‌ها پوشیده از نخ نبوده‌اند. آن‌ها برای شرکت در آزمون عملی نجوم باید تا شب صبر می‌کردند. در نتیجه بعدازظهر آن روز به آزمون درس پیشگویی اختصاص داشت.

هری که در درس پیشگویی ضعیف بود امتحانش را نیز بسیار بد داد. او ترجیح می‌داد روی رومیزی اشکال متحرّک ببیند تا در گوی بلورین سفید و بی‌تصویر. هنگام گرفتن فال چای حسابی دست و پایش را گم کرد و گفت به نظرش می‌رسد پروفسور مارچ‌بنکز به زودی با

---

۱ ـ موجودی جادویی که برخلاف اسمش مانند لاک‌پشت بزرگی با لاک جواهرنشان است و برای دفاع از خود از انتهای بدنش شعله‌ی آتش شلیک می‌کند ـ م.

غریبه‌ای گرد و تیره و خیس ملاقات می‌کند و این رسوایی را هنگام کف‌خوانی به نهایت رساند. او خطوط عمر و عقل را با هم اشتباه گرفت و به پروفسور مارچ‌بنکز گفت که او می‌بایست سه‌شنبه‌ی هفته‌ی پیش می‌مرده‌است.

وقتی از پلکان مرمری بالا می‌رفتند رون با ناراحتی گفت:

ـ بابا ما هیچ‌وقت توی این درس نمره نیاوردیم.

رون باعث شد هری کمی قوّت قلب بگیرد زیرا برایش تعریف کرد که چه‌گونه با آب‌وتاب برای ممتحنش مرد زشتی را توصیف کرده که روی دماغش زگیلی داشته است و همین‌که نگاهش را از گوی بلورین برداشته و به قیافه‌ی ممتحنش نگاه کرده متوجّه شده‌است که تصویر او را روی گوی شرح می‌داده‌است.

هری گفت:

ـ ما از اوّلش نباید این درس مزخرف‌رو می‌گرفتیم.

ـ جای شکرش باقیّه که حالا هم می‌تونیم بگذاریمش کنار.

ـ آره. برای چی بیخود وانمود کنیم برامون اهمیّت داره که وقتی اورانوس و مشتری در نزدیکی هم قرار می‌گیرند چه اتّفاقی می‌افته...

ـ از این به بعد اگه با تفاله‌های چایم نوشته شده باشه بمیر، رون، بمیر تنها کاری که می‌کنم اینه که تفاله‌هارو خالی کنم توی سطل آشغال، سر جای اصلیشون.

هری خندید و درست در همان وقت هرمیون دوان‌دوان به پشت سرشان رسید. هری بلافاصله جلوی خنده‌اش را گرفت مبادا او ناراحت شود.

هرمیون گفت:

ـ فکر می‌کنم امتحان ریاضیات جادویی‌رو خوب دادم.

هری و رون نفس راحتی کشیدند و او ادامه داد:

ـ الان فرصت خوبیه که قبل از شام یه نگاهی به نمودار ستاره‌هامون بندازیم...

وقتی در ساعت یازده شب به بالای برج نجوم رسیدند دریافتند که آسمان صاف و بی‌ابر، و برای مشاهده‌ی ستارگان کاملاً مناسب است. ماه با انوار نقره‌فامش محوطه‌ی قلعه را نورافشانی می‌کرد و هوا کمی سرد بود. همه‌ی دانش‌آموزان تلسکوپ‌هایشان را آماده کردند و وقتی پروفسور مارچ‌بنکز شروع امتحان را اعلام کرد همگی شروع به پرکردن جاهای خالی در نمودار ستارگانی کردند که به آن‌ها داده‌بودند.

هنگامی که آن‌ها موقعیّت دقیق ستارگان و سیاراتی را می‌نوشتند که در پهنه‌ی آسمان مشاهده می‌کردند پروفسور مارچ‌بنکز و تافتی در میان آن‌ها قدم می‌زدند و نحوه‌ی کار آن‌ها را تماشا می‌کردند. تنها صدایی که به گوش می‌رسید صدای خش‌خش کاغذهای پوستی، صدای غژغژی که هنگام تنظیم تلسکوپ‌ها بر روی پایه‌هایشان ایجاد می‌شد یا صدای کشیده‌شدن قلم‌های پر متعدّد بر روی کاغذها بود. نیم‌ساعت گذشت و بعد یک ساعت از آغاز آزمون سپری شد. مربع‌های کوچک طلایی رنگی که در اثر بازتاب نور از پنجره‌های قلعه بر روی محوطه افتاده‌بود یکی پس از دیگری خاموش می‌شدند.

وقتی هری صورت فلکی جبّار را روی نمودارش کامل کرد درهای ورودی قلعه درست در پایین قسمتی که او ایستاده بود، باز شدند در نتیجه نوری بر روی پلّه‌های سنگی تابید که تا بخشی از محوطه‌ی چمن نیز ادامه می‌یافت. هری که جای تلسکوپش را تنظیم می‌کرد نگاهی به پایین انداخت و سایه‌ی دراز پنج‌شش نفر را دید که بر روی چمن‌های روشن حرکت می‌کردند امّا اندکی بعد درها بسته شد و چمن‌ها بار دیگر تبدیل به دریایی ظلمانی شدند.

هری بار دیگر از داخل تسلکوپش نگاه کرد و آن را تنظیم کرد.

اکنون به بررسی زهره پرداخته بود. به نمودارش نگاهی انداخت تا این سیّاره را نیز در آن وارد کند امّا چیزی حواسش را پرت کرد. همانطور که قلم پرش را بالای کاغذ پوستی نگه داشته بود بی‌حرکت ماند. چشمش را تنگ کرد و با دقّت به محوطه‌ی تاریک قلعه نگاهی انداخت. اگر در حال حرکت نبودند و نور مهتاب بالای سرشان را روشن نکرده بود امکان نداشت کسی بتواند آن‌ها را از زمین زیر پایشان تشخیص بدهد.

هری حسّ عجیبی داشت و حتّی از فاصله‌ی دور نیز می‌توانست کوتاه‌ترین آن‌ها را تشخیص بدهد که جلوتر از بقیّه حرکت می‌کرد.

هری نمی‌توانست بفهمد چرا باید در ساعات پس از نیمه شب به قدم‌زدن در بیرون قلعه بپردازد به ویژه با همراهی چند نفر دیگر. آن‌گاه شخصی از پشت سرش سرفه کرد و او به یاد آورد که وسط جلسه‌ی امتحان است. او موقعیّت زهره را کاملاً از یاد برده بود... چشمش را به تلسکوپش چسباند و جای آن را پیدا کرد. این بار نیز می‌خواست جای آن را روی نمودارش مشخّص کند که گوش‌های تیز شده‌اش در انتظار صدایی عجیب، صدای ضرباتی را شنیدند که در فضای خلوت پیرامون قلعه انعکاس می‌یافت. بلافاصله صدای خفه‌ی پارس سگی نیز به گوش رسید.

قلبش در سینه می‌کوبید. سرش را بلند کرد. پنجره‌های کلبه‌ی هاگرید روشن بود و افرادی که هنگام عبور از چمن‌ها دیده‌بود اکنون در برابر پنجره‌های کلبه همچون سایه‌های تاریکی به نظر می‌رسیدند. در باز شد و هری به‌طور واضح پیکر باریک امّا کاملاً مشخّص پنج نفر را هنگام عبور از آستانه‌ی در کلبه دید. در را بستند و بار دیگر سکوت حکمفرما شد.

هری بسیار معذّب و ناراحت شده‌بود. نگاهی به اطرافش انداخت

تا ببیند آیا رون و هرمیون نیز مثل خودش آن صحنه را دیده‌اند یا نه امّا در همان لحظه پروفسور مارچ‌بنکز به پشت سرش رسید و هری که نمی‌خواست او فکر کند قصد نگاه دزدانه به ورقه‌ی دیگران را داشته‌است با دستپاچگی روی نمودار ستارگانش خم شد و وانمود کرد سرگرم یادداشت نکته‌ی جدیدی است امّا در واقع از بالای نرده به کلبه‌ی هاگرید زل زده‌بود. اکنون آن افراد از جلوی پنجره‌ها عبور می‌کردند و به‌طور موقّتی جلوی خروج نور را می‌گرفتند.

او نگاه پروفسور مارچ‌بنکز را بر روی پشت گردنش حس کرد بنابراین بار دیگر چشمش را به تلسکوپش فشرد و به ماه خیره شد هرچند که یک ساعت پیش موقعیّت آن را بر روی نمودارش یادداشت کرده‌بود. امّا همین‌که پروفسور مارچ‌بنکز از او دور شد صدای نعره‌ای را از سمت کلبه‌ی هاگرید شنید.

پروفسور تافتی سرفه‌ی خشک دیگری کرد و با لحن ملایمی گفت:

ـ دخترها، پسرها، سعی کنین حواستونو روی کارتون متمرکز کنین.

اکثر دانش‌آموزان به سراغ تلسکوپشان رفتند. هری به سمت چپش نگاه کرد. هرمیون با قیافه‌ای بهت زده به کلبه‌ی هاگرید خیره مانده‌بود.

پروفسور تافتی گفت:

ـ اهم... بیست دقیقه دیگه وقت دارین.

هرمیون از جا پرید و بار دیگر به نمودار ستارگانش نگاه کرد. هری نیز به نمودار خودش نگاه کرد و متوجّه شد که به خطا نام سیّاره‌ی مریخ را به جای زهره نوشته است. خم شد و آن را تصحیح کرد.

از محوطه‌ی قلعه صدای بنگ‌بلندی به گوش رسید. چند نفر از دانش‌آموزان که انتهای تلسکوپ به صورتشان خورده بود صدای آخشان بلند شد و با عجله نگاه کردند که ببینند در محوطه‌ی قلعه چه اتّفاقی افتاده‌است.

درِ کلبه‌ی هاگرید با خشونت باز شده‌بود. آن‌ها در نوری که از کلبه به بیرون می‌تابید او را به روشنی دیدند. پیکر عظیمی نعره می‌زد و مشت‌هایش را در هوا تکان می‌داد. شش نفر دورتادور او را گرفته‌بودند و از جرقه‌های سرخ‌رنگی که از انتهای چوبدستیشان خارج می‌شد کاملاً مشخّص بود که قصد بیهوش‌کردن او را دارند. هرمیون فریاد زد:
ـ نه!

پروفسور تافتی با حالتی اهانت‌آمیز گفت:
ـ عزیزم! این‌جا جلسه‌ی امتحانه!

امّا دیگر هیچ‌کس کوچک‌ترین توجّهی به نمودار ستارگانش نداشت. پرتوهای نورانی سرخ‌رنگ در کنار کلبه‌ی هاگرید در حرکت بودند امّا به نظر می‌رسید که پس از برخورد با او کمانه می‌کنند. او همچنان سرپا و بی‌حرکت ایستاده بود و تا جایی که هری می‌توانست تشخیص بدهد با آن‌ها مبارزه می‌کرد. صدای داد و فریاد در محوطه‌ی قلعه می‌پیچید. مردی نعره زد: «هاگرید، منطقی باش!» و هاگرید فریاد زد: «منطقی دیگه چه کوفتیه، نمی‌ذارم این جوری منو ببری، داولیش!»

هری پیکر کوچک فنگ را می‌دید که برای دفاع از هاگرید تلاش می‌کرد. آن‌قدر در اطراف جادوگرانی که او را احاطه کرده‌بودند جست‌وخیز کرد تا سرانجام افسون بیهوشی به آن خورد و روی زمین افتاد. هاگرید از فرط خشم نعره‌ای زد و مرد تقصیرکار را از زمین بلند کرد و محکم به زمین انداخت: مرد چیزی حدود سه متر آن طرف‌تر افتاد و از زمین بلند نشد. هرمیون نفس صداداری را در سینه حبس کرد و هر دو دستش را جلوی دهانش گرفت. هری سرش را برگرداند و به رون نگاه کرد و متوجّه شد قیافه‌ی او نیز وحشت زده‌است. هیچ‌یک از آن‌ها پیش از آن هاگرید را چنان خشمگین ندیده‌بود...

پروتی که روی نرده خم شده‌بود به نقطه‌ای در پایین قلعه که محلّ

درهای ورودی بود اشاره کرد زیرا به نظر می‌رسید که در دوباره باز شده‌است. او گفت:

ـ اون‌جا رو!

نور بیش‌تری به چمن‌های تاریک محوطه تابید و یک سایه‌ی دراز و سیاه به تنهایی بر روی چمن‌ها با سرعت جلو رفت.

پروفسور تافتی با نگرانی گفت:

ـ حالا دیگه فقط شونزده دقیقه دیگه مونده‌ها! حواستون باشه!

امّا هیچ‌کس به او ذرّه‌ای توجّه نکرد. همه شخصی را نگاه می‌کردند که مثل برق به سوی میدان نبردی می‌رفت که در کنار کلبه‌ی هاگرید ایجاد شده‌بود. آن شخص همان‌طور که با سرعت می‌دوید فریاد زد:

ـ چه‌طور جرأت کردین؟ چه‌طور جرأت کردین!

هرمیون زمزمه کرد:

ـ این مک گونگاله!

صدای پروفسور مک‌گونگال در تاریکی به گوش می‌رسید که می‌گفت:

ـ ولش کنین! گفتم ولش کنین! آخه برای چی بهش حمله کـردین؟ اون هیچ کاری نکرده، هیچ کاری نکرده که شما به خودتون اجازه بدین...

هرمیون، پروتی و لاوندر با هم جیغ زدند. دست‌کم چهار پرتو بیهوش‌کننده از طرف افرادی که اطراف کلبه‌ی هاگرید بودند به‌سوی پروفسور مک‌گونگال شلیک شد. پرتوهای سرخ‌رنگ در نیمه‌های راه میان کلبه‌ی هاگرید و قلعه به او اصابت کردند. لحظه‌ای پیکرش با نور ترسناک سرخ رنگی روشن و نورانی شد سپس از جایش بلند شد و محکم به پشت بر روی زمین افتاد و تکان نخورد.

پروفسور تافتی که ظاهراً جلسه‌ی امتحان را به‌طور کامل از یاد برده‌بود فریاد زد:

ـ به حق کلّه اژدری‌های یورتمه برو! بدون یه هشدار خشک و خالی! عجب رفتار شرم‌آوری!

صدای نعره‌ی هاگرید به وضوح تا بالای برج رسید که گفت:

ـ ترسوها! ترسوهای بزدل! پس اینو داشته باش! بگیر...

هرمیون نفسش را در سینه حبس کرد و گفت:

ـ وای خداجون!

هاگرید دو ضربه‌ی محکم به نزدیک‌ترین مهاجمین زد. از سقوط سریعشان معلوم بود که هر دو بیهوش شده‌اند. هری هاگرید را دید که خم شد و یک لحظه گمان کرد که بالاخره جادویی بر او اثر کرده‌است امّا برخلاف تصوّرش لحظه‌ای بعد هاگرید دوباره ایستاد و چیزی شبیه به یک کیسه را روی شانه‌اش انداخت... آن‌گاه هری متوجّه شد که بدن بی‌حس فنگ را بر دوش گرفته‌است.

آمبریج فریاد زد:

ـ بگیرش، بگیرش!

امّا به نظر می‌رسید تنها یاری‌دهنده‌ای که برایش باقی مانده‌بود به هیچ‌وجه نمی‌خواهد هدف مشت‌های هاگرید قرار گیرد. در واقع او با چنان سرعتی عقب‌عقب می‌رفت که پایش به بدن یکی از همکاران بیهوشش گیر کرد و به زمین افتاد. هاگرید رویش را از آن‌ها برگردانده‌بود و همان‌طورکه بدن فنگ از شانه‌اش آویزان بود از آن‌ها می‌گریخت. آمبریج آخرین افسون بیهوش‌کننده‌اش را به سمت او فرستاد امّا به هدف نخورد و هاگرید با بیش‌ترین سرعتی که می‌توانست دوان‌دوان به‌سوی دروازه‌های دوردست قلعه رفت و در تاریکی گم شد.

سکوت طولانی و هولناکی برقرار شد. همه با دهان باز به محوطه‌ی قلعه خیره مانده بودند. آن‌گاه پروفسور تافتی با صدای ضعیفی گفت:

ـ بچّه‌ها... پنج دقیقه بیش‌تر وقت ندارین...

با این‌که هری فقط دو سوّم نمودارش را پر کرده‌بود بی‌صبرانه منتظر به پایان رسیدن امتحان بود. وقتی بالاخره پایان جلسه فرا رسید، هری رون و هرمیون با عجله تلسکوپ‌ها را به زور در جایشان قرار دادند و به سرعت از پلکان مارپیچی پایین رفتند. هیچ‌یک از دانش‌آموزان به رختخواب نرفته‌بودند. همگی در پایین پلّه‌ها ایستاده‌بودند و با صدای بلند و هیجان‌زده درباره‌ی رویدادی صحبت می‌کردند که به چشم خود دیده بودند.

هرمیون لحظه‌ای نفس را در سینه حبس کرد و درحالی‌که از شدّت خشم به سختی می‌توانست صحبت کند گفت:

ـ زنیکه‌ی خبیث! می‌خواست دزدکی جلو بره و هاگریدرو در تاریکی شب غافلگیر کنه!

ارنی مک‌میلان که به زور می‌کوشید از لابه‌لای جمعیّت خود را به آن‌ها برساند با حالتی فیلسوفانه گفت:

ـ کاملاً معلومه که نمی‌خواسته صحنه‌ای مشابه صحنه‌ی اخراج تریلانی تکرار بشه.

رون که بیش‌تر احساس خطر کرده‌بود و ظاهراً قصد تحسین و تمجید نداشت گفت:

ـ هاگرید موفّق شد. قضیّه چی بود که همه‌ی جادوهایی که بهش می‌خورد برمی‌گشت؟

هرمیون با صدای لرزانی گفت:

ـ احتمالاً به این دلیل بوده که یک رگش غوله. بیهوش‌کردن غول‌ها خیلی سخته. اونا هم مثل غول‌های غارنشین خیلی مقاومند... بیچاره پروفسور مک‌گونگال... چهار تا پرتو بیهوش‌کننده یکراست خورد به سینه‌ش. اونم که دیگه جوون نیست...

ارنی با حالتی تکبّرآمیز سرش را تکان داد و گفت:

ـ وحشتناکه، وحشتناکه... خب دیگه، من می‌رم بخوابم. شب همگی به خیر.

افرادی که دورشان جمع شده‌بودند درحالی‌که همچنان با شور و هیجان درباره‌ی اتّفاقی که دیده‌بودند با هم صحبت می‌کردند از آن‌ها دور می‌شدند.

رون گفت:

ـ حالا جای شکرش باقیه که هاگریدرو به آزکابان نبردند. به‌گمونم اونم رفت پیش دامبلدور، درسته؟

هرمیون که اشک در چشمانش حلقه زده بود گفت:

ـ احتمالاً. اوه، واقعاً که خیلی وحشتناکه. من فکر می‌کردم دامبلدور به زودی برمی‌گرده، درحالی‌که هاگریدم از دست دادیم...

وقتی به برج گریفندور برگشتند سالن عمومی پر از دانش‌آموز بود. جاروجنجال محوطه‌ی قلعه چندین دانش‌آموز را بیدار کرده‌بود. آن‌ها نیز با دستپاچگی دوستانشان را از خواب بیدار کرده‌بودند. سیموس و دین که کمی زودتر از هری و رون و هرمیون به سالن عمومی رسیده‌بودند تمامی آنچه را از بالای برج نجوم شنیده بودند برای سایرین تعریف می‌کردند.

آنجلینا جانسون با تأسّف سرش را تکان داد و گفت:

ـ حالا اصلاً برای چی هاگریدرو اخراج کرد؟ اون که مثل تریلانی نیست. امسال خیلی بهتر از همیشه تدریس کرد.

هرمیون خودش را روی یک صندلی راحتی انداخت و با لحن گزنده‌ای گفت:

ـ آمبریج از نیمه انسان‌ها متنفّره. از همون اوّلش تمام فکر و ذکرش این بود که هاگریدرو بندازه بیرون.

کتی‌بل ناگهان با صدای زیری گفت:

ـ اون فکر می‌کرد هاگرید برقک‌هارو توی دفترش میندازه.

لی جردن روی دهانش را پوشاند و گفت:

ـ وای خداجونم! این من بودم که برقک‌هارو مینداختم توی دفترش. فرد و جرج دو سه تا برقک بهم داده بودن، من اونارو از پنجره به پرواز درمی‌آوردم...

دین گفت:

ـ آمبریج به هر حال اونو اخراج می‌کرد. اون زیادی به دامبلدور نزدیک بود.

هری بر روی صندلی راحتی کنار هرمیون فرو رفت و گفت:

ـ راست می‌گه.

لاوندر با چشمان اشک‌آلود گفت:

ـ خداکنه پروفسور مک‌گونگال حالش خوب باشه.

کالین کریوی گفت:

ـ ما از پنجره‌ی خوابگاهمون دیدیم که اونا برگردوندنش به قلعه. ظاهراً که حالش اصلاً خوب نبود.

آلیشیا اسپینیت قاطعانه گفت:

ـ خانم پامفری حالشو خوب می‌کنه. اون هیچ‌وقت تا حالا درنمونده.

نزدیک ساعت چهار صبح بود که سالن عمومی خلوت شد. خواب به چشم هری نمی‌آمد. صحنه‌ی فرار هاگرید در ظلمت شب لحظه‌ای از نظرش دور نمی‌شد. چنان از آمبریج خشمگین بود که هیچ مجازاتی که در خور او باشد به ذهنش نمی‌رسید امّا پیشنهاد رون چیزی بود که حقّ آمبریج را کف دستش می‌گذاشت. رون گفت او را جلوی یک جعبه پر از موجودات دم‌انفجاری گرسنه بیندازند. او که سخت در فکر انتقامی دردناک بود به خواب رفت و سه ساعت بعد درحالی‌که هنوز

خستگی‌اش در نرفته بود از خواب بیدار شد.

آخرین امتحانشان، تاریخ جادوگری بود که بعدازظهر آن روز برگزار می‌شد. هری ترجیح می‌داد پس از خوردن صبحانه به رختخواب باز گردد امّا او از پیش صبح آن روز را برای مرور درسش در آخرین لحظات درنظر گرفته بود از این‌رو درحالی‌که سرش را با دو دستش گرفته بود کنار پنجره‌ی سالن عمومی نشست و تمام تلاشش را به کار بست چرت نزند و به مرور یادداشت‌هایی بپردازد که طومار آن یک متر طول داشت و آن را از هرمیون قرض گرفته بود.

دانش‌آموزان سال پنجم در ساعت دو بعدازظهر وارد سرسرای بزرگ شدند و سر جایشان نشستند. در کنارشان ورقه‌های امتحانی به‌صورت پشت‌ورو به چشم می‌خورد. هری خسته و کوفته بود. دلش می‌خواست این امتحان نیز هرچه زودتر تمام شود تا او بتواند بخوابد. فردای آن روز نیز همراه با رون به زمین کوییدیچ می‌رفت... قرار بود با جاروی رون کمی پرواز کند و طعم خلاصی از امتحانات را بچشد...

پروفسور مارچ بنکز در جلوی سرسرا ساعت شنی غول‌پیکر را برگرداند و گفت:

ـ ورقه‌هاتونو برگردونین. می‌تونین شروع کنین...

هری به اوّلین پرسش چشم دوخت. چندین ثانیه طول کشید تا بالاخره فهمید که حتّی یک کلمه از آن را نفهمیده‌است. در کنار یکی از پنجره‌های بلند سرسرا زنبوری وزوزکنان تمرکز او را برهم می‌زد. با عذاب فراوان آهسته شروع به نوشتن پاسخ‌ها کرد.

نام‌ها را به سختی به یاد می‌آورد و تاریخ‌ها را با هم اشتباه می‌گرفت. او بدون پاسخگویی به پرسش چهارم از آن گذشت: *به نظر شما آیا قانون چوبدستی به کنترل شورش اجنّه در قرن هیجدهم منجر شد یا در آن تأثیر مثبتی گذاشت؟* هری با خود فکر کرد که اگر در آخر جلسه وقت

اضافه داشت به این سؤال برمی‌گردد. او شروع به نوشتن پاسخ سؤال بعدی کرد: *در سال ۱۷۴۹ قانون رازداری به چه ترتیبی نقض شد و برای اجتناب از تکرار آن چه لوایحی را پیشنهاد کردند؟* هری مردّد بود و صدای مبهمی در پس ذهنش به او می‌گفت که چند نکته‌ی اساسی را از قلم انداخته است. گمان می‌کرد خون‌آشام‌ها در این قضیه به نوعی دخالت داشته‌اند...

او پرسش‌ها را خواند و جلو رفت تا ببیند پرسشی می‌یابد که پاسخ کامل آن را بلد باشد و چشمش به دیدن سؤال ده روشن شد.

حوادثی را شرح دهید که به تشکیل کنفدراسیون بین‌المللی جادوگران منجر شد و علّت خودداری جادوگران عالی مقام لیختن‌اشتاین را از پیوستن به آن توضیح بدهید.

هری با خود اندیشید: *جواب اینو می‌دونم.* امّا مغزش سست و بی‌حال شده‌بود. می‌توانست عنوان این مطلب را با دستخط هرمیون به یاد آورد: *نحوه‌ی تشکیل کنفدراسیون بین‌المللی جادوگران*... یادداشت‌های مربوط به آن را همان روز صبح خوانده‌بود...

شروع به نوشتن کرد امّا هر چند وقت یک بار سرش را بلند می‌کرد تا نگاهی به ساعت شنی غول‌پیکر بیندازد که بر روی میزی کنار پروفسور مارچبنکز قرار داشت. هری درست پشت سر پروتی پتیل نشسته بود که موهای بلند و سیاهش تا پایین پشتی صندلی‌اش می‌رسید. یکی دوبار هنگامی به خود آمد که با حرکت ملایم سر پروتی، به نقاط نورانی طلایی رنگی خیره مانده‌بود که در لابه‌لای موهای او می‌درخشید. در این مواقع ناچار می‌شد خودش نیز سرش را کمی تکان بدهد تا نور آن به چشمش نخورد.

... پی‌یربرناکورد اوّلین کسی بود که در مقام ریاست عالی کنفدراسیون بین‌المللی جادوگران برگزیده شد امّا جامعه‌ی جادوگری

لیختن‌اشتاین انتصاب او را مورد اعتراض قرار دادند...

در اطراف هری، تمام قلم پرها، همچون موشی در جست‌وجوی سوراخ، به سرعت می‌دویدند. آفتاب پشت سر هری را داغ کرده‌بود. بوناکورد با انجام چه کاری باعث رنجش جادوگران لیختن‌اشتاین شده‌بود؟ هری گمان می‌کرد این قضیه به نوعی با غول‌های غارنشین مربوط باشد... بار دیگر به پشت سر پروتی خیره ماند. ای کاش می‌توانست با اجرای ذهن‌جویی، از پشت سر پروتی پنجره‌ای به ذهن او بگشاید و ببیند این چه موضوعی بود که با غول‌های غارنشین مربوط می‌شد و باعث ایجاد اختلاف میان پی‌یربوناکورد و اهالی لیختن‌اشتاین شده‌بود...

هری چشم‌هایش را بست و صورتش را با دو دستش پوشاند. پرده‌ی سرخ‌رنگ داخل پلک‌هایش سرد و تیره شد. بوناکورد می‌خواست شکار غول‌های غارنشین را متوقّف کند و برای آن‌ها حقوقی قایل شود... امّا لیختن‌اشتاین در برابر قبیله‌ی خاصّی از غول‌های غارنشین کوهی وحشی با مشکل مواجه بود... خودش بود....

چشم‌هایش را باز کرد. با دیدن صفحه‌ی سفید کاغذ پوستی‌اش چشمانش سوخت و در آن‌ها اشک جمع شد. دو سطر درباره‌ی غول‌های غارنشین نوشت و سپس شروع به خواندن مطالبی کرد که تا آن لحظه نوشته بود. چندان دقیق و مفصّل نبود. امّا اطمینان داشت که یادداشت‌های هرمیون درباره‌ی کنفدراسیون تا چندین و چند صفحه ادامه یافته بود...

دوباره چشم‌هایش را بست و کوشید یادداشت‌ها را در برابر چشمانش مجسّم کند و به یاد آورد... اوّلین جلسه‌ی کنفدراسیون در فرانسه تشکیل شده‌بود امّا او این مطلب را قبلاً نوشته بود...

اجنّه کوشیده بودند در آن شرکت کنند امّا آن‌ها را در این امر

دخالت نداده‌بودند... این را نیز نوشته بود...

و هیچ‌کسی حاضر نشده‌بود به نمایندگی از لیختن اشتاین در آن حضور یابد...

دانه‌های شن در ساعت شنی مقابلش فرو می‌ریخت و تمامی قلم‌پرها در اطرافش با عجله مشغول نوشتن پاسخ‌های بی‌پایان پرسش‌ها بودند... هری به خود نهیب زد: فکرکن...

او دوباره در راهروی تاریک و خنک سازمان اسرار پیش می‌رفت، هر گامی که برمی‌داشت محکم و هدفمند بود و گاه‌وبی‌گاه تبدیل به دویدن می‌شد... مصمّم بود که سرانجام خود را به مقصد برساند... در سیاه مثل همیشه در مقابلش باز شد و اکنون او در اتاق دایره‌ای شکلی بود که درهای بسیاری داشت...

از روی کف سنگی اتاق یکراست به آن سو رفت و از دوّمین در وارد شد... لکّه‌های نورانی بر روی دیوارها و کف اتاق می‌رقصیدند و صدای تق‌تق ماشینی عجیب به گوش می‌رسید، امّا فرصتی برای کشف آن نداشت و باید عجله می‌کرد...

آهسته دوید و چند قدمی را که تا سوّمین در مانده‌بود طی کرد. این در نیز همچون درهای پیشین باز شد...

بار دیگر به اتاقی قدم نهاده‌بود که به بزرگی یک کلیسا و مملو از قفسه‌ها و گوی‌های شیشه‌ای متعدّد بود... اکنون قلبش بسیار تند می‌زد... این بار، دیگر به آن‌جا می‌رسید... وقتی به شماره‌ی نودوهفت رسید به سمت چپ پیچید و شتابان به سوی راهروی میان دو قفسه رفت...

امّا در انتهای راهرو چیز نامشخّصی بر روی زمین بود، چیز سیاهی که روی زمین حرکت می‌کرد و به جانوری مجروح شباهت داشت... از ترس قلب هری در سینه فرو ریخت... از هیجان...

صدایی از دهانش خارج شد، صدایی زیر و بی‌روح، خالی از
هرگونه عواطف انسانی: «اینو برای من بردار... بلندش کن... همین
الان... من نمی‌تونم بهش دست بزنم... امّا تو می‌تونی...»

پیکر تاریک، بر روی زمین حرکتی کرد. هـری انگشتان کشیده و
سفیدی را دید که به یک چوبدستی چنگ زده بود و آن را بالا می‌آورد،
انگشتانی که از آن خودش بود... صدای بی‌روح و گوشخراش را شنید
که گفت: «کروشیو!»

مردی که روی زمین بود از درد فریاد کشید و تقلاّ کرد که برخیزد امّا
بـه پشت، بر روی زمین افتاد و به خود پیچید. هـری می‌خندید.
چوبدستی‌اش را بالاتر برد و طلسم از میان رفت. مـرد نالـه‌ای کـرد و
بی‌حرکت ماند.

ـ لرد ولدمورت منتظره...

مردی که روی زمین افتاده بود درحالی‌که دست‌هایش می‌لرزید
بسیار آهسته شانه‌هایش را چند سانتی‌متر بالا آورد و سرش را بـلند
کرد. صورت لاغرش آغشته به خون بود.

سیریوس زمزمه کرد:

ـ مجبوری منو بکشی...

صدای بی‌روح گفت:

ـ مطمئن باش که بالاخره این کارو می‌کنم... امّا اوّل باید اونو برداری و به
من بدی، بلک... تا حالا این قدر درد کشیده بودی؟ خوب فکر کن... ما
چـندین سـاعت فـرصت داریـم و هیچ‌کس صـدای داد و فـریادتو
نمی‌شنوه...

امّا همین که ولدمورت چوبدستی‌اش را پایین آورد یک نفر جیغ
کشید، یک نفر نعره زد و از روی نیمکت داغ بر روی کف سنگی سرد
زمین افتاد. هری به زمین برخورد کرد و بیدار شد. هنوز نعره می‌زد و

جای زخمش گویی در آتش می‌سوخت. تمام کسانی‌که در سرسرای بزرگ بودند از جا پریدند و دورش حلقه زدند.

فصل ۳۲

آن سوی آتش

ـ نمی‌یام... نیازی به درمانگاه نیست... نمی‌خوام...

هری تته‌پته‌کنان می‌کوشید خود را از دست پروفسور تافتی برهاند. پروفسور تافتی که با نگرانی به او نگاه می‌کرد به او کمک کرده‌بود تا به سرسرای ورودی بیاید و همه‌ی دانش‌آموزان اطرافشان به آن‌ها چشم دوخته بودند.

هری عرق صورتش را خشک کرد و با لکنت گفت:

ـ من... من... حالم خوبه، قربان! باور کنین! یه لحظه خوابم برد و... یه کابوس دیدم...

جادوگر پیر از سر همدردی با دست لرزانش به پشت هری ضربه زد و گفت:

ـ همه‌ش برای فشار امتحاناته! پیش می‌یاد، مرد جوان، از این چیزها

پیش می‌یاد! حالا اگه یه لیوان آب خنک بخوری، می‌تونی برگردی به
سرسرای بزرگ؟ امتحان دیگه داره تموم می‌شه، امّا خب شاید بتونی
آخرین پاسختو کامل کنی، نه؟

هری با حالتی آشفته گفت:

ـ بله، یعنی... نه. من هرچی بـلد بـودم نـوشتم... فکـر مـی‌کنم نـوشته
باشم...

جادوگر پیر با ملایمت گفت:

ـ باشه، باشه، من می‌رم و ورقه‌ی امتحانتو برمی‌دارم. به تو هم توصیه
می‌کنم بری و خوب استراحت کنی...

هری با شدّت سرش را تکان داد و گفت:

ـ همین کارو می‌کنم. ازتون خیلی ممنونم.

هری اندکی صبر کرد تا پیرمرد پشت درهای سرسرای بزرگ ناپدید
شد سپس دوان‌دوان از پلکان مارپیچی و پلّه‌های دیگری بالا رفت تا
خود را به درمانگاه برساند. چنان با سرعت در راهروها مـی‌دوید کـه
تابلوهای سر راهش با حالتی سرزنش‌آمیز شروع به پچ‌پچ کردند. هری
همچون گردبادی درهای درمانگاه را بـه شـدّت بـاز کـرد و وارد شـد
چنان‌که خانم پامفری از ترس جیغی کشید. او سرگرم ریختن یک قاشق
پر از مایع آبی روشن در دهان باز مونتاگ بود.

ـ پاتر، هیچ معلومه داری چی کار می‌کنی؟

هری چنان با شدّت نفس‌نفس می‌زد کـه ریـه‌هایش مـی‌سوخت و در
همان حال گفت:

ـ من باید پروفسور مک‌گونگال‌رو ببینم... همین حالا... ضروریه...

خانم پامفری با چهره‌ای غم‌زده گفت:

ـ اون این‌جا نیست، پاتر. امروز صبح به بیمارستان سنت مانگو منتقل
شد. چهار بیهوش‌کننده یکراست خورده توی قفسه‌ی سینه‌ش، اونم

توی این سنّ و سال؟ زنده موندنش یه معجزه‌س.

هری مات و مبهوت ماند و گفت:

ـ اون... رفته؟

صدای زنگ از بیرون خوابگاه به گوش رسید و هری صدای هیاهوی همیشگی دانش‌آموزان را از دور می‌شنید که به تدریج در راهروهای طبقه‌ی بالا و پایین سرازیر می‌شدند. او ساکت و بی‌حرکت ایستاده‌بود و به خانم پامفری نگاه می‌کرد. ترس و وحشت وجودش را فرا می‌گرفت.

دیگر کسی نمانده‌بود که برایش ماجرا را بازگو کند. دامبلدور رفته بود، هاگرید رفته بود، و با این‌که پروفسور مک‌گونگال اندکی تندخو و انعطاف‌ناپذیر بود هری تصوّر می‌کرد او همواره در آن‌جا حضور دارد و همیشه قابل اتّکاست...

خانم پامفری با قیافه‌ای جدّی در تأیید او گفت:

ـ حق داری تعجّب کنی، پاتر. فکر می‌کنی حتّی یکی از اونا می‌تونست توی روز روشن مینروا مک‌گونگال‌رو بیهوش کنه! واقعاً که خیلی ترسو و بزدل بودن... ترسوهای نفرت‌انگیز... اگه دلم شور شما بچّه‌هارو نمی‌زد و می‌دونستم بدون من مشکلی پیدا نمی‌کنین، برای اعتراض به این حرکت حتماً استعفا می‌دادم...

هری با حواس‌پرتی گفت:

ـ بله.

هری چرخی زد و با درماندگی از درمانگاه به درون راهروی شلوغ و پرازدحام قدم گذاشت و همان‌جا ایستاد. جمعیّت به او تنه می‌زدند و رد می‌شدند. هول و هراس همچون گازی سمّی در تمام وجودش منتشر می‌شد. سرش گیج می‌رفت و نمی‌توانست فکر کند. نمی‌دانست چه باید بکند...

صدای ظریفی در ذهنش گفت: رون و هرمیون.

دوباره شروع به دویدن کرد. با شدّت دانش‌آموزان را از سر راهش کنار می‌زد و از فریادها و اعتراض‌های خشم‌آلود آن‌ها غافل بود. او مثل برق خود را به دو طبقه پایین‌تر رساند و همین‌که به بالای پلکان مرمری رسید آن دو را دید که با عجله به سویش می‌آمدند.

هرمیون با چهره‌ای هراسان بلافاصله گفت:

ـ هری! چی شد؟ حالت خوبه؟ مریض که نشدی؟

رون پرسید:

ـ کجا بودی؟

هری به تندی گفت:

ـ همراه من بیاین. بیاین بریم... باید یه چیزی‌رو بهتون بگم.

آن‌ها را به سمت راهروی طبقه‌ی اوّل راند و به داخل تک‌تک کلاس‌ها سرک کشید. سرانجام یک کلاس خالی پیدا کرد و با عجله وارد آن شد. همین‌که رون و هرمیون نیز وارد شدند در را پشت سر آن‌ها بست و به در تکیه داد و گفت:

ـ ولدمورت سیریوس‌رو گرفته.

ـ چی؟

ـ از کجا...؟

ـ خودم دیدم. همین الان. وقتی سر امتحان خوابم برد.

هرمیون که صورتش مثل گچ سفید شده بود گفت:

ـ امّا... امّا... کجا؟ چه جوری؟

هری گفت:

ـ نمی‌دونم چه جوری. امّا دقیقاً می‌دونم که الان کجاست. توی سازمان اسرار یه اتاقی هست که پر از قفسه‌س و توی قفسه‌ها پر از گوی‌های بلورینه... اونا آخر ردیف نودوهفت بودن... اون می‌خواد از وجود

سیریوس استفاده کنه تا همون چیزی‌رو که از توی اون اتاق می‌خواد براش برداره... داره شکنجه‌ش می‌ده... می‌گفت آخرش سیریوس‌رو می‌کشه...

هری متوجّه شد که صدایش می‌لرزد. زانوهایش نیز می‌لرزید. به سمت یکی از نیمکت‌ها رفت و روی آن نشست. می‌کوشید بر اعصاب خود مسلّط شود.

از آن‌ها پرسید:

ـ حالا چه جوری بریم اون‌جا؟

لحظه‌ای سکوت برقرار شد. اندکی بعد رون گفت:

ـ ب... بریم اون‌جا؟

هری با صدای بلندی گفت:

ـ بریم به سازمان اسرار که سیریوس‌رو نجات بدیم!

رون با صدای ضعیفی گفت:

ـ ولی... هری...

هری گفت:

ـ چیه؟ چیه؟

هری نمی‌توانست بفهمد که چرا آن‌ها طوری به او زل زده‌اند گویی از آن‌ها چیز غیرمعقولی خواسته بود.

هرمیون با ترس و لرز گفت:

ـ هری، ولدمورت چه‌طوری... چه‌طوری وارد وزارت سحر و جادو شده که هیچ‌کس متوجّه نشده؟

هری نعره زد:

ـ من چه می‌دونم؟ فعلاً فقط این مهّمه که ما چه جوری باید بریم اون‌جا!

هرمیون یک قدم جلوتر آمد و گفت:

ـ ولی... هری، خوب فکر کن. الان ساعت پنج بعدازظهره... وزارت سحر و جادو پر از کارمنده... چه‌طور ممکنه ولدمورت و سیریوس اون‌جا رفته باشن و کسی اونارو ندیده باشه؟ هری، شاید بشه گفت توی تمام دنیا، اون دو تا تنها جادوگرهایی هستند که بیش از هرکس دیگری تحت تعقیبند... فکر می‌کنی می‌تونن وارد ساختمونی بشن که پر از کارآگاهه و آب از آب تکون نخوره؟

هری فریاد زد:

ـ نمی‌دونم، حتماً ولدمورت از شنل نامریی یا از این جور چیزها استفاده کرده. در ضمن من هر وقت به سازمان اسرار رفتم هیچ‌کسی اون‌جا نبوده...

هرمیون به آرامی گفت:

ـ تو هیچ‌وقت به اون‌جا نرفتی، هری. فقط خواب دیدی که اون‌جایی، همین و بس!

هری از جایش بلند شد و یک قدم جلوتر رفت و فریاد زد:

ـ این خواب‌ها، خواب‌های عادی نیستند!

هری که دلش می‌خواست او را بگیرد و محکم تکان بدهد گفت:

ـ پس ماجرای بابای رون چی بود، هان؟ چه‌طور اون موقع می‌دونستم چه بلایی سر اون اومده؟

رون به هرمیون نگاه کرد و به آرامی گفت:

ـ راست می‌گه.

هرمیون با درماندگی گفت:

ـ ولی آخه این یکی... این یکی خیلی بعیده! هری وقتی سیریوس تمام مدّت در خانه‌ی میدون گریمولده، چه‌طور ممکنه ولدمورت دستش به اون برسه؟

رون با نگرانی گفت:

ـ شاید سیریوس تحمّلش تموم شده و خواسته یه هوایی بخوره. خیلی
وقت بود که می‌خواست از توی اون خونه بیاد بیرون...

هرمیون پافشاری کرد و گفت:

ـ امّا آخه... آخه این همه آدم توی دنیاست چرا ولدمورت باید بخواد که
سیریوس اسلحه یا هر چیزی رو که هست، برداره؟

هری سر هرمیون داد زد و گفت:

ـ من چه می‌دونم. هزارویک دلیل می‌تونه داشته باشه. شاید برای این که
سیریوس کسیه که اگه صدمه هم بخوره برای ولدمورت هیچ امنیّتی
نداره...

رون با صدایی بسیار آرام گفت:

ـ مـی‌دونین چـیه، الان یه چیزی به نظرم رسـید. بـرادر سیریوس
مرگ‌خوار بوده، درسته؟ شـاید اون راز به دست آوردن اسـلحه رو به
سیریوس گفته باشه!

هری گفت:

ـ آره، شاید برای همین دامبلدور این‌قدر اصرار داشت که سیریوس
تمام مدّت مخفی بمونه!

هرمیون گفت:

ـ باید خیلی ببخشین، ولی به نظر من حرف‌های هردوتون بی‌معنیه و ما
هیچ مدرکی برای اثبات هیچ‌کدوم از اینا نداریم. حتّی مدرکی نداریم که
نشون بده ولدمورت و سیریوس اون‌جا هستن...

رون به او چشم غرّه رفت و گفت:

ـ هرمیون، هری اونارو دیده!

هرمیون با این که ترسیده بود مصمّم به نظر می‌رسید. او گفت:

ـ باشه. ولی من ناچارم اینو بهتون بگم...

ـ چی رو؟

ـ تو... هری... البتّه نمی‌خوام ازت انتقاد کنم ولی تو... یه جوری... منظورم اینه که... هیچ می‌دونستی تو یه ذرّه شبیه اون کسانی هستی که... *عشقِ نجاتِ مردمند*؟

هری به او چشم غرّه‌ای رفت و پرسید:

ـ «عشق نجات مردم» یعنی چی؟

هرمیون که نگران‌تر از همیشه به نظر می‌رسید گفت:

ـ خب... تو... منظورم اینه که... مثلاً همین پارسال... توی دریاچه... در طول مسابقه... تو نباید... یعنی این‌که اصلاً لازم نبود خواهرکوچک دلاکورو نجات بدی... زیادی هیجان‌زده شده بودی...

هری چنان خشمگین شد که حس کرد آب داغ روی سرش ریخته‌اند. چرا هرمیون آن اشتباه فاحش را امروز به رخش می‌کشید؟

هرمیون که از مشاهده‌ی قیافه‌ی هری وحشت‌زده شده‌بود به تندی گفت:

ـ می‌خوام بگم که این از بزرگواری و لطف تو بوده. از نظر همه کار فوق‌العاده‌ای بود...

هری که دندان‌هایش را برهم می‌فشرد گفت:

ـ مسخره‌ست. برای این‌که من دقیقاً یادمه که رون هم به من گفت که با قهرمان‌بازی وقتمو تلف کرده‌م... پس به نظر تو این قضیّه هم مثل اونه؟ فکر می‌کنی من دوباره می‌خوام قهرمان‌بازی در بیارم؟

هرمیون که مات و مبهوت مانده‌بود گفت:

ـ نه، نه، نه! به هیچ‌وجه چنین منظوری نداشتم!

هری فریاد زد:

ـ پس منظورتو زودتر بگو چون ما این‌جا فقط داریم وقت تلف می‌کنیم!

ـ هری، می‌خوام اینو بهت بگم که... ولدمورت تورو می‌شناسه! اون جینی‌رو به حفره‌ی اسرار برد و تورو به اون‌جا کشوند. همه‌ی کارهای

اون همین‌طوریه. اون می‌دونه که تو... از اون آدم‌هایی هستی که به کمک سیریوس می‌رن! اگه فقط بخواد تورو به سازمان اسرار بکشونه چی؟

ـ هرمیون، هیچ اهمیّتی نداره که اون می‌خواد منو بکشونه یا نمی‌خواد. مک‌گونگال‌رو بردن به سنت مانگو، دیگه هیچ کدوم از محفلی‌ها توی هاگوارتز نیستن تا من بهشون بگم. اگه ما نریم، سیریوس کشته می‌شه!

ـ ولی هری اگه... اگه خوابت... فقط یه خواب باشه چی؟

هری از شدّت درماندگی نعره زد. هرمیون که ترسیده‌بود یک قدم عقب رفت. هری سر او فریاد زد و گفت:

ـ اصلاً متوجّه نشدی! من کابوس نمی‌بینم، خواب نمی‌بینم! پس فکر کردی اون درس‌های چفت‌شدگی برای چی بود؟ فکر کردی برای چی دامبلدور می‌خواست دیدن این چیزهارو متوقّف کنه؟ برای این‌که واقعیّته، هرمیون... سیریوس به دام افتاده... خودم دیدمش... ولدمورت اونو اسیر کرده. هیچ‌کس دیگه هم اینو نمی‌دونه. یعنی این‌که ما تنها کسانی هستیم که می‌تونیم نجاتش بدیم. اگر تو نمی‌خوای این کارو بکنی، اشکالی نداره، خودم این کارو می‌کنم، فهمیدی؟ امّا تا جایی‌که یادمه اون زمانی‌که داشتم تورو از چنگ دیوانه‌سازها نجات می‌دادم با عشق نجات مردم من مشکلی نداشتی یا...

هری رو به رون کرد و گفت:

ـ یا اون وقتی که خواهرتو از چنگ باسیلیسک نجات می‌دادم...

رون با حرارت خاصّی گفت:

ـ من که گفتم مشکل داشتم؟

هرمیون با لحن محکمی گفت:

ـ ولی هری، خودت همین الان گفتی! دامبلدور می‌خواست تو یاد بگیری ذهنتو در برابر این جور چیزها ببندی. اگر چفت‌شدگی‌رو درست انجام داده‌بودی هیچ وقت اینو نمی‌دیدی...

ـ اگه فکر می‌کنی من می‌خوام طوری رفتار کنم که انگار چیزی ندیدم...

ـ سیریوس بهت گفت هیچ‌چیز مهّم‌تر از این نیست که یاد بگیری ذهنتو ببندی!

ـ خب، مطمئنم که حرف دیگه‌ای می‌زد اگه می‌دونست که من چی...

در کلاس باز شد. هری، رون و هرمیون به سرعت به طرف در برگشتند. جینی با قیافه‌ای کنجکاو وارد شد و بلافاصله لونا آمد. قیافه‌اش مثل همیشه طوری بود که انگار به‌طور اتّفاقی از آن‌جا سر درآورده‌است.

جینی با دودلی گفت:

ـ سلام، ما صدای هری‌رو شناختیم. چی شده که این‌قدر داد می‌زنی؟

هری با خشونت گفت:

ـ تو به این کارها کاری نداشته باش.

جینی ابروهایش را بالا برد و با لحن سردی گفت:

ـ برای چی با من این جوری صحبت می‌کنی. من فقط فکر کردم ممکنه بتونم کمکی بکنم.

هری مختصر و مفید گفت:

ـ نمی‌تونی.

لونا با بداخلاقی گفت:

ـ واقعاً که خیلی بی‌تربیت شدی.

هری ناسزایی گفت و رویش را از او برگرداند. در آن لحظه تنها چیزی که کم داشت گفت‌وگو با لونالاوگود بود. هرمیون ناگهان گفت:

ـ صبرکن... صبرکن، هری. اونا می‌تونن کمک کنن.

هری و رون به او نگاه کردند. هرمیون بی‌درنگ گفت:

ـ گوش کن، هری، ما الان باید بفهمیم سیریوس واقعاً از قرارگاه رفته

بیرون یا نه...

ـ بهت که گفتم، من دیدم...

هرمیون با درماندگی گفت:

ـ هری ازت خواهش می‌کنم! خواهش می‌کنم بگذار اوّل مطمئن بشیم که سیریوس توی خونه نیست، بعد بدویم بریم به لندن... اگه معلوم بشه که اون جا نیست قسم می‌خورم که جلوتونو نگیرم و خودم هم باهاتون بیام! اون‌وقت برای نجاتش هرکاری که لازم باشه می‌کنیم...

هری فریاد زد:

ـ سیریوس **الان** داره شکنجه می‌شه. نمی‌تونیم وقت تلف کنیم...

ـ ولی اگه این کلک ولدمورت باشه... هری ما باید مطمئن بشیم، مجبوریم...

هری پرسید:

ـ چه جوری؟ چه‌طوری مطمئن بشیم؟

ـ باید از آتش آمبریج استفاده کنیم و ببینیم می‌تونیم باهاش تماس بگیریم یا نه.

هرمیون که حتّی از تصوّر چنین چیزی هم هراسان به نظر می‌رسید ادامه داد:

ـ دوباره حواس آمبریج‌رو پرت می‌کنیم. ولی احتیاج به کسی داریم که نگهبانی بده. برای همین می‌تونیم از جینی و لونا کمک بگیریم.

جینی که سخت می‌کوشید از این حرف‌ها سر درآورد بلافاصله گفت:

ـ آره ما این کارو می‌کنیم.

لونا نیز گفت:

ـ منظورتون از «سیریوس» همون استابی بوردمنه؟

هیچ‌کس جواب سؤال او را نداد.

هری پرخاشگرانه به هرمیون گفت:

ـ باشه، باشه. اگه زودتر بتونی یه راهی پیدا کنی من باهاتم. اگر نه، همین الان می‌رم به سازمان اسرار...

لونا که کمی تعجّب کرده بود پرسید:

ـ سازمان اسرار؟ ولی چه‌طوری می‌خوای بری اون‌جا؟

هری این‌بار نیز به او اعتنا نکرد.

هرمیون درحالی‌که یک‌سره با یک دست، دست دیگرش را می‌گرفت و فشار می‌داد شروع به قدم‌زدن در ردیف میان نیمکت‌ها کرد و گفت:

ـ باشه. باشه... خب یکی از ما باید بره و ببینه آمبریج کجاست... بعد باید اونو به یه سمتی بکشونه و از دفترش دور کنه... می‌تونن بهش بگن... نمی‌دونم... مثلاً می‌تونن بگن بدعنق طبق معمول یه نقشه‌ای داره...

رون بلافاصله گفت:

ـ من این کارو می‌کنم. بهش می‌گم بدعنق می‌خواد بخش تغییرشکل رو داغون کنه. اون‌جا خیلی از دفترش دوره. تازه، اگه بدعنق رو سر راهم ببینم می‌تونم بهش بگم که همین کارو بکنه...

وقتی هرمیون با خرابکاری در بخش تغییر شکل مخالفت نکرد معلوم بود قضیّه خیلی جدّی است. هرمیون گفت:

ـ خوبه.

آنگاه درحالی‌که ابروهایش را درهم کشیده بود به قدم‌زدن ادامه داد و گفت:

ـ خب، حالا باید بچّه‌ها رو از اطراف دفتر آمبریج دور کنیم وگرنه ممکنه بچّه‌های اسلیترین برن. و به آمبریج خبر بدن که ما به زور وارد دفترش شدیم...

جینی بی‌درنگ گفت:

ـ من و لونا می‌تونیم دو طرف راهرو بایستیم و به بچّه‌ها بگیم وارد راهرو نشن چون یکی یه عالمه گاز خفقان‌آور اون‌جا پخش کرده.

هرمیون از آمادگی جینی برای ساختن چنین دروغی متعجّب شد. جینی شانه‌هایش را بالا انداخت و گفت:

ـ فرد و جرج قبل از رفتن می‌خواستن این کارو بکنن.

هرمیون گفت:

ـ باشه. هری، پس من و تو هم می‌ریم زیر شنل نامریی و دزدکی می‌ریم توی دفتر آمبریج تا تو بتونی با سیریوس حرف بزنی...

ـ سیریوس، اون‌جا نیست، هرمیون!

ـ منظورم این بود که تو می‌تونی مطمئن بشی سیریوس خونه هست یا نه. منم نگهبانی می‌دم. فکر نمی‌کنم درست باشه که تنها بری اون‌جا. لی با فرستادن اون برقک‌ها ثابت کرده که پنجره‌ی دفترش چندان امن نیست.

هری با وجود خشم و بی‌قراری‌اش، پیشنهاد هرمیون برای همراهی با او در دفتر آمبریج را نشانه‌ی وفاداری و موافقتش دانست. زیر لب گفت:

ـ باشه، ازت ممنونم.

هرمیون وقتی متوجّه شد که هری این نقشه را پذیرفته است نفس راحتی کشید و گفت:

ـ خب، اگر هم بتونیم همه‌ی این کارهارو بکنیم فکر نمی‌کنم بیش‌تر از پنج‌دقیقه وقت داشته باشیم. چون فیلچ و اعضای پست‌فطرت جوخه‌ی بازجویی یکسره اون اطراف می‌پلکند.

هری گفت:

ـ پنج دقیقه کافیه... بیاین بریم...

هرمیون با حیرت و شگفتی گفت:

ـ الان؟

هری با خشم گفت:

ـ معلومه که الان! پس فکر کردی می‌تونیم تا بعد از شام یا یه وقت دیگه صبر کنیم؟ هرمیون، سیریوس همین الان داره شکنجه می‌شه!

هرمیون با درماندگی گفت:

ـ من... اوه، باشه. تو برو شنل نامریی‌رو بیار. ما توی راهروی دفتر آمبریج منتظرت می‌مونیم، باشه؟

هری جواب نداد و مثل برق از در کلاس بیرون رفت و به زحمت از میان جمعیّتی که بیرون از کلاس بودند راهش را باز کرد. دو طبقه بالاتر، به دین و سیموس برخورد که دنبالش راه افتادند و با خوش‌حالی به او گفتند که خیال دارند به مناسبت پایان امتحانات جشنی را در سالن عمومی تدارک ببینند که از صبح تا شب طول بکشد. هری درست و حسابی حرف آن‌ها را نمی‌شنید. در مدّتی که آن دو درباره‌ی تعداد نوشیدنی‌های کره‌ای که باید از بازار سیاه تهیّه می‌کردند با یکدیگر بگومگو داشتند هری با دستپاچگی از حفره‌ی تابلو بالا رفت و طولی نکشید که برگشت. شنل نامریی و چاقوی سیریوس را در کیفش گذاشته بود و پیش از آنکه دین و سیموس متوجّه شوند از آن‌ها دور می‌شد.

ـ هری، تو هم می‌خوای چند گالیون کمک کنی؟ هارولددینگل فکر می‌کنه بتونه بهمون نوشابه‌ی آتشین هم بفروشه...

امّا هری مثل باد به انتهای راهرو رسیده‌بود و چند دقیقه بعد از روی آخرین پلّه‌ها می‌پرید تا به رون، هرمیون، جینی و لونا ملحق شود که جلوی راهروی دفتر آمبریج جمع شده‌بودند. او نفس‌نفس‌زنان گفت:

ـ آوردمش. پس حاضرین که بریم؟

گروهی از دانش‌آموزان سال ششمی پرسروصدا از کنارشان گذشتند و هرمیون آهسته گفت:

ـ خب پس، رون... تو برو و آمبریج‌رو از این‌جا دور کن... جینی، لونا، اگه می‌شه شما هم شروع کنین به دورکردن بچّه‌ها از این راهرو... من و هری شنل‌رو می‌پوشیم و منتظر می‌مونیم تا شرایط جور بشه...

رون با گام‌های بلند از آن‌ها دور شد. موهای سرخ رنگش تا انتهای آن طبقه کاملاً مشخّص بود. در این میان موی سرخ‌رنگ جینی در میان دانش‌آموزان بالا و پایین می‌رفت و آن‌ها را به سمت دیگر می‌راند. موی بور لونا نیز درست پشت سر او به چشم می‌خورد.

ـ بیا این طرف هری.

هرمیون مچ دست هری را کشید و او را به سمت فرورفتگی بین دیوارها کشاند که در آن چهره‌ی سنگی جادوگر قرون وسطایی زشتی بر روی یک ستون زیر لب با خود حرف می‌زد. هرمیون پرسید:

ـ هری... مطمئنی که حالت خوبه؟ رنگت خیلی پریده...

هری درحالی‌که شنل نامریی را به زور از کیفش بیرون می‌کشید فقط گفت:

ـ خوبم.

در واقع جای زخمش دردگرفته بود امّا هنوز چندان شدید نبود که هری گمان کند ولدمورت به سیریوس ضربه‌ی مرگباری وارد کرده‌است. وقتی ولدمورت اِوری را مجازات می‌کرد درد پیشانی‌اش خیلی بدتر از این بود...

هری گفت:

ـ بیا...

شنل نامریی را روی هردویشان انداخت و هر دو همان‌جا ایستادند و گوششان را تیز کردند تا با وجود زمزمه‌های لاتینی مجسّمه‌ی نیم تنه‌ای

که جلوی رویشان بود صداهای اطرافشان را بشنوند.

جینی به جمعیّت دانش‌آموزان می‌گفت:

ـ نباید وارد این راهرو بشین! نه، متأسّفم باید از پلکان چرخان برین. یه نفر این‌جا گاز خفقان‌آور پخش کرده...

صدای شکوه و شکایت بـعضی از آن‌ها را مـی‌شنیدند. یک نفر گفت:

ـ من که این‌جا گازی نمی‌بینم...

جینی که به تنگ آمده‌بود با لحن متقاعدکننده‌ای گفت:

ـ علّتش اینه که گازش بی‌رنگه. اگر هم می‌خواین از این راهرو بـرین، میل خودتونه، اون‌وقت اگه یه احمق دیگه‌ای پیدا شد که حرف‌مونو باور نمی‌کرد جنازه‌ی شمارو نشون می‌دیم که باورش بشه...

کم‌کم جمعیّت پراکنده شدند. از قرار مـعلوم خبر گاز خـفقان‌آور همه‌جا پیچیده بود... دیگر کسی از آن طرف نمی‌رفت. وقتی سرانجام منطقه‌ی اطرافشان کاملاً خلوت شد هرمیون آهسته گفت:

ـ فکر می‌کنم الان بهترین فرصته، هری... بیا بریم.

آن دو با هم جلو رفتند. شنل نامریی هردوی آن‌ها را پوشانده بود. در انتهای راهرو، لونا، پشت به آن‌ها ایستاده‌بود. وقتی از کنار جینی می‌گذشتند هرمیون آهسته گفت:

ـ فکر خوبی کردی... یادت نره بهمون علامت بدی...

وقتی به در دفتر آمبریج نزدیک می‌شدند هری پرسید:

ـ علامت چیه؟

هرمیون جواب داد:

ـ قراره که وقتی آمبریج‌رو دیدن که از دور می‌یاد با صـدای بـلند آواز «اونی که سرور و پادشاهمونه، ویزلیه»رو بخونن.

هری نوک چاقوی سیریوس را وارد شکاف میان در دفتر آمبریج و

دیوار کرد. قفل در صدا کرد و باز شد. آن‌دو وارد دفتر شدند.

آفـتاب عـصر بـر روی بشقاب‌های روی دیـوار افتاده‌بود و بـچّه
گربه‌های رنگارنگ روی آن در نور خورشید لمیده بودند. این‌بار نیز
غیر از حرکت بـچّه گربه‌ها هیچ حرکت دیـگری در اتـاق بـه چشـم
نمی‌خورد. هرمیون نفس راحتی کشید و گفت:

ـ فکر می‌کردم بعد از دوّمین برقک اقدامات امنیّتی مطمئن‌تری کرده
باشه...

آن‌ها شنل را درآوردند. هرمیون بـا عـجله بـه‌طرف پـنجره رفت و
طوری ایستاد که از بیرون معلوم نباشد. آنگاه درحالی‌که چوبدستی‌اش
را آماده نگه داشته بود با دقّت محوطه‌ی قلعه را زیرنظر گرفت. هری به
سرعت به‌طرف بخاری دیواری رفت ظرف پودر پرواز را بـرداشت و
مشتی از آن را روی منقل ریخت. شعله‌های زمردین بـلافاصله زبانه
کشیدند. به تندی دو زانو نشست و سرش را به میان شعله‌های رقصان
آتش برد و گفت:

ـ خانه‌ی شماره‌ی دوازده میدان گریمولد.

سرش چنان به سرعت شروع به چرخیدن کرد که گویی همان لحظه از
بازی‌های سریع‌السیر شهربازی پیاده شـده‌بود امّا زانـوهایش مـحکم
روی کف سرد دفتر آمبریج قرار داشت. او در برابر گردباد چشمانش را
محکم بست و وقتی سرش از چرخش ایستاد چشم‌هایش را باز کرد و
نگاهش به درون آشپزخانه‌ی طویل و سرد خانه‌ی میدان گریمولد افتاد.

هیچ‌کس آن‌جا نبود. هری انتظار چنین صحنه‌ای را داشت امّا تصوّر
نمی‌کرد که با دیدن فضای خالی آشپزخانه مـوجی از هـول و هـراس
وجودش را فراگیرد. او فریاد زد:

ـ سیریوس؟ سیریوس، این جایی؟

صدایش در آشپزخانه پیچید امّا هیچ جوابی به گوش نرسید. فقط

صدای خرت‌خرت ضعیفی از سمت راست آتش بلند شد. هری که گمان می‌کرد آن صدا مربوط به حرکت موشی باشد گفت:

-کی اون‌جاست؟

کریچر، جنّ خانگی، پاورچین‌پاورچین جلو آمد. از چیزی بی‌نهایت خوش‌حال به نظر می‌رسید امّا معلوم بود که اخیراً دو دستش جراحت شدیدی پیداکرده‌است زیرا حسابی آن‌ها را باندپیچی کرده‌بود.

کریچر درحالی‌که نگاه‌های پیروزمندانه‌ی عجیب و مرموزی به هری می‌انداخت به آشپزخانه‌ی خالی خبر داد:

- سر پسره، پاتره که توی آتیشه. کریچر نمی‌دونه، برای چی اومده این‌جا؟

هری پرسید:

- سیریوس کجاست، کریچر؟

جنّ خانگی با صدای خس‌خسی‌اش کرکر خندید و گفت:

-ارباب رفته بیرون، هری پاتر.

-کجا رفته؟ *کجا* رفته، کریچر؟

کریچر فقط کرکر خندید.

هری با این که می‌دانست در شرایط موجود، مجازات‌کردن کریچر برایش غیرممکن است گفت:

- دارم بهت هشدار می‌دم، کریچر! لوپین کجاست؟ چشم باباقوری چی؟ هیچ‌کدومشون این‌جا نیستن؟

جنّ خانگی با شادی و مسرّت گفت:

-هیچ‌کس جز کریچر این‌جا نیست.

آن‌گاه رویش را از هری برگرداند و درحالی‌که به‌سوی در انتهای آشپزخانه می‌رفت گفت:

-کریچر فکر می‌کنه که حالا دیگه می‌تونه با بانو گپی بزنه، بله، مدّت‌ها

بود که کریچر چنین فرصتی نداشت. ارباب کریچرو و از بانو دور نگه می‌داشت...

هری پشت سر جنّ خانگی فریاد کشید:

ـ سیریوس کجا رفته؟ کریچر، اون رفته به سازمان اسرار؟

کریچر سر جایش میخکوب شد. هری از میان پایه‌ی صندلی‌ها که همچون جنگلی در مقابلش قرار داشت فقط می‌توانست سر کچل کریچر را ببیند. جنّ خانگی به آرامی گفت:

ـ ارباب به کریچر بیچاره نمی‌گه کجا می‌ره.

هری فریاد زد:

ـ ولی تو می‌دونی! نمی‌دونی! می‌دونی اون کجاست!

لحظه‌ای سکوت برقرار شد. اندکی بعد جنّ خانگی با بلندترین صدایی که از گلویش خارج می‌شد خندید و با شور و شعف گفت:

ـ ارباب دیگه از سازمان اسرار برنمی‌گرده! کریچر و بانو دوباره با هم تنها شده‌ن!

کریچر دوان‌دوان جلو رفت و پشت دری که به هال می‌رسید، ناپدید شد.

ـ تو...!

امّا پیش از آن‌که ناسزا و نفرینی بر زبانش جاری شود درد شدیدی را در فرق سرش حس کرد. خاکستر فراوانی وارد گلویش شد و همان‌طورکه سرفه می‌کرد متوجّه شد از درون شعله‌های آتش به عقب کشیده می‌شود تا این‌که به‌طور ناگهانی خود را در برابر صورت پهن و رنگ پریده‌ی آمبریج یافت. آمبریج موی سرش را گرفته و او را از آتش بیرون کشیده‌بود و حالا چنان سرش را به سمت عقب می‌کشید گویی خیال داشت گلویش را ببرد.

آمبریج سر هری را باز هم عقب‌تر کشید چنان‌که دیگر ناچار بود به

سقف نگاه کند و با صدایی زمزمه‌مانند گفت:

ـ فکر کردی بعد از ورود اون دو تا برقک بازهم اجازه می‌دم مـوجود کثافت و لاشخور دیگه‌ای بدون اطّلاعم وارد دفترم بشه؟ بعد از دوّمین برقک، اطراف در دفترمو با افسون‌های دزدگیر جادو کردم، پسره‌ی احمق. چوبدستیشو بگیر...

آمبریج بر سر کسی فریاد زده‌بود که هری نمی‌توانست او را ببیند. احساس کرد دستی کورمال‌کورمال در جیب سینه‌ی ردایش تکان خورد و چوبدستی‌اش را بیرون آورد. آمبریج گفت:

ـ مال دختره‌رو هم بگیر...

هری صدای درگیری و زد و خوردی را در نزدیکی در شنید و فهمید که چوبدستی هرمیون را نیز به زور از او گرفته‌اند.

آمبریج دستش را که به موهای هری چنگ زده بود به شدّت تکان داد چنان‌که هری به تته‌پته افتاد. آمبریج از او پرسید:

ـ می‌خوام بدونم برای چی به دفتر من اومدی.

هری تته‌پته‌کنان گفت:

ـ اومده... اومده بودم... دنبال آذرخشم.

آمبریج دوباره سر او را به شدّت تکان داد و گفت:

ـ دروغگو! آذرخشت توی دخمه‌ها تحت محافظت شـدیده. خـودتم اینو خوب می‌دونی، پاتر. سرتو کرده بودی توی آتیش من. با کی تماس گرفتی؟

هری که می‌کوشید خود را از چنگ او برهاند گفت:

ـ با هیچ‌کس.

احساس کرد دسته‌ای از موهایش همراه با پوست سرش کنده می‌شود. آمبریج فریاد زد:

ـ دروغگو!

آمبریج او را هل داد و از خود دور کرد. هری محکم به میز خورد. اکنون می‌توانست میلی‌سنت بالسترود را ببیند که هرمیون را میان خودش و دیوار گیر انداخته بود. مالفوی نیز به لبه‌ی پنجره تکیه داده‌بود و درحالی‌که با یک دست چوبدستی هری را به هوا می‌انداخت و می‌گرفت، پوزخند می‌زد.

صدای جاروجنجالی از بیرون به گوش رسید و چندین دانش‌آموز اسلیترینی قوی هیکل وارد شدند. آن‌ها رون، جینی و لونا را محکم نگه داشته بودند. هری در کمال تعجّب متوجّه شد که نویل نیز با آن‌هاست. کراب دستش را دور گردن نویل انداخته و چنان محکم گرفته بود که به‌طور جدّی در معرض خطر خفگی بود. دهان هر چهار نفر را محکم بسته بودند. ورینگتون با خشونت رون را به داخل اتاق هل داد و گفت:

ـ همه‌شونو گرفتیم.

او با انگشت قطورش به نویل سیخونک زد و گفت:

ـ این یکی... تقلاً می‌کرد که نگذاره اونو بگیریم.

این‌بار به جینی اشاره کرد که می‌کوشید به ساق پای دختری از گروه اسلیترین لگد بزند که او را نگه داشته بود. ورینگتون ادامه داد:

ـ برای همین اونم آوردم.

آمبریج که تلاش و تقلاّی جینی را نگاه می‌کرد گفت:

ـ خوبه، خوبه. از قرار معلوم به زودی هاگوارتز منطقه‌ای عاری از ویزلی‌ها می‌شه، درسته؟

مالفوی چاپلوسانه با صدای بلندی خندید. آمبریج لبخند گسترده و خودپسندانه‌اش را بر لبش نشاند و روی یک صندلی راحتی گلدار نشست و همچون وزغی که در باغچه‌ای نشسته باشد به اسیرانش نگاه کرد و گفت:

ـ خب، پاتر، پس تو در اطراف دفتر من نگهبان گذاشتی و این دلقک‌رو

فرستادی پیش من...

آمبریج با حرکت سرش به رون اشاره کرد و مالفوی با صدای بلندتری خندید. آمبریج ادامه داد:

ـ که به من بگه روح مزاحم می‌خواد توی قسمت تغییرشکل خرابکاری کنه درحالی‌که من اطمینان داشتم که اون سخت مشغول جوهری‌کردن بخش چشمی تمام تسلکوپ‌های مدرسه‌ست چون آقای فیلچ همون لحظه این موضوع‌رو به من اطّلاع داده‌بود... کاملاً مشخّصه که صحبت‌کردن با این شخص خیلی برات مهّم بوده. اون کی بود، آلبوس دامبلدور بود؟ یا اون هاگرید دو رگه بود؟ گمان نمی‌کنم مینروا مک‌گونگال باشه چون شنیده‌م اون هنوز حالش خیلی بده و نمی‌تونه حرف بزنه...

مالفوی و چند عضو دیگر جوخه‌ی بازجویی، مدّتی نیز به این موضوع خندیدند. هری متوجّه شد وجودش چنان از خشم و نفرت لبریز شده که سراپا می‌لرزد. او با خشم گفت:

ـ به شما مربوط نیست که من با کی حرف می‌زدم.

صورت شُل و وارفته‌ی آمبریج منقبض شد. او با لحن ملایم ساختگی‌اش که از همه خطرناک‌تر به نظر می‌رسید گفت:

ـ بسیارخب، بسیارخب، آقای پاتر... من بهت فرصت دادم که آزادانه با من صحبت کنی. امّا تو خودت قبول نکردی. چاره‌ای ندارم جز این‌که مجبورت کنم. دراکو... برو پروفسور اسنیپ‌رو بیار.

مالفوی چوبدستی هری را در جیب ردایش جا داد و هنگامی‌که از اتاق خارج می‌شد پوزخند زد. امّا هری متوجّه پوزخند او نشد. او گمان کرده‌بود که همه‌ی اعضای محفل، تمام کسانی‌که می‌توانستند در نجات سیریوس به او کمک کنند، از آن‌جا رفته‌اند امّا اشتباه کرده‌بود. هنوز یکی از اعضای محفل ققنوس در هاگوارتز مانده‌بود و او کسی نبود جز

اسنیپ.

غیر از صدای خش‌خش ناشی از تقلاّی دانش‌آموزان اسلیترین برای آرام نگه‌داشتن رون و سایرین صدای دیگری به‌گوش نمی‌رسید. رون در برابر فن سگک عوج‌بند[1] ورینگتون وول می‌خورد و خونی که از لبش جاری شده‌بود بر روی فرش دفتر آمبریج می‌چکید. جینی هنوز می‌کوشید به دختر اسلیترینی سال ششمی لگد بزند که هر دو بازوی او را محکم گرفته بود. با فشار دست کراب، صورت نویل کم‌کم سرخ‌تر می‌شد. هرمیون نیز بیهوده می‌کوشید میلی‌سنت بالسترود را از خود دور کند. امّا لونا آرام و بی‌حرکت در کنار مأمور اسارتش ایستاده بود و چنان به منظره‌ی بیرون پنجره چشم دوخته بود گویی از جریان امور خسته شده‌بود.

هری به آمبریج نگاه کرد که با دقّت او را زیر نظر داشت. وقتی صدای گام‌هایی از راهروی بیرون دفتر به گوش رسید هری عمداً حالت بی‌تفاوت و بی‌اعتنایی به خود گرفت. مالفوی وارد اتاق شد و بلافاصله اسنیپ به درون اتاق قدم گذاشت.

اسنیپ با قیافه‌ای بی‌اعتنا به جفت‌های درگیر در اتاق نگاهی انداخت و گفت:

ـ خانم مدیر، شما با من کار داشتین؟

آمبریج دوباره از جایش برخاست و لبخندی به پهنای صورتش زد و گفت:

ـ آه، پروفسور اسنیپ، بله، می‌خواستم لطف کنین و هرچه زودتر، یه بطری دیگه از اون محلول راستی برام بیارین.

او از میان پرده‌ی موهای سیاه و چربش با حالت سرد و بی‌احساسی آمبریج را وارانداز کرد و گفت:

---

۱ ـ فنّی در ورزش کشتی ـ م.

ـ شما آخرین بطری محلول راستیمو برای بازجویی از پاتر گرفتین. فکر نمی‌کنم همه‌شو مصرف کرده‌باشین. بهتون گفته بودم که سه قطره کافیه.

آمبریج سرخ شد. او مثل هر بار که عصبانی می‌شد صدای دخترانه‌اش، ملایم‌تر و دخترانه‌تر شد و گفت:

ـ شما می‌تونین یه مقدار دیگه برام تهیّه کنین، نه؟

اسنیپ لب‌هایش را برهم فشرد و گفت:

ـ البتّه که می‌تونم. امّا به اندازه‌ی یک دور چرخش کامل ماه طول می‌کشه تا قوام بیاد. بنابراین تا یه ماه دیگه می‌تونم براتون آماده‌ش کنم.

آمبریج مثل وزغ‌ها بادی در غبغب انداخت و با حالتی گلایه‌آمیز گفت:

ـ یک ماه؟ یک ماه؟ ولی من امشب لازمش دارم، اسنیپ! من همین الان متوجّه شدم که پاتر با استفاده از آتش من با شخص یا اشخاص نامعلومی تماس گرفته.

اسنیپ به هری نگاه کرد و برای اوّلین بار آثار علاقه‌ی خفیفی بر چهره‌اش نمایان شد و گفت:

ـ جدّی؟ راستش تعجّب نمی‌کنم. پاتر هیچ‌وقت تمایلی به پیروی از مقرّرات مدرسه نشون نداده.

او با چشم‌های سرد و بی‌روحش مستقیم در چشم هری نگاه می‌کرد و هری بی‌آن‌که خم به ابرو بیاورد به او چشم دوخته بود و ذهنش را کاملاً بر روی خوابی که دیده بود متمرکز می‌کرد. از خدا می‌خواست که اسنیپ ذهنش را بخواند و بفهمد...

آمبریج با خشم گفت:

ـ من می‌خوام ازش بازجویی کنم.

اسنیپ نگاهش را از هری برداشت و به چهره‌ی آمبریج انداخت که از خشم می‌لرزید. آمبریج ادامه داد:

ـ از شما می‌خوام برای مـن مـعجونی تـهیّه کـنین کـه اونو مـجبور بـه راستگویی کنه!

اسنیپ با لحن ملایمی گفت:

ـ بهتون که گفتم، ذخیره‌ی محلول راستیم تموم شده. مگه این‌که شما بخواین پاترو مسموم کنین... و باید بهتون بگم که در این صورت با تمام وجودم باهاتون همدردی می‌کنم... امّا در غیر این‌صورت نـمی‌تونم کمکی بکنم. تنها مشکلی که هست اینه که اکثر زهرها خیلی زود اثر می‌کنن و به قربانی فرصتی برای گفتن حقیقت نمی‌دن...

اسنیپ دوباره به هری نگاه کرد که از فرط اشتیاقی که برای برقراری ارتباط غیرکلامی با او داشت به او زل زده‌بود. او با درماندگی در ذهنش می‌گفت: ولدمورت سیریوس‌رو به سـازمان اسـرار بـرده، ولدمـورت سیریوس‌رو به...

آمبریج با صدای جیغ‌مانندی گفت:

ـ خدمتت به‌صورت تعلیقی در می‌یاد.

اسنیپ ابروهایش را بالا برد و به او نگاه کرد. آمبریج ادامه داد:

ـ تو عمداً به من کـمک نـمی‌کنی! ازت بـیش‌تر از ایـنا انـتظار داشـتم، لوسیوس مالفوی همیشه خیلی ازت تعریف می‌کرد! حالا از دفترم برو بیرون!

اسنیپ با حالتی طعنه‌آمیز به او تعظیم کرد و برگشت که از در بیرون برود. هری می‌دانست آخرین امیدش برای آگاه‌ساختن محفل از آنچه اتّفاق افتاده‌بود از در بیرون می‌رود. او فریاد زد:

ـ اون پانمدی‌رو گرفته! اون پانمدی‌رو از مخفیگاهش برده!

اسنیپ که دستش روی دستگیره‌ی در دفتر آمبریج بـود هـمان‌جا متوقّف شد. پروفسور آمبریج که مشتاقانه به هری و اسنیپ نگاه می‌کرد گفت:

-پانمدی؟ پانمدی چیه؟ چی توی مخفیگاهه؟ منظورش چیه، اسنیپ؟

اسنیپ برگشت و به هری نگاه کرد. چهره‌ی اسنیپ مرموز و غیرقابل درک شده بود. هری نمی‌توانست حدس بزند که او منظورش را فهمیده است یا نه. امّا جرأت نمی‌کرد در حضور آمبریج واضح‌تر صحبت کند.

اسنیپ با لحن سردی گفت:

-من نمی‌دونم. پاتر، هر وقت خواستم برام چرت‌وپرت بگی نوشابه‌ی ورّاجی به خوردت می‌دم. کراب تو هم یه ذرّه دستتو شل‌تر کن اگه لانگ‌باتم خفه بشه یه عالم کار دفتری ملال‌آور باید انجام بدیم و متأسّفانه هر وقت بخوای جایی استخدام بشی من این مسئله‌رو توی سوابقت ذکر می‌کنم.

اسنیپ در را پشت سرش بست و هری را در وضعیّتی آشفته‌تر از پیش تنها گذاشت. اسنیپ آخرین و تنها امیدش بود. هری به آمبریج نگاه کرد که کمابیش با او همدرد بود. قفسه‌ی سینه‌اش با خشم و ناامیدی بالا و پایین می‌رفت. او چوبدستی‌اش را درآورد و گفت:

-بسیار خب، ... بسیار خب... هیچ چاره‌ی دیگه‌ای برام باقی نمونده... این موضوع فراتر از مقرّرات مدرسه‌ست... این موضوع مربوط به مسایل امنیّتی وزارتخونه‌ست... بله... بله...

به نظر می‌رسید که می‌خواهد خود را برای انجام کاری راضی کند. او با حالتی عصبی وزنش را روی این پا و آن پایش می‌انداخت و به هری خیره مانده بود. با چوبدستی‌اش به کف دست خالی‌اش ضربه می‌زد و به سختی نفس می‌کشید. هری به او نگاه می‌کرد و بدون چوبدستی‌اش به‌طور وحشتناکی احساس ضعف می‌کرد. آمبریج به آرامی گفت:

-طلسم شکنجه‌گر زبونتو باز می‌کنه.

هرمیون جیغ زد و گفت:

ـ نه! پروفسور آمبریج... این کار غیرقانونیه.

امّا آمبریج به او توجّهی نکرد. در چهره‌اش شور و هیجان نفرت‌انگیزی نمایان شده‌بود که هری پیش از آن ندیده بود. چوبدستی‌اش را بلند کرد. هرمیون فریاد زد:

ـ پروفسور آمبریج، وزیر هیچ‌وقت راضی نیست که شما قانون‌شکنی کنین!

ـ وقتی کورنلیوس از چیزی خبردار نشه ناراحت هم نمی‌شه.

اکنون آمبریج تندتند نفس می‌کشید و با چوبدستی‌اش بخش‌های مختلف بدن هری را نشانه می‌گرفت گویی می‌خواست تشخیص بدهد که کدام قسمت بیش‌تر آزار می‌بیند. او گفت:

ـ اون هیچ‌وقت نفهمید که تابستون پارسال، من به اون دو تا دیوانه‌ساز دستور دادم که به پاتر حمله کنن ولی در هر حال خوش‌حال بود که بهانه‌ای برای اخراج پاتر به‌دست آورده...

هری نفسش را در سینه حبس کرد و گفت:

ـ پس کار تو بود؟ تو دیوانه‌سازهارو فرستاده‌بودی دنبال من؟

آمبریج که چوبدستی‌اش‌رو به پیشانی هری آرام گرفته‌بود با صدای آهسته‌ای گفت:

ـ یکی باید یه کاری می‌کرد. همه‌شون شاکی بودن و می‌خواستن یه جوری تورو ساکت کنن... بی‌اعتبارت کنن... ولی این من بودم که بالاخره برای این کار اقدام کردم... حیف که از دستشون گریختی، نه، پاتر؟ ولی امروز راه گریزی نداری... به هیچ‌وجه نداری...

آن‌گاه نفس عمیقی کشید و گفت:

ـ کرو...

امّا در همان لحظه هرمیون با صدای دو رگه‌ای از پشت میلی

سنت‌بالسترود فریاد زد:

ـ نه! نه... هری... هری... باید بهش بگیم!

هری به بخش کوچکی از هرمیون که از پشت میلی‌سنت معلوم بود نگاه کرد و نعره زد:

ـ امکان نداره!

ـ مجبوریم بگیم، هری، در هر حال، اون به زور از زیر زبونت می‌کشه بیرون... چه فایده‌ای داره؟

هرمیون با درماندگی صورتش را به ردای میلی‌سنت بالسترود چسباند و شروع به گریه کرد. میلی‌سنت بلافاصله از فشردن او به دیوار دست برداشت و با نفرت از جلوی او کنار رفت. آمبریج با حالتی پیروزمندانه گفت:

ـ به‌به! خانم کوچولوی پر سؤال می‌خواد بهمون جواب بده. پس بیا این‌جا، دختر، بیا!

رون با وجودی که دهانش بسته بود فریاد زد:

ـ اِر ـ می ـ یون ـ نه!

جینی طوری به هرمیون نگاه می‌کرد گویی او را نمی‌شناخت. نویل که هنوز نمی‌توانست درست نفس بکشد نیز به او نگاه می‌کرد. امّا هری متوجّه چیزی شده‌بود. با این‌که هرمیون دستش را جلوی صورتش گرفته‌بود و گریه می‌کرد اثری از اشک بر روی چهره‌اش به چشم نمی‌خورد...

هرمیون گفت:

ـ از همه‌تون معذرت می‌خوام... امّا... من نمی‌تونم دیگه تحمّل کنم...

آمبریج شانه‌ی هرمیون را گرفت و او را روی صندلی راحتی گلدار انداخت و گفت:

ـ آفرین، دختر، آفرین. حالا بگو ببینم... پاتر همین الان با کی تماس

گرفت؟

هرمیون همان‌طورکه جلوی صورتش را گرفته‌بود به زور آب دهانش را فرو داد و گفت:

ـ راستش... راستش اون می‌خواست با پروفسور دامبلدور تماس بگیره...

رون که چشم‌هایش گشاد شده‌بود سر جایش بی‌حرکت ماند. جینی از تلاش برای لگدکردن پای مأمور دستگیری‌اش دست برداشت. حتّی لونا نیز کمی تعجّب کرده‌بود. خوشبختانه تمام حواسّ آمبریج و زیردست‌هایش به هرمیون بود از این‌رو به این حالت‌های مشکوک توجّهی نداشتند. آمبریج مشتاقانه گفت:

ـ دامبلدور؟ پس شما می‌دونین دامبلدور کجاست؟

هرمیون هق‌هق‌کنان گفت:

ـ نه! ما به پاتیل درزدار توی کوچه‌ی دیاگون و رستوران سه دسته جارو... و حتّی هاگزهد سر زدیم...

آمبریج که ناامیدی در تک‌تک چین‌های صورتش سایه انداخته بود گفت:

ـ ای دختر ابله! وقتی تمام وزارتخونه دنبال دامبلدور می‌گردن اون هیچ وقت نمی‌ره تو یه کافه بشینه!

هرمیون ناله‌کنان گفت:

ـ ولی آخه ما باید یه چیز مهّمی‌رو بهش می‌گفتیم!

هرمیون دست‌هایش را محکم‌تر به صورتش فشار داد و هری می‌دانست که او این کار را از شدّت ناراحتی انجام نمی‌دهد بلکه می‌خواهد صورت بدون اشکش را از دید دیگران پنهان کند. آمبریج که دوباره هیجانش اوج گرفته بود گفت:

ـ خب؟ چی می‌خواستین بهش بگین؟

هرمیون که به زور نفس می‌کشید گفت:

ـ من... می‌خواستیم بهش بگیم که... که... آماده‌س!

آمبریج دوباره شانه‌های هرمیون را گرفت و او را به آرامی تکان داد و گفت:

ـ چی آماده‌س؟ چی آماده‌س، دختر؟

هرمیون گفت:

ـ اون اسلحه آماده‌س!

آمبریج که از هیجان چشمانش گویی از حدقه درآمده بود گفت:

ـ اسلحه؟ اسلحه؟ شما داشتین روشی باری مقاومت تدارک می‌دیدین؟ اسلحه‌ای که می‌خواستین در برابر وزارتخونه ازش استفاده کنین؟ حتماً به دستور پروفسور دامبلدور، آره؟

هرمیون نفسش را در سینه حبس کرد و گفت:

ـ بـ. بله! امّا قبل از تموم‌شدنش اون مجبور شد بره و حالا... حالا ما اسلحه‌رو براش کامل کردیم. ولی نمی‌تونیم پیداش کنیم و بهش خبر بدیم!

آمبریج که هنوز با انگشتان خپل و کوتاهش شانه‌ی هرمیون را محکم نگه داشته بود با حالت خشنی گفت:

ـ چه جور اسلحه‌ایه؟

هرمیون با صدای بلندی بینی‌اش را بالا کشید و گفت:

ـ به... به... به خدا ما ازش سر در نمی‌یاریم. ما فقط همون کاری‌رو کردیم که پروفسور دامبلدور گفت بکنیم...

آمبریج که شاد و سرخوش شده‌بود صاف ایستاد و گفت:

ـ منو ببر پیش اون اسلحه.

هرمیون از لای انگشتانش نگاهی به دانش‌آموزان اسلیترینی انداخت و جیغ‌زنان گفت:

ـ من به اینا نشونش نمی‌دم...

پروفسور آمبریج با خشونت گفت:

ـ تو حق نداری برای من شرط بگذاری.

هرمیون که دوباره با دست‌هایش صورتش را پوشانده بود و گریه می‌کرد گفت:

- باشه... باشه... بگذار اونا هم ببینن... امیدوارم از اون بر علیه شما استفاده کنن! در واقع، من از خدا می‌خوام که هرچه بیش‌تر جمع بشن و بیان و اونو ببینن! شما سزاوار چنین چیزی هستین! اوه، چه‌قدر خوب می‌شد که همه‌ی بچّه‌های مدرسه می‌اومدن و می‌فهمیدن اون کجاست و چه‌طوری می‌شه ازش استفاده کرد. در این صورت اگه اذیّتشون کنین می‌تونن حقّتونو کف دستتون بگذارن!

این حرف‌ها تأثیر مطلوبی بر آمبریج گذاشت. او با نگاه سریع و آمیخته به سوءظنّش اعضای جوخه‌ی باجویی‌اش را از نظر گذراند. چشم‌های ورقلمبیده‌اش لحظه‌ای به مالفوی دوخته شد و او چنان کند و بی‌دست‌وپا بود که نتوانست حالت اشتیاق‌آمیز و طمعکارانه‌ی چهره‌اش را از میان ببرد.

آمبریج لحظه‌ای به هرمیون نگاه کرد و در افکارش غوطه‌ور شد. آن‌گاه با حالتی که معلوم بود باید مادرانه به نظر برسد به او گفت:

ـ باشه، عزیزم، چه‌طوره فقط من و تو بریم... پاترو هم با خودمون می‌بریم، باشه؟ پاشو...

مالفوی با شوق و ذوق گفت:

ـ پروفسور، پروفسور آمبریج، به نظر من چند تا از اعضای جوخه‌ی بازجویی هم باید همراهتون بیان که مواظبتون...

ـ مالفوی، من یکی از مقامات دوره‌دیده‌ی وزارتخونه‌ام. واقعاً فکر می‌کنی به تنهایی نمی‌تونم از پس دو تا نوجوون بدون چوبدستی

بربیام؟ در هر حال، به نظر می‌رسه که بچّه مدرسه‌ای‌ها نباید اونو ببینن. شما همین‌جا بمونین تا من برگردم و مراقب باشین که اینا...

او با دستش رون، جینی، نویل و لونا را نشان داد و گفت:

ـ فرار نکنن.

مالفوی با قیافه‌ای ناامید و عبوس گفت:

ـ چشم.

آمبریج با چوبدستی‌اش به هری و هرمیون اشاره کرد و گفت:

ـ شما دو تا هم می‌تونین جلو بیفتین و راه‌رو به من نشون بدین. زودتر راه بیفتین...

فصل ۳۳

جنگ و گریز

هری نمی‌دانست هرمیون چه نقشه‌ای در سر دارد یا اصولاً نقشه‌ای کشیده‌است یا نه. وقتی در راهروی دفتر آمبریج پیش می‌رفتند هری نیم قدم عقب‌تر از هرمیون حرکت می‌کرد زیرا اگر معلوم می‌شد که او نمی‌داند به کجا می‌روند کمی مشکوک به نظر می‌رسید. جرأت نداشت با هرمیون حرف بزند. آمبریج سایه به سایه‌ی آن‌ها می‌آمد و هری صدای نفس‌نفسش را می‌شنید.

هرمیون از پلّه‌ها پایین رفت و وارد سرسرای ورودی شد. صدای هیاهوی بلند دانش‌آموزان و صدای جیرینگ‌جیرینگ قاشق و چنگال و بشقاب‌ها از در دو لنگه‌ای سرسرای بزرگ بیرون می‌آمد و طنین می‌افکند. در نظر هری باورنکردنی بود که بیست قدم آن طرف‌تر افرادی بودند که با لذّت شام می‌خوردند، پایان امتحاناتشان را جشن

می‌گرفتند و در دنیا هیچ غمی نداشتند...

هرمیون از درهای چوب بلوطی خارج شد و از پلّه‌های سنگی پایین رفت. آن شب هوا ملایم و دلپذیر بود. خورشید در پشت سر شاخه‌ی درختان جنگل ممنوع غروب می‌کرد و هرمیون با گام‌هایی مصمّم بر روی چمن‌ها جلو می‌رفت. آمبریج ناچار بود آهسته بدود تا عقب نماند. سایه‌های تاریک و کشیده‌شان بر روی سبزه‌ها همچون شنلی در پشت سرشان موج می‌زد.

آمبریج مشتاقانه در گوش هری گفت:

ـ توی کلبه‌ی هاگریده، نه؟

هرمیون با لحن تندی گفت:

ـ معلومه که اونجا نیست. ممکن بود هاگرید به‌طور اتّفاقی و ندانسته اونو به کار بندازه.

آمبریج که شور و هیجانش اوج می‌گرفت گفت:

ـ بله، بله، ممکن بود این کارو بکنه، از اون گنده‌بک دو رگه بعید نبود...

آمبریج خندید. هری با تمام وجود می‌خواست برگردد و گلوی او را فشار بدهد امّا خودداری کرد. نسیم ملایم شبانه می‌وزید و جای زخم هری زق‌زق می‌کرد امّا هنوز سوزش آن مثل آهن گداخته‌ی سفید نشده‌بود و او می‌دانست که اگر ولدمورت قصد کشتن سیریوس را بکند، جای زخمش چنین سوزشی پیدا خواهدکرد...

هرمیون با گام‌های بلند به سوی جنگل پیش می‌رفت. آمبریج که شکّ و تردید در صدایش محسوس بود گفت:

ـ پس... کجاست؟

هرمیون به درختان تیره اشاره کرد و گفت:

ـ معلومه دیگه، اون‌جاست. باید جایی باشه که دانش‌آموزان تصادفاً پیداش نکنن دیگه.

آمبریج که دیگر کمی محتاطانه عمل می‌کرد گفت:

ـ البتّه، البتّه، درسته. باشه، پس شما دو تا جلوی من حرکت کنین.

هری از او پرسید:

ـ اگه قراره ما جلو بریم می‌شه چوبدستیتونو بدین به ما؟

آمبریج با چوبدستی‌اش از پشت به هری سیخونکی زد و با لحن ملایمی گفت:

ـ نه، نمی‌شه، آقای پاتر. متأسّفانه از نظر وزارت‌خونه جون ما خیلی ارزشمندتر از جون شماست.

وقتی به سایه‌ی خنک اوّلین درختان رسیدند هری کوشید نگاه هرمیون را به خود جلب کند. رفتن به داخل جنگل بدون چوبدستی احمقانه‌تر از تمام کارهایی بود که آن شب انجام داده‌بودند. امّا هرمیون فقط نگاه تحقیرآمیزی به آمبریج انداخت و یکراست به میان درختان رفت. با چنان سرعتی حرکت می‌کرد که آمبریج با پاهای کوتاهش به سختی می‌توانست خود را به او برساند.

هنگامی‌که ردای آمبریج به بوته‌های تمشک جنگلی گیر کرد و پاره شد پرسید:

ـ خیلی باید توی جنگل جلو بریم؟

هرمیون گفت:

ـ اوه، بله. اون کاملاً مخفیه.

بی‌اعتمادی هری شدّت می‌گرفت. هرمیون در همان مسیری که برای ملاقات گراوپ رفته بودند پیش نمی‌رفت. او راهی را در پیش گرفته‌بود که هری سه سال پیش طی کرده و به لانه‌ی هیولایی به نام آراگوگ رسیده‌بود. امّا آن دفعه هرمیون همراهش نبود و هری گمان نمی‌کرد او بداند که در پایان این مسیر چه خطری در انتظارشان است.

هری با حالت کنایه‌آمیزی از او پرسید:

ـ مطمئنی که داریم در مسیر درستی می‌ریم؟

هرمیون با اطمینان خاصّی گفت:

ـ البته.

او مرتّب پاهایش را به بوته‌های درهم پیچیده‌ی زیر درختان می‌کشید و از نظر هری سروصدای اضافی درمی‌آورد. آمبریج در پشت سرشان پایش به نهالی گیر کرد که روی زمین افتاده‌بود و به زمین خورد. هیچ‌یک از آن دو برای کمک به او درنگ نکردند. هرمیون که با گام‌های بلند جلو می‌رفت فقط سرش را برگرداند و گفت:

ـ یه ذرّه دیگه مونده.

هری با عجله خود را به او رساند و زیر لب گفت:

ـ هرمیون، صداتو بیار پایین. ممکنه موجودات مختلفی صداتو بشنون...

آمبریج با سروصدای زیادی دنبال آن‌ها می‌دوید. هرمیون به آرامی به هری گفت:

ـ منم می‌خوام صدامونو بشنون، حالا خودت می‌بینی...

آن‌ها مدّتی که بسیار طولانی به نظر می‌رسید به راهشان ادامه دادند تا این‌که به محدوده‌ای از جنگل رسیدند که شاخه‌های تودرتوی بالای سرشان از تابش نور جلوگیری می‌کرد. هری دوباره همان احساسی را داشت که قبلاً در جنگل تجربه کرده‌بود. حس می‌کرد چشم‌هایی نادیدنی به او خیره شده‌اند...

آمبریج از پشت سر آن‌ها با خشم فریاد زد:

ـ چه‌قدر دیگه مونده؟

همان‌وقت به محوطه‌ی خالی از درختی رسیدند که بسیار کم نور و مرطوب بود و هرمیون گفت:

ـ دیگه چیزی نمونده! فقط یه ذرّه دیگه...

تیری در هوا به پرواز درآمد با صدای بلند و تهدیدآمیزی درست

بالای سر او بر تنه‌ی درختی فرو آمد. صدای سم‌های متعدّدی در فضای جنگل پیچید. هری لرزش زمین را زیر پایش حس می‌کرد. آمبریج جیغ کوتاهی کشید و هری را مانند سپری جلویش گرفت...

هری پیچ‌وتابی خورد و خود را از چنگ او رها کرد. حدود پنجاه سانتور از هر سو به سمتشان می‌آمدند. تیرهایشان در کمان‌ها آماده بود و همگی هری، هرمیون و آمبریج را نشانه گرفته‌بودند که آهسته به سمت مرکز محوطه عقب‌عقب می‌رفتند. آمبریج از وحشت زوزه‌های عجیبی می‌کشید. هری زیرچشمی به هرمیون نگاه کرد. لبخند پیروزمندانه‌ای بر چهره‌اش نشسته بود.

صدای کسی به گوش رسید که پرسید:

ـ تو کی هستی؟

هری به سمت چپش نگاه کرد. سانتوری با بدن اسب کهر که مگورین نام داشت از حلقه‌ی سانتورها خارج شده‌بود و به سمت آن‌ها می‌آمد. در سمت راست هری، آمبریج همچنان ناله می‌کرد. چوبدستی‌اش را که به شدّت می‌لرزید به سمت سانتوری که پیش می‌آمد نشانه گرفته‌بود. مگورین با لحن خشنی گفت:

ـ پرسیدم تو کی هستی، انسان؟

آمبریج که از وحشت صدایش زیر و گوشخراش شده‌بود گفت:

ـ من دلورس آمبریجم! معاون اوّل وزیر سحر و جادو و مدیره و بازرس عالی‌رتبه‌ی هاگوارتز!

سانتورهایی که دورشان حلقه زده‌بودند با بی‌قراری می‌جنبیدند.

مگورین گفت:

ـ توی وزارت سحر و جادو هستی؟

آمبریج با صدای بلندتری گفت:

ـ آره، درسته! بنابراین حواستو جمع کن! بر طبق قوانین مصوّب سازمان

سازماندهی و نظارت بر موجودات جادویی، هر حمله‌ای که توسّط دو رگه‌هایی مثل شما به انسان‌ها...

سانتوری با بدن سیاه که وحشی به نظر می‌رسید و هری می‌دانست بن نام دارد فریاد زد:

ـ به ما گفتی چی؟

صدای زمزمه خشم‌آلودی بلند شد و سانتورها زه کمانشان را محکم‌تر کشیدند. هرمیون با خشم گفت:

ـ با اون لفظ خطابشون نکنین!

امّا به نظر می‌رسید که آمبریج صدای او را نشنیده است. درحالی‌که همچنان چوبدستی لرزانش را به‌طرف مگورین گرفته بود ادامه داد:

ـ در بند ب قانون پانزدهم تصریح شده که «هر موجود جادویی که دارای درجه‌ی هوشی نزدیک به انسان باشد درصورتی‌که به انسان حمله کند مسؤول عمل خویش تلقّی می‌شود...»

بن و چند سانتور دیگر از خشم نعره برآوردند و سم‌هایشان را به زمین کشیدند. مگورین گفت:

ـ درجه‌ی هوشی نزدیک به انسان؟ از نظر ما این یک توهینه، انسان! خدا رو شکر که هوش ما فراتر از هوش شماست...

سانتور خاکستری رنگی که چهره‌ی عبوسی داشت و هری و هرمیون در آخرین سفرشان به جنگل او را دیده بودند نعره زد:

ـ شما توی جنگل ما چی کار دارین؟ چرا اومدین این‌جا؟

آمبریج که این بار لرزش بدنش علاوه بر ترس حاکی از ناخشنودی او نیز بود گفت:

ـ جنگل شما؟ باید بهتون یادآوری کنم که اگه شما این‌جا زندگی می‌کنین فقط برای اینه که وزارت سحر و جادو مناطق مشخّصی رو براتون مجاز...

تیری که از بالای سرش گذشت چنان نزدیک بود که به موی موشی رنگش کشیده شد. آمبریج جیغ گوشخراشی کشید و دست‌هایش را روی سرش گذاشت. بعضی از سانتورها نعره‌زنان موافقشان را با این حمله اعلام می‌کردند و بعضی دیگر با صدای ناهنجاری می‌خندیدند. صدای خنده‌ی وحشیانه و شیهه‌مانندشان در محوطه‌ی بی‌درخت و کم‌نور اطرافشان می‌پیچید. مشاهده‌ی صحنه‌ی کشیدن سم‌هایشان بر روی زمین بسیار هولناک بود. بن نعره زد:

ـ حالا بگو، این‌جا جنگل کیه، انسان؟

آمبریج که هنوز با دست‌هایش محکم سرش را گرفته بود جیغ زد و گفت:

ـ دو رگه‌های کثافت! درنده‌ها! حیوانات وحشی!

هرمیون فریاد زد:

ـ ساکت!

امّا دیگر دیر شده‌بود. آمبریج با چوبدستی‌اش مگورین را نشانه گرفت و فریاد زد:

ـ *اینکارسروس!*

طناب‌هایی به ضخامت مار در هوا پدیدار شدند. محکم به دور نیم‌تنه‌ی او پیچیدند و دست‌هایش را بستند. او از خشم نعره زد و بر روی دو پای عقبی‌اش بلند شد. هنگامی که او تقلاً می‌کرد تا خود را آزاد کند سایر سانتورها نیز جلو آمدند.

هری هرمیون را گرفت و به سمت زمین کشید. صورتشان رو به زمین قرار گرفته بود و وقتی صدای گرمپ‌گرمپ سم سانتورها در اطرافشان بلند شد هری لحظه‌ای به شدّت وحشت زده شد امّا سانتورها که از خشم نعره می‌زدند از روی آن‌ها پریدند. هری صدای جیغ آمبریج را شنید:

ـنه! نـــــه... من معاون اوّلم... شما نمی‌تونین... منو بذارین زمین... ای حیوون‌ها... نه!

هری پرتوی از جرقّه‌های سرخ رنگ دید و فهمید که او قصد بیهوش‌کردن یکی از سانتورها را داشته‌است... سپس آمبریج با صدای بسیار بلندی جیغ زد. هری چند سانتی‌متر سرش را بلند کرد و آمبریج را دید. بن او را از پشت بلند کرده و به هوا برده بود. او از وحشت پیچ‌وتاب می‌خورد و نعره می‌کشید. چوبدستی‌اش از دستش به زمین افتاد. قلب هری در سینه فرو ریخت. اگر می‌توانست خود را به آن برساند....

امّا همین‌که هری دستش را به سمت آن دراز کرد سمّ سانتوری بر روی آن فرود آمد و آن را دو نیم کرد.

ـحالا!

صدای نعره‌ای در گوش هری پیچید و دست بزرگ و پرمویی ناگهان او را از زمین بلند کرد تا روی پاهایش بایستد. هری از میان بدن و سرهای رنگارنگ سانتورها، بن را دید که آمبریج را با خود به میان درختان می‌برد. صدای جیغش لحظه‌ای قطع نمی‌شد. صدایش ضعیف و ضعیف‌تر شد تا آن‌که در میان صدای سم‌های اطرافشان دیگر به گوش نرسید.

سانتور خاکستری رنگ عبوس که هرمیون را نگه داشته بود گفت:

ـتکلیف اینا چیه؟

سانتوری با صدای ملایم و غم‌زده از پشت هری گفت:

ـاینا بچّه‌ن. ما به کرّه‌ها حمله نمی‌کنیم.

سانتوری که محکم هری را نگه داشته بود گفت:

ـاینا اون زنه‌رو به این‌جا آوردن، رونان. در ضمن زیاد هم بچّه نیستن... این یکی که دیگه داره مرد می‌شه...

او هری را که از یقه‌ی ردایش گرفته بود تکان داد. هرمیون که نفسش بند آمده‌بود گفت:

ـ خواهش می‌کنم، خواهش می‌کنم به ما حمله نکنین. ما مثل اون فکر نمی‌کنیم. ما کارمند وزارت سحر و جادو نیستیم! ما فقط برای این اومدیم این‌جا که شما اونو از ما دور کنین...

هری از مشاهده‌ی چهره‌ی سانتوری که هرمیون را گرفته بود بلافاصله فهمید که هرمیون با گفتن این حرف اشتباه بزرگی کرده‌است. سانتور خاکستری سرش را عقب برد و با خشم سم‌های عقبی‌اش را به زمین کوبید و نعره زد:

ـ دیدی، رونان؟ اینا هم تکبّر و خودپسندی نژادشونو دارن! پس قرار بود ما کار کثیف شمارو انجام بدیم، آره، دختر انسان؟ باید نقش خدمتکاران شمارو بازی می‌کردیم و مثل سگ‌های مطیع دشمنانتونو ازتون دور می‌کردیم؟

هرمیون با چهره‌ی وحشت‌زده و صدای جیرجیرمانندی گفت:

ـ نه! خواهش می‌کنم... منظورم این نبود! من فقط امیدوار بودم که شما بتونین... به ما کمک کنین...

امّا به نظر می‌رسید که او وضعشان را وخیم‌تر کرده‌است.

سانتوری که هری را نگه داشته بود او را محکم‌تر گرفت و در همان حال کمی روی پاهای عقبی‌اش بلند شد چنان‌که هری احساس کرد پاهایش لحظه‌ای از زمین جدا شده‌است. او با خشم گفت:

ـ ما به انسان‌ها کمک نمی‌کنیم! ما یه نژاد جداگانه‌ایم و به خودمون افتخار می‌کنیم... بهتون اجازه نمی‌دیم از این‌جا برین و به خودتون ببالین که ما از دستورتون اطاعت کردیم!

هری فریاد زد:

ـ ما هیچ‌وقت چنین حرفی نمی‌زنیم! ما می‌دونیم که شما کاری‌رو چون

ما ازتون خواسته بودیم، انجام ندادین.

امّا ظاهراً کسی به حرف‌های او توجّهی نداشت. سانتور ریشویی از عقب گروه فریاد زد:

ـ اونا بی‌دعوت به این‌جا اومدن و باید به سزای عملشون برسن!

بلافاصله هیاهوی موافقت‌آمیزی بلند شد و سانتوری با بدن قهوه‌ای مات فریاد زد:

ـ اینارو هم باید ببریم پیش زنه!

هرمیون که اشک‌های واقعی از چهره‌اش سرازیر شده‌بود فریاد زد:

ـ شما گفتین به بی‌گناه‌ها صدمه نمی‌زنین! ما که آسیبی به شما نرسوندیم. نه از چوبدستی استفاده کردیم نه تهدیدتون کردیم. ما فقط می‌خوایم برگردیم به مدرسه‌مون، خواهش می‌کنم بگذارین ما برگردیم...

سانتور خاکستری فریاد زد:

ـ همه‌ی ما مثل فایرنز خائن نیستیم، دختر انسان!

همنوعانشان با صدای شیهه‌های بلندی موافقتشان با او را نشان می‌دادند. او ادامه داد:

ـ حتماً فکر کردی ما اسب‌های خوشگل سخنگوییم، آره؟ ما قومی باستانی هستیم که اهانت‌ها و تجاوزهای جادوگران‌رو تحمّل نمی‌کنیم! ما قوانین شمارو قبول نداریم، ما برتری شمارو نمی‌پذیریم، ما...

امّا آن‌ها نفهمیدند که سانتورها چه چیزهای دیگری را نمی‌پذیرند زیرا درست در همان لحظه صدای بلند شکستن شاخه‌ها از حاشیه‌ی محوطه‌ی بی‌درخت به گوش رسید. این صدا چنان بلند بود که همه‌ی آن‌ها، یعنی هری، هرمیون و چهل‌پنجاه سانتوری که در محوطه جمع بودند، سرهایشان را برگرداندند. سانتوری که هری را گرفته بود او را روی زمین رها کرد زیرا دستش به سمت کمان و تیردانش رفته بود.

هرمیون را نیز رها کرده‌بودند و وقتی هری با عجله به سمت هرمیون می‌رفت تنه‌ی دو درخت قطور به‌طور تهدیدآمیزی از هم فاصله‌گرفتند و قیافه‌ی هیولامانند غولی به نام گراوپ در فاصله‌ی میان دو درخت نمایان شد.

سانتورهایی که از همه به او نزدیک‌تر بودند عقب‌عقب رفتند و به بقیّه پیوستند. تیر و کمان‌های بی‌شماری آماده برای پرتاب بود. همه‌ی تیرها را به سمت صورت خاکستری رنگ و عظیم گراوپ نشانه رفته بودند که اکنون از زیر سقف پرشاخ و برگ محوطه به آن‌ها نزدیک می‌شد. دهان اریب گراوپ ابلهانه باز مانده‌بود. آن‌ها برق دندان‌های زرد و آجرمانندش را در نور ضعیف جنگل می‌دیدند. وقتی به سانتورهای پایین پایش نگاه می‌کرد چشم‌های سبز لجنی‌اش را تنگ کرده‌بود. طناب‌های پاره‌شده، در پشت قوزک هر دو پایش روی زمین کشیده می‌شد.

او دهانش را بازتر از قبل کرد و گفت:

ـ هاگر.

هری نمی‌دانست «هاگر» چه معنایی دارد یا متعلّق به چه زبانی است. امّا برایش اهمیّتی نداشت... او به پاهای گراوپ نگاه می‌کرد که طول آن هم‌اندازه‌ی قدّ هری بود. هرمیون بازوی هری را گرفت و محکم فشرد. سانتورها ساکت بودند و به غول نگاه می‌کردند که سر عظیم و گردش را از این سو به آن سو تکان می‌داد و همان‌طور که آن‌ها را نگاه می‌کرد گویی به دنبال چیزی می‌گشت که از دستش افتاده‌بود. او با اصرار بیش‌تری دوباره گفت:

ـ هاگر!

مگورین گفت:

ـ غول، از این‌جا برو! جای تو در میان ما نیست!

از قرار معلوم این جملات هیچ تأثیری بر گراوپ نگذاشت. او کمی خم شد (و سانتورها زه‌کمانشان را محکم‌تر کشیدند) سپس نعره زد:

ـ هاگر!

حالا دیگر عدّه‌ای از سانتورها نگران به نظر می‌رسیدند. امّا هرمیون نفسش را در سینه حبس کرد و آهسته گفت:

ـ هری! به نظرم سعی می‌کنه بگه «هاگرید»!

درست در همان لحظه گراوپ آن‌ها را دید. آن دو تنها انسان‌ها در میان دریایی از سانتورها بودند. او حدود سی‌سانتی‌متر دیگر سرش را پایین آورد و مشتاقانه به آن‌ها نگاه کرد. همین‌که گراوپ دهانش را دوباره باز کرد هری لرزش هرمیون را احساس کرد. گراوپ با صدایی بم و غرّش مانند گفت:

ـ هرمی.

هرمیون که چیزی نمانده‌بود از حال برود چنان محکم دست هری را فشرد که سست و بی‌حس شد. آنگاه گفت:

ـ خدایا! اون منو یادشه! یادشه!

گراوپ غرّش‌کنان گفت:

ـ هرمی! هاگر کجا؟

هرمیون سراسیمه با صدای جیغ‌مانندی گفت:

ـ نمی‌دونم، متأسّفم گراوپ، ولی من نمی‌دونم!

ـ گراوپ هاگر می‌خواد!

یکی از دست‌های عظیم غول به سمت آن‌ها پایین آمد... هرمیون از ته دل جیغ کشید و چند قدم عقب دوید و افتاد. هری که چوبدستی نداشت خود را آماده کرد که با مشت و لگد، با چنگ و دندان یا هرطور که لازم بود مبارزه کند و دست عظیم که همچنان به طرف او می‌آمد در راهش سانتور سفیدی را به زمین انداخت.

سانتورها که گویی منتظر چنین لحظه‌ای بودند درست وقتی که انگشتان از هم بازشده‌ی گراوپ فقط سی‌سانتی‌متر با هری فاصله داشت پنجاه تیر را به سمت غول شلیک کردند. تیرها همچون رگباری به‌صورت عظیم غول برخورد کرده، باعث شدند از درد و خشم نعره بزند و دوباره صاف بایستد. او با دست‌های بزرگش صورتش را می‌مالید و باعث می‌شد دنباله‌ی تیرها بشکند و سر تیزشان بیش‌تر در گوشتش فرو برود.

او نعره می‌زد و پاهایش را به زمین می‌کوبید. سانتورها پراکنده شدند و از جلوی راهش کنار رفتند. قطره‌های خون گراوپ که به اندازه‌ی قلوه‌سنگ بودند بر روی هری ریخت. هری هرمیون را از زمین بلند کرد و هر دو با آخرین سرعتی که می‌توانستند به سمت درختان دویدند تا در پشت آن‌ها پناه بگیرند. همین‌که به پشت درختان رسیدند برگشتند و گراوپ را دیدند که کورمال‌کورمال دست‌هایش را به سانتورها نزدیک می‌کرد و در هوا چنگ می‌زد. قطره‌های خون تمام صورتش را پوشانده بود. سانتورها در سمت دیگر محوطه‌ی بی‌درخت به‌صورتی آشفته عقب‌نشینی می‌کردند و از میان درختان به تاخت می‌گریختند. هری و هرمیون گراوپ را دیدند که از خشم نعره‌ی دیگری زد و دنبال سانتورها رفت. همان‌طورکه جلو می‌رفت درختان سر راهش را می‌شکست.

هرمیون چنان به شدّت می‌لرزید که زانوهایش خم شد. او گفت:
ـ اوه، نه. چه‌قدر وحشتناک بود. ولی ممکنه تمام سانتورهارو بکشه...
هری با لحن گزنده‌ای گفت:
ـ اگه راستشو بخوای، من یکی که باکم نیست.

صدای تاخت و تاز سانتورها و غول بی‌دست‌وپا ضعیف و ضعیف‌تر می‌شد. هری با شنیدن صدای آن‌ها از دور سوزشی در جای

زخمش حس کرد و وجودش لبریز از وحشت شد.

آن‌ها وقت زیادی را تلف کرده‌بودند... اکنون نجات سیریوس حتّی از زمانی که غیب‌بینی کرده بود نیز غیرمحتمل‌تر به نظر می‌رسید. او چوبدستی‌اش را از دست داده‌بود و علاوه بر آن، بدون هیچ وسیله‌ی نقلیه‌ای در وسط جنگل ممنوع همراه با هرمیون گیر افتاده بود.

هری که می‌خواست دقّ دلی‌اش را خالی کند با خشم به هرمیون گفت:

ـ عجب نقشه‌ی خوبی بود! واقعاً که خیلی خوب بود. حالا از این‌جا کجا باید بریم؟

هرمیون با صدای ضعیفی گفت:

ـ باید برگردیم به قلعه.

هری از شدّت خشم به یکی از درختانی که نزدیک‌تر بود لگدی زد و گفت:

ـ تا موقعی که برسیم اون‌جا، احتمالاً سیریوس کشته شده!

بلافاصله صدای گوشخراشی را از بالای سرش شنید و همین‌که سرش را بلند کرد چشمش به داربد خشمگینی افتاد که انگشتان کشیده‌ی تراشه‌مانندش را برای او بازوبسته می‌کرد.

هرمیون خودش را بالاتر کشید و با ناامیدی گفت:

ـ بدون چوبدستی هیچ کاری نمی‌تونیم بکنیم. راستی، هری، خیال داشتی چه‌طوری از این‌جا به لندن بری؟

صدای آشنایی از پشت سرش به گوش رسید که گفت:

ـ اتّفاقاً ما هم داشتیم به همین موضوع فکر می‌کردیم.

هری و هرمیون، هر دو با هم، بی‌اختیار برگشتند و با دقّت لابه‌لای درختان را نگاه کردند. چشمشان به رون افتاد و بلافاصله جینی، لونا و نویل پشت سر او پدیدار شدند. سر و وضع هر سه‌ی آن‌ها کمی بدتر از

قبل بود؛ روی صورت جینی چند خراش عمودی به چشم می‌خورد؛ برجستگی بزرگ و کبودی بالای چشم راست نویل ایجاد شده‌بود و لب رون بدتر از قبل خونریزی می‌کرد... امّا همه‌ی آن‌ها راضی و خشنود به نظر می‌رسیدند.

رون شاخه‌ی پایینی درختی را از سر راهش کنار زد و دستش را دراز کرد تا چوبدستی او را به دستش بدهد و در همان حال گفت:

ـ خب، فکری به نظرتون نرسید؟

هری چوبدستی‌اش را از رون گرفت و با شگفتی از او پرسید:

ـ چه‌طوری از چنگشون فرار کردین؟

رون که اکنون چوبدستی هرمیون را نیز به دست او می‌داد با بی‌خیالی گفت:

ـ با دو سه تا بیهوش‌کننده و یه افسون خلع سلاح. نویل هم یه طلسم بازداری کوچولوی مامانی برامون اجرا کرد. امّا از همه بهتر جینی بود. جینی با طلسم فضله‌ی خفّاشش مالفوی‌رو جادو کرد... خیلی معرکه بود... تمام صورتشو پوشونده بود... خلاصه از پنجره شمارو دیدیم که به طرف جنگل اومدین. برای همین اومدیم دنبالتون. چه بلایی سر آمبریج آوردین؟

هری گفت:

ـ یه گلّه سانتور بردنش.

جینی که هاج و واج مانده‌بود گفت:

ـ اون وقت شمارو به حال خودتون گذاشتن که برگردین؟

هری گفت:

ـ نه بابا! گراوپ دنبالشون کرد.

لونا که علاقه‌مند شده‌بود گفت:

ـ گراوپ کیه؟

رون بی‌درنگ گفت:

ـ برادر کوچک هاگریده. حالا فعلاً قضیّه‌ی گراوپ‌رو فراموش کنین. هری، از توی آتیش چیزی دستگیرت شد؟ اسـمشونبر سیریوس‌رو گرفته یا...؟

هری که جای زخمش دوباره تیر می‌کشید گفت:

ـ آره... من مطمئنم که سیریوس هنوز زنده‌س امّا نمی‌دونم چه‌طوری باید بریم اون‌جا که کمکش کنیم.

همه ساکت شده‌بودند و هراسان به نظر مـی‌رسیدند. با مشکلی مواجه شده‌بودند که غیرقابل حل می‌نمود.

لونا با حالتی بسیار نزدیک به بی‌تفاوتی همیشگی کـه هـری در او دیده‌بود گفت:

ـ خب حالا باید پرواز کنیم دیگه، درسته؟

هری رویش را به او کرد و با آزردگی گفت:

ـ اوّل از همه این‌که «ما» این کارو نمی‌کنیم پس بیخود خودتو قاطی نکن. دوّم این‌که رون تنها کسیه که جارو داره و یه غـول امـنیّتی از جاروش محافظت نمی‌کنه.

جینی گفت:

ـ منم جارو دارم.

رون با عصبانیّت گفت:

ـ آره، ولی قرار نیست تو بیای.

جینی چنان لب پایینش آویزان بود که شباهتش به فرد و جرج باور نکردنی به نظر می‌رسید. او گفت:

ـ خیلی باید ببخشین، ولی منم به اندازه‌ی شما برای سیریوس نگرانم.

هری شروع به صحبت کرد و گفت:

ـ تو هنوز خیلی...

امّا جینی قاطعانه گفت:

ـ اون زمانی که خودت برای سنگ جادو با اسمشونبر جنگیدی سه سال از الان من کوچک‌تر بودی. تازه، اگه من نبودم الان مالفوی توی دفتر آمبریج گیر نیفتاده بـود و ان دمـاغ‌های گنـده‌ی پرنـده بـهش حمله نمی‌کردن...

ـ آره، ولی...

نویل به آرامی گفت:

ـ ما همگی توی جلسات الف‌دال با هم بودیم. مگه همه‌ی اون کارها برای مبارزه با اسمشونبر نبود؟ خب حالا این اوّلین فرصتیه که برامون پیش اومده که یه کار درست و حسابی بکنیم... نکنه همه‌ی اون کارها مسخره‌بازی بود؟

هری با بی‌قراری گفت:

ـ نه، معلومه که نبود...

نویل رک و راست گفت:

ـ پس ما هم باید بیایم. می‌خوایم کمک کنیم.

لونا با خوش‌حالی لبخند زد و گفت:

ـ راست می‌گه.

نگاه هری با نگاه رون تلاقی کرد. می‌دانست که رون نیز دقیقاً بـه همان چیزی فکر می‌کند که در ذهن خودش بود: اگر قرار بود از میان اعضای الف‌دال کسانی را غیر از خودش، رون و هرمیون، برای نجات سیریوس انتخاب کند این افراد به هیچ‌وجه جینی، لونا و نویل نبودند.

هری که دندان‌هایش را برهم می‌فشرد گفت:

ـ البتّه اهمیّت زیادی هم نداره، چون هنوز نمی‌دونیم چه‌طوری بـاید بریم اون‌جا.

رون که خشمش با خشم هری به هیچ‌وجه قابل مقایسه نبود گفت:

ـ ببین، تو ممکنه بتونی بدون جارو پرواز کنی ولی ما نمی‌تونیم هر وقت دلمون خواست بال دربیاریم...

لونا با آرامش گفت:

ـ برای پروازکردن غیر از جارو سواری راه‌های دیگری هم وجود داره.

رون گفت:

ـ حتماً راهش اینه که سوار اسنورچل شاخ پلاسیده بشیم، آره؟

لونا با وقار و متانت گفت:

ـ اسنورکک شاخ چروکیده نمی‌تونه پرواز کنه. ولی *اونا* می‌تونن. هاگرید می‌گفت اونا خیلی خوب می‌تونن جایی‌رو که سوارشون می‌خواد بره پیدا کنن.

هری چرخی زد و به پشت سرش نگاه کرد. میان دو درخت، دو تسترال ایستاده بودند و چشم‌های سفیدشان به‌طور خوفناکی برق می‌زد. چنان به گفت‌وگوهای زمزمه‌مانند آن‌ها توجّه می‌کردند گویی تمام حرف‌هایشان را می‌فهمیدند.

هری به سمت آن دو رفت و آهسته گفت:

ـ آره!

آن‌ها سرشان را که مانند خزندگان بود به سمت عقب بردند تا یال‌های بلند و سیاهشان کنار برود. هری مشتاقانه دستش را دراز کرد و گردن برّاق اسبی را که نزدیک‌تر بود نوازش کرد. چه‌طور می‌توانست آن‌ها را زشت بنامد؟

رون با حالتی تردیدآمیز گفت:

ـ منظورش همون اسب‌های احمقانه‌س؟

رون به نقطه‌ای در سمت چپ اسبی نگاه کرد که هری در حال نوازش آن بود و ادامه داد:

ـ همونایی که کسی نمی‌تونه اونارو ببینه مگه این‌که کسی‌رو در حال

رفتن به اون دنیا دیده باشه؟

هری گفت:

ـ آره.

ـ چند تا هستن؟

ـ فقط دو تا.

هرمیون که کمی بهت زده ولی همچنان مصمّم بود گفت:

ـ ولی ما به سه تا اسب احتیاج داریم.

جینی اخم کرد و گفت:

ـ به چهار تا احتیاج داریم، هرمیون.

لونا تعداد نفرات را شمرد و با آرامش گفت:

ـ فکر می‌کنم تعدادمون شش نفره.

هری با عصبانیّت گفت:

ـ خنگ‌بازی در نیارین، همه‌مون با هم نمی‌تونیم بریم! شما سه تاگوش
کنین ببینین چی می‌گم...

او که نویل، جینی و لونا را مخاطب قرار داده‌بود ادامه اد:

ـ شما توی این قضیّه درگیر نیستین، شما نه...

آن‌ها به مخالفت بیش‌تری پرداختند. جای زخم هری سوزش
دردناک دیگری پیدا کرد. هر لحظه‌ای که می‌گذشت برایش ارزشمند
بود. او دیگر فرصتی برای بگومگو نداشت. با خشونت به آن‌ها گفت:

ـ باشه، اشکالی نداره، امّا خودتون خواستین. ولی اگر تسترال‌های
دیگه‌ای پیدا نکنیم شما نمی‌تونین...

جینی با اطمینان خاصّی گفت:

ـ اوه، حتماً چند تا دیگه هم می‌یان.

او نیز مانند رون چشم‌هایش را تنگ کرده‌بود و به جهت نادرستی نگاه
می‌کرد. کاملاً معلوم بود که خیال کرده‌است به اسب‌ها نگاه می‌کند.

هری از او پرسید:

ـ برای چی فکر می‌کنی می‌یان؟

ـ شاید خودتون متوجّه نشده‌باشین ولی در واقع تو و هرمیون سرتاپاتون خونی شده و همون‌طوری که می‌دونین هاگرید تسترال‌هارو با گوشت خام به سمت خودش می‌کشونه. بنابراین شاید علّت اومدن اون دو تا همین موضوع باشه...

هری در همان لحظه کشش ملایمی را روی ردایش حس کرد و وقتی پایین را نگاه کرد متوجّه شد که نزدیک‌ترین تسترال آستینش را می‌لیسد که آغشته به خون گراوپ است.

هری که فکر خوبی به ذهنش رسیده‌بود گفت:

ـ باشه، پس من و رون سوار این دو تا می‌شیم و جلو می‌ریم. هرمیون همین‌جا پیش شما می‌مونه تا تسترال‌های بیش‌تری‌رو جلب کنه...

لونا لبخندزنان گفت:

ـ احتیاجی نیست. نگاه کنین... چند تا دیگه هم اومدن... معلومه که شما دو تا خیلی بو می‌دین...

هری برگشت. بیش از شش هفت تسترال از لابه‌لای درختان به سمت آن‌ها می‌آمدند. بال‌های بزرگ چرمیشان را به بدنشان چسبانده بودند. چشم‌هایشان در تاریکی برق می‌زد. هری که دیگر هیچ بهانه‌ای نداشت با عصبانیّت گفت:

ـ باشه، پس هر کدومتون یکی شونو انتخاب کنین و سوار بشین.

فصل ۳۴

سازمان اسرار

هری یال نزدیک‌ترین تسترال را محکم گرفت. پایش را بر روی کنده‌ای در نزدیکی آن گذاشت و ناشیانه خود را بالا کشید و بر روی پشت سیاه و نرم اسب نشست. تسترال مقاومتی از خود نشان نداد و تنها کاری که کرد این بود که سرش را برگرداند، طوری‌که دندان‌های تیزش نمایان شد، و به لیسیدن آستین ردای هری ادامه داد.

هری متوجّه شد که پشت مفصل بال آن‌ها جای مناسبی برای تکیه‌دادن زانویش وجود دارد که باعث می‌شود احساس امنیّت بیش‌تری بکند. آنگاه سرش را برگرداند تا به دیگران نگاهی بیندازد. نویل خود را از تسترال دیگر بالا کشیده‌بود و می‌خواست پای کوتاهش را به سمت دیگر بدن تسترال بیندازد. لونا بر روی یکی از تسترال‌ها طوری نشسته بود که هر دو پایش در یک طرف قرار داشت و در آن

لحظه ردایش را مرتب می‌کرد گویی سوارشدن بر پشت این اسب‌ها، کار روزانه‌اش بود. امّا رون، هرمیون و جینی سر جایشان بی‌حرکت ایستاده بودند و با دهان باز به آن‌ها نگاه می‌کردند. هری گفت:

ـ چیه؟

رون با صدای ضعیفی گفت:

ـ ما چه جوری باید سوار بشیم؟ ما که نمی‌تونیم اونارو ببینیم.

لونا برای کمک به آن‌ها از روی تسترال سُر خورد و پایین آمد. به سمت رون، هرمیون و جینی رفت و گفت:

ـ خیلی آسونه... بیاین این‌جا...

او آن‌ها را به طرف تسترال‌هایی برد که در اطرافشان ایستاده بودند و یکی‌یکی به آن‌ها کمک کرد تا سوار شوند. وقتی لونا دست‌هایشان را لابه‌لای یال تسترال‌ها گیر می‌داد و می‌گفت آن را محکم بگیرند هر سه نفر بسیار نگران و عصبی به نظر می‌رسیدند. سرانجام لونا به سمت اسب خودش رفت.

رون که دست دیگرش را با احتیاط به بالا و پایین گردن اسب می‌کشید با صدای ضعیفی گفت:

ـ این دیوونگیه... دیوونگیه... کاش می‌تونستم ببینمش...

هری با حالت مرموزی گفت:

ـ امیدوار باش همیشه نامریی بمونن، این‌طوری خیلی بهتره... خب، همه حاضرین؟

همه با حرکت سرشان آمادگی خود را اعلام کردند و او پنج جفت پا را دید که در زیر رداها جمع شده‌بود.

ـ خوبه...

هری به پشت برّاق تسترال خودش نگاه کرد و آب دهانش را فرو داد. سپس با تردید گفت:

ـ ورودی بازدیدکنندگان وزارت سحر و جادو در لندن... البتّه اگه می‌دونین کجاست...

لحظه‌ای تسترالش هیچ حرکتی از خود نشان نداد. سپس با حرکتی سریع که نزدیک بود او را پایین بیندازد بال‌هایش را از دو طرف بازکرد؛ آهسته بدنش را جمع کرد و مثل فشنگ بالا رفت. چنان با سرعت حرکت می‌کرد و چنان بدنش مایل شده‌بود که هری ناچار شد با دست‌ها و پاهایش محکم بدن اسب را بگیرد تا به سمت عقب نلغزد و از پشت استخوانی آن پایین نیفتد. هری چشم‌هایش را بست و صورتش را در یال نرم و ابریشمی فرو برد. آن‌ها بر فراز سر شاخه‌های درختان پرواز می‌کردند و در پهنه‌ی آسمان خونبار غروب پیش می‌رفتند.

هری به یاد نداشت که پیش از آن با چنان سرعتی حرکت کرده‌باشد. تسترال با سرعتی برق‌آسا از روی قلعه عبور کرد. بال‌های گسترده‌اش را به ندرت به هم می‌زد. باد خنک گویی به‌صورت هری سیلی می‌زد. چشم‌هایش را در مقابل باد شدید تنگ کرد و به پشت سرش نگاهی انداخت. پنج همراهش را دید که پشت سرش پرواز می‌کردند. هر پنج نفر تا جایی که می‌توانستند بر روی گردن تسترال‌ها خم شده‌بودند تا از گزند حرکت سریع هوای پشت تسترال او در امان بمانند.

آن‌ها محوطه‌ی قلعه را پشت سر گذاشته و از هاگزمید گذشته بودند. هری کوه‌ها و آبراهه‌ها را در زیر پایش می‌دید. هوا رو به تاریکی می‌رفت و هنگام عبور از بالای دهکده‌ها مجموعه‌ای از نقاط نورانی را می‌دید. سپس جادّه‌ی پرپیچ و خمی را مشاهده کرد که تنها یک اتومبیل بر روی آن از میان تپّه‌ها به سوی خانه پیش می‌رفت...

هری صدای فریاد رون را از پشت سرش شنید که می‌گفت:

ـ خیلی عجیب غریبه!

هری مجسّم می‌کرد که پرواز سریع در آن ارتفاع بدون مشاهده‌ی چیزی که روی آن سوار است چه احساسی را در انسان به وجود می‌آورد...

هوا گرگ و میش شد. آسمان به رنگ بنفش روشن درآمد و ستارگان در پهنه‌ی آن درخشیدند. اندکی بعد تنها از مشاهده‌ی چراغ‌های نورانی در شهرهای مشنگ‌ها می‌توانستند حدس بزنند که چه قدر از زمین فاصله دارند یا با چه سرعتی در حرکتند. هری دستش را دور گردن اسب حلقه کرده‌بود و دلش می‌خواست از آن هم سریع‌تر حرکت کنند. از زمانی‌که سیریوس را افتاده بر روی زمین، در سازمان اسرار دیده‌بود چه قدر می‌گذشت؟ تا چه مدّت می‌توانست در برابر ولدمورت مقاومت کند؟ تنها چیزی که با اطمینان می‌دانست این بود که سیریوس نه به خواسته‌ی ولدمورت تن در داده، نه مرده است، زیرا هری اطمینان داشت که وقوع هریک از این دو باعث می‌شد او در وجود خودش شادمانی یا خشم شدید ولدمورت را احساس کند و در این صورت جای زخمش درست مثل زمانی‌که آن مار به آقای ویزلی حمله کرده بود، به سوزش دردناکی دچار می‌شد...

هوا تاریک و تاریک‌تر می‌شد و آن‌ها همچنان پرواز می‌کردند. صورت هری سرد و خشک شده‌بود. پاهایش از شدّت فشاری که به دو طرف بدن تسترال وارد می‌کرد بی‌حس شده‌بود امّا از ترس لغزیدن جرأت نداشت جابه‌جا شود... صدای هوهوی باد در گوشش می‌پیچید و نمی‌توانست هیچ صدای دیگری را بشنود. دهانش در اثر وزش سریع هوای سرد شبانه خشک و سرد شده‌بود. دیگر نمی‌دانست چه مسافتی را طی کرده‌اند. تنها امیدش به جانوری بود که زیر پایش، بدون حرکت بال‌هایش پرواز می‌کرد...

نکند دیر برسند...

او هنوز زنده است و مبارزه می‌کند. این را می‌توانم احساس کنم...

اگر ولدمورت به این نتیجه می‌رسید که سیریوس تسلیم نمی‌شود چه...

در این صورت من متوجّه این موضوع می‌شوم...

ناگهان قلب هری در سینه فرو ریخت. تسترال به‌طور ناگهانی تغییر جهت داده بود و با سر به سمت زمین می‌رفت. هری بر روی گردن تسترال چندین سانتی‌متر جلو لغزیده بود. بالاخره داشتند فرود می‌آمدند... هری صدای جیغ یکی از دخترها را از پشت سرش شنید و به‌طور خطرناکی به عقب برگشت. امّا نشانه‌ای از سقوط کسی به چشمش نخورد.... احتمالاً آن‌ها نیز مثل خودش از این تغییر جهت یکّه خورده بودند.

آنگاه چراغ‌های نارنجی رنگ، در هر سو، لحظه‌به‌لحظه بزرگ‌تر و گردتر شدند. اکنون دیگر بام ساختمان‌ها، نور چراغ اتومبیل‌ها که همچون چشم‌های حشراتی تابناک به نظر می‌رسیدند، و مربّع‌های زرد کمرنگی که پنجره‌ی ساختمان‌ها بودند، همگی در برابر چشمانشان گسترده شده‌بود. ناگهان به نظر رسید تکان‌تکان می‌خورند و به سمت پیاده‌رو پیش می‌روند. هری با آخرین ذرّات قدرتی که در وجودش باقی مانده بود تسترال را محکم گرفت و خود را برای تکان شدیدی آماده کرد امّا اسب همچون سایه‌ای به نرمی بر زمین نشست و نگاهی به این سو و آن سوی خیابانی انداخت که در آن هنوز زباله‌دانی که زباله‌هایش سر ریز کرده بود در فاصله‌ی کمی از باجه‌ی تلفن مخروبه‌ای قرار داشت و نور نارنجی مات چراغ‌های خیابان هر دو را روشن کرده بود.

رون در نزدیکی او فرود آمد و بلافاصله از روی تسترالش بر زمین افتاد. درحالی‌که دست‌وپا می‌زد تا از زمین بلند شود گفت:

ـ دیگه امکان نداره...

او با خشم و ناراحتی، گویی می‌خواست از اسب دور شود امّا چون قادر به دیدن آن نبود محکم به پاهای عقبی آن خورد و چیزی نمانده بود دوباره به زمین بیفتد. او گفت:

ـ دیگه امکان نداره سوار بشم... این بدترین...

جینی و هرمیون در دو سمت او فرود آمدند و کمی آرام‌تر از او پیاده شدند امّا درست مثل او آسودگی خاطر از قدم گذاشتن بر زمین سخت، در چهره‌هایشان نمایان بود. نویل وقتی از اسبش پیاده شد می‌لرزید امّا لونا به نرمی پایین لغزید. لونا چنان که گویی به یک سفر جالب روزانه آمده بودند با علاقه و مؤدّبانه پرسید:

ـ حالا از این‌جا به کجا باید بریم؟

هری گفت:

ـ از این طرف بیاین.

هری به تندی تسترالش را با حالتی تشکّرآمیز نوازش کرد و جلوتر از همه به سوی باجه تلفن فکسنی رفت و در آن را باز کرد. وقتی دید بقیّه مردّد مانده‌اند با اصرار بیش‌تری گفت:

ـ بیاین دیگه!

رون و جینی به پیروی از او وارد باجه تلفن شدند. پست سر آن‌ها، هرمیون، نویل و لونا به زور خود را در آن جا کردند. هری سرش را برگرداند و به تسترال‌ها نگاهی انداخت. آن‌ها در زباله‌ها کندوکاو می‌کردند و به دنبال ته مانده‌ی غذا می‌گشتند. وقتی لونا نیز وارد شد هری به زور به داخل باجه تلفن رفت و گفت:

ـ هرکی به گوشی تلفن نزدیک‌تره شماره‌ی «۶۲۴۴۲»رو بگیره!

رون دستش را به‌طور عجیبی خم کرد تا دستش به شماره‌گیر برسد. وقتی شماره‌گیر با صدای یکنواختی به جای اوّلش برگشت صدای بی‌روح زنانه در باجه تلفن پیچید:

ـ به وزارت سحر و جادو خوش آمدید. لطفاً نام و کار خود را اعلام فرمایید.

هری به تندی گفت:

ـ هری پاتر، رون ویزلی، هرمیون گرنجر، جینی ویزلی، نویل لانگ‌باتم، لونالاوگود... ما برای نجات یک نفر اومدیم، البتّه اگه وزارتخونه‌ی شما زودتر نجاتش نداده باشه!

صدای بی‌روح زن جواب داد:

ـ متشکّرم، بازدیدکنندگان، لطفاً نشان‌ها را بگیرید و به جلوی ردایتان وصل کنید.

شش نشان از سطح شیب‌دار فلزی بیرون آمد که محلّ افتادن سکّه‌های برگشتی است. هرمیون همه‌ی نشان‌ها را برداشت و بی آن‌که حرفی بزند آن‌ها را از بالای سر جینی به دست هری داد. هری به نشانی که روی بقیّه بود نگاه کرد. روی آن نوشته بود:

هری پاتر

گروه نجات

ـ بازدیدکنندگان وزارت سحر و جادو، شما باید تحت بازرسی قرار گیرید و چوبدستی خود را برای ثبت به بخش امنیّتی تحویل بدهید که در انتهای دهلیز است.

هری که جای زخمش دوباره تیر کشیده بود. با صدای بلندی گفت:

ـ باشه، می‌شه دیگه حرکت کنیم؟

کف باجه تلفن شروع به لرزیدن کرد و پیاده‌رو بالا آمد و از جلوی شیشه‌های باجه گذشت. تسترال‌های زباله گرد از نظر پنهان شدند و سیاهی تا بالای سرشان را فرا گرفت. با صدای سایش خفه‌ای تا اعماق

وزارت سحر و جادو پیش رفتند.

شعاع نوری ملایم طلایی رنگی بر پاهایشان افتاد و پهن‌تر شد تا سرانجام تمام بدنشان را روشن کرد. هری زانوهایش را خم کرد و همان‌طور که قوز کرده بود چوبدستی‌اش را آماده نگه داشت و با دقّت از شیشه‌ی باجه تلفن بیرون را نگاه کرد. می‌خواست ببیند آیا در دهلیز کسی در انتظارشان است یا نه. امّا ظاهراً هیچ‌کس آن‌جا نبود. فضای آن‌جا کم‌نورتر از هنگام روز بود. در هیچ‌یک از بخاری‌های جاسازی شده در دیوار آتشی وجودنداشت امّا هنگامی که آسانسور آهسته متوقّف می‌شد نشانه‌های طلایی همچنان در حال پیچ و تاب خوردن بر روی سقف آبی تیره بودند.

ـ وزارت سحر و جادو شب خوشی را برایتان آرزو می‌کند.

در باجه تلفن ناگهان باز شد و هری از آن بیرون افتاد. بلافاصله نویل و لونا نیز بیرون افتادند. تنها صدایی که در دهلیز به گوش می‌رسید صدای یکنواخت ریزش آب بود که از سمت فوّاره‌های طلایی می‌آمد. از نوک چوبدستی جادوگر و ساحره، از نوک تیر سانتور، از نوک کلاه جنّ و از گوش‌های جنّ خانگی آب فوّاره می‌زد و در حوض پیرامونشان فرو می‌ریخت.

هری به آرامی گفت:

ـ بیاین.

هر شش نفر به سمت انتهای سالن حرکت کردند. هری جلوتر از همه، از کنار حوض فوّاره‌دار گذشت و به سوی میزی رفت که مأمور امنیّتی پشت آن نشسته و چوبدستی هری را ارزیابی کرده‌بود و اکنون کسی در پشت آن نبود.

هری اطمینان داشت که در آن‌جا باید یک مأمور امنیّتی حاضر باشد و نبودن چنین کسی را یک نشانه‌ی شوم تلقّی می‌کرد و وقتی از درهای

زرّین به سمت آسانسورها می‌رفتند دلشوره‌اش بیش‌تر شد. او دکمه‌ی پایین نزدیک‌ترین آسانسور را فشرد و تقریباً بلافاصله آسانسوری با سروصدا پایین آمد. نرده‌های طلایی رنگ با صدای جیرینگ‌جیرینگی که در فضا طنین افکند به نرمی کنار رفتند و آن‌ها با عجله وارد آسانسور شدند. هری دکمه شماره‌ی نه را فشار داد و نرده‌ها با صدای بنگ‌بلندی بسته شدند. آسانسور با صدای جیرینگ‌جیرینگی شروع به بالا رفتن کرد. هری روزی که با آقای ویزلی به آن‌جا آمده‌بود متوجّه آن همه سروصدای آسانسور نشده بود... اطمینان داشت که این سروصدا توجّه هر مأمور امنیّتی را که در ساختمان باشد جلب خواهد‌کرد امّا همین‌که آسانسور توقّف کرد صدای بی‌روح زن گفت:

ـ سازمان اسرار.

نرده‌ها دوباره کنار لغزیدند و آن‌ها وارد راهرویی شدند که در آن هیچ حرکتی به چشم نمی‌خورد جز حرکت شعله‌ی مشعل‌ها‌که در اثر جریان هوایی که از آسانسور آمده بود سوسو می‌زدند.

هری به سمت در سیاه ساده برگشت. پس از مشاهده‌ی آن در خواب در طول ماه‌های پی‌درپی سرانجام به آن‌جا آمده‌بود...

او آهسته زمزمه کرد:

ـ بیاین بریم.

او جلوتر از همه در راهرو جلو رفت. لونا درست پشت سر او بود و با دهان نیمه باز به اطراف نگاه می‌کرد. هری به شش قدمی درکه رسید دوباره ایستاد و گفت:

ـ خب، گوش کنین... شاید بهتر باشه دو سه نفر این‌جا بمونن و... نگهبانی بدن...

جینی ابروهایش را بالا برد و پرسید:

ـ اون‌وقت اگه چیزی پیش اومد ما چه‌طوری می‌تونیم به شما خبر

بدیم؟ ممکنه شما خیلی دور باشین.

نویل گفت:

ـ ما هم با تو می‌آییم، هری.

رون قاطعانه گفت:

ـ بهتره با هم بریم.

هری هنوز هم راضی نبود که همه‌ی آن‌ها همراهش بروند امّا ظاهراً چاره‌ی دیگری نداشت. دوباره به سمت در برگشت و جلو رفت. درست مثل خواب‌هایش در باز شد و او به آستانه‌ی آن قدم گذاشت. بقیّه نیز پشت سرش وارد شدند.

آن‌ها در یک اتاق دایره‌ای شکل بزرگ ایستاده بودند. در این اتاق همه چیز، حتّی کف زمین و سقف آن سیاه بود. درهای یکسان سیاه بدون علامت و فاقد دستگیره‌ای با فاصله‌های معیّن، بر روی دیوار سیاه دورتادور اتاق به چشم می‌خورد. شمع‌هایی با شعله‌های آبی رنگ در پایه‌هایی روی دیوارها بود و نور لرزان آن‌ها از سطح مرمری و برّاق زمین منعکس می‌شد چنان‌که به نظر می‌رسید آب تیره‌ای زیر پایشان در جریان است.

هری زیر لب گفت:

ـ یکی درو ببنده.

همین که نویل در را بست هری از گفته پشیمان شد. بدون باریکه‌ی نور طویلی که از راهروی مشعل‌دار پشت سرشان می‌تابید، اتاق دایره‌ای شکل لحظه‌ای کاملاً تاریک شد و تنها چیزی که می‌توانستند ببینند شعله‌ی آبی لرزان شمع‌های روی دیوارها و انعکاس تار آن‌ها بر روی زمین زیر پایشان بود.

هری در خواب‌هایش همیشه با هدف خاصّی به آن سوی این اتاق می‌رفت و از دری که درست مقابل در ورودی قرار داشت وارد می‌شد

امّا در آن‌جا ده دوازده در وجود داشت. همان‌طور که هری به درهای رو به رویشان چشم دوخته بود، بلکه بتواند در موردنظر را بیابد صدای غرّش مانند بلندی به گوش رسید و شمع‌های روی دیوار از یک سو شروع به حرکت کردند. دیوارهای مدوّر به چرخش درآمده بودند.

هرمیون که ظاهراً ترسیده بود زمین نیز شروع به حرکت کند دست هری را گرفت. امّا زمین حرکتی نکرد. هنگامی که دیوار به سرعت می‌چرخید شعله‌های آبی در اطرافشان تار شدند و به‌صورت حلقه‌ای نورانی درآمدند که مانند چراغ نئون بود. سپس صدای غرّش‌مانند همان‌طور که ناگهان آغاز شده‌بود به‌طور ناگهانی نیز خاموش شد و همه چیز بار دیگر آرام گرفت.

خطوطّ آبی رنگی در برابر چشم‌های هری می‌درخشید و این تنها چیزی بود که می‌توانست ببیند. رون هراسان پرسید:

ـ برای چی این‌طوری شد؟

جینی با صدایی بسیار آهسته گفت:

ـ به نظرم برای این بود که ما نفهمیم از کدوم در وارد شدیم.

هری بلافاصله متوجّه شد که او درست می‌گوید. او همان‌طور که نمی‌توانست مورچه‌ای را روی کف سیاه اتاق تشخیص بدهد در خروجی را نیز از سایر درها تشخیص نمی‌داد. دری که باید از آن وارد می‌شدند و به راهشان ادامه می‌دادند نیز می‌توانست هریک از درهایی باشد که در اطرافشان بود.

نویل با ناراحتی گفت:

ـ حالا چه طوری باید برگردیم؟

هری با لحن محکمی گفت:

ـ فعلاً این موضوع اهمیّتی نداره.

او پشت سرهم پلک می‌زد تا شاید بتواند خطوط آبی رنگ را از جلوی

چشم‌هایش پاک کند و درحالی‌که چوبدستی‌اش را محکم‌تر از همیشه نگه داشته بود گفت:

ـ تا وقتی سیریوس‌رو پیدا نکردیم از این‌جا بیرون نمی‌ریم.

هرمیون فوراً گفت:

ـ ولی بهتره اسمشو داد نزنی.

امّا هری نیازی به نصیحت او نداشت. غریزه‌اش به او می‌گفت که در آن لحظات هرچه می‌تواند ساکت‌تر باشد. رون پرسید:

ـ پس کجا باید بریم، هری؟

ـ نمی...

هری آب دهانش را فرو داد و گفت:

ـ هر بار توی خواب از راهروی کنار آسانسورها جلو می‌رفتم و از در انتهای راهرو وارد اتاق تاریکی می‌شدم... که همینه... بعدش از یه در دیگه وارد اتاقی می‌شدم که... برق می‌زد...

او با دستپاچگی گفت:

ـ باید چند تا از درهارو امتحان کنیم. اگه اتاقه‌رو ببینم می‌شناسمش. بیاین.

او یکراست به سمت در رو به رویش رفت. بقیّه نیز دنبالش رفتند. دست چپش را روی سطح صیقلی و سرد آن گذاشت و چوبدستی‌اش را بالا آورد تا همین که در باز شد برای حمله آماده باشد. آنگاه در را فشار داد و به راحتی آن را باز کرد.

بعد از تاریکی اوّلین اتاق، چراغ‌هایی که با زنجیرهای طلایی از سقف این اتاق آویخته و تا پایین آمده بودند آن اتاق مستطیلی شکل را بسیار روشن و نورانی جلوه می‌دادند با این حال اثری از نورهای درخشان و رقصانی که هری در خواب دیده بود به چشم نمی‌خورد. در اتاق چیزی نبود جز چند میز تحریر، و درست در وسط اتاق یک مخزن

شیشه‌ای بزرگ قرار داشت که پر از مایعی به رنگ سبز تیره بود. چنان بزرگ بود که همه‌ی آن‌ها با هم می‌توانستند در آن شنا کنند. درون مخزن چندین شی سفید مات وجود داشت که به آرامی در مایع شناور بودند.

رون آهسته گفت:

ـ اینا دیگه چیه؟

هری گفت:

ـ نمی‌دونم.

جینی بی‌سروصدا گفت:

ـ ماهیه؟

لونا با شور و هیجان گفت:

ـ لاروهای آکوا ویریوس! بابام می‌گفت وزارتخونه پرورش می‌ده...

هرمیون با حالت عجیبی گفت:

ـ نه!

او جلوتر رفت تا از گوشه‌ی مخزن درون آن را ببیند و سپس گفت:

ـ اینا مغزند.

ـ مغز؟

ـ آره... ولی نمی‌دونم باهاشون چی کار می‌کنن.

هری نیز مانند هرمیون به کنار مخزن رفت. اکنون که از نزدیک آن‌ها را می‌دید دیگر هیچ تردیدی برایش باقی نمی‌ماند. همچون گل کلم‌های لزجی در اعماق مایع سبزرنگ به آرامی غوطه می‌خوردند و با درخشش ترسناکی که داشتند لحظه‌ای پدیدار بودند و لحظه‌ای بعد از نظر پنهان می‌شدند.

هری گفت:

ـ بیاین از این‌جا بریم بیرون. این‌جا نیست. باید یه در دیگه‌رو امتحان

کنیم...

رون به دیوارهای اطرافشان اشاره کرد و گفت:

ـ این‌جا هم چند تا در هست.

قلب هری فرو ریخت. آن‌جا چه قدر بزرگ بود!

او گفت:

ـ توی خواب از اتاق تاریک وارد اتاق دوّم می‌شدم. به نظرم باید برگردیم و یکی از درهای دیگه‌رو امتحان کنیم.

بدین ترتیب با عجله به اتاق مدّور تاریک برگشتند. اکنون تصویر تاری از آن مغزهای شناور به جای شعله‌های آبی‌رنگ در برابر چشمان هری در حرکت بودند.

وقتی لونا می‌خواست در اتاق مغزها را پشت سرش ببندد هرمیون به تندی گفت:

ـ صبر کن! *فلگریت*[۱]!

او با چوبدستی‌اش در هوا ضربدری کشید و بلافاصله ضربدر سرخ رنگی بر روی در پدیدار شد. همین‌که در اتاق بسته شد صدای غرش مانند بلند بار دیگر به‌گوش رسید و دیوارها با سرعت زیادی شروع به چرخیدن کردند. امّا این بار در میان نورهای تار آبی رنگ نور سرخ رنگی نیز می‌درخشید. وقتی اتاق دوباره آرام و بی‌حرکت شد ضربدر سرخ‌رنگ هنوز می‌درخشید و دری را که امتحان کرده‌بودند به روشنی نشان می‌داد. هری گفت:

ـ فکر خوبی کردی. خب، حالا این یکی‌رو امتحان می‌کنیم.

این بار نیز با گام‌های بلند به سمت دری در مقابلشان رفتند و آن را فشار دادند. هری چوبدستی‌اش را بالا گرفته بود و بقیّه پشت سرش بودند.

---

1 - Flagrate!

این اتاق از اتاق قبلی بزرگ‌تر بود. سالن مستطیل کم‌نوری بود که در وسط آن یک فرورفتگی به شکل یک گودال سنگی بزرگ به عمق شش‌متر وجود داشت. آن‌ها در بالاترین ردیف نیمکت‌های سنگی ایستاده بودند که دورتادور اتاق ادامه می‌یافت و برروی سطح شیب‌دار و پلّه‌مانندی ردیف به ردیف تا پایین گودال کشیده شده‌بود. همچون سالن نمایش یا دادگاهی به نظر می‌رسید که در آن جا هری در برابر دیوان عالی قضایی محاکمه شده‌بود. امّا در مرکز پایین‌ترین سطح آن به جای صندلی‌های زنجیردار، سکوی سنگی بلندی به چشم می‌خورد و بر روی آن تاق‌نمایی قرار داشت که بسیار باستانی به نظر می‌رسید زیرا چنان شکاف خورده و فرسوده بود که هری از پابرجاماندن آن در عجب بود. تاق نمای قدیمی به جای دیوارهای اطراف بر پوشش یا پرده‌ی سیاه و مندرسی تکیه داشت که با وجود سکون هوای پیرامونش آهسته می‌لرزید. درست مثل این بود که کسی آن را لمس کرده‌باشد.

هری بر روی نیمکت پایینی پرید و گفت:

ـ کی اون‌جاست؟

هیچ جوابی نیامد امّا پرده همچنان تکان می‌خورد و در نوسان بود.

ـ سیریوس؟

هری بار دیگر شروع به صحبت کرد امّا چون نزدیک‌تر شده‌بود بسیار آهسته‌تر حرف می‌زد. احساس عجیبی داشت و گمان می‌کرد شخصی در آن سوی پرده درست در سمت دیگر تاق‌نما ایستاده است. محکم چوبدستی‌اش را نگه داشت و یواش‌یواش سکو را دور زد امّا هیچ‌کس در آن طرف نبود. تنها چیزی که می‌توانست ببیند روی دیگر پرده‌ی سیاه مندرس بود.

هرمیون از نیمه‌های مسیر پلّه‌های سنگی گفت:

ـ بیا بریم. این کار درستی نیست، هری. بیا، بیا بریم...

از صدایش معلوم بود که خیلی بیش‌تر از موقعی که در اتاق مغزهای شناور بودند وحشت کرده است امّا هری در این فکر بود که آن اتاق‌نما با وجود قدیمی بودنش زیبایی خاصّی دارد. موج‌های ملایم پرده توجّهش را به خود جلب کرده‌بود. خیلی دوست داشت از سکو بالا برود و از زیر تاق‌نما بگذرد.

هرمیون با لحنی آمرانه گفت:

-هری، بیا بریم، باشه؟

-باشه.

هری این را گفت امّا از جایش تکان نخورد. همان لحظه صدایی به گوشش رسیده بود. صدای ضعیف پچ‌پچ و زمزمه‌ای از پشت پرده می‌آمد.

- چی داری می‌گی؟

هری با صدای بسیار بلندی این جمله را بر زبان آورد چنان‌که صدایش با برخورد با پلّه‌های سنگی اطراف منعکس شد و در فضا طنین افکند.

هرمیون که اکنون به سوی هری می‌رفت گفت:

-کسی حرف نمی‌زنه، هری!

هری از دسترس هرمیون دور شد و همچنان با اخم به پرده نگاه کرد و گفت:

-یکی داره پشت اون پچ‌پچ می‌کنه. تویی، رون؟

رون در گوشه‌ی دیگر تاق‌نما پدیدار شد و گفت:

-من این‌جام، رفیق.

صدای پچ‌پچ و زمزمه بلندتر شد و هری پرسید:

-هیچ‌کس دیگه‌ای این صدارو نمی‌شنوه؟

هری بی‌آنکه بخواهد، دریافت که پایش را روی سکو گذاشته است.

لونا به آن‌ها پیوست و به تاق‌نما نزدیک شد. آنگاه به پرده چشم

دوخت و بسیار آهسته گفت:

ـ منم صداشونو می‌شنوم. چند نفر توی اون هستند!

هرمیون از روی آخرین پله پایین پرید و درحالی‌که خشمش بسیار بیش‌تر از آن بود که آن موقعیّت ایجاب می‌کرد گفت:

ـ منظورت از «توی اون» چیه؟ «توی اونی» وجود نداره. این یه تاق‌نماست. جایی نیست که کسی بخواد بره توش... هری، بس کن دیگه، برگرد.

هرمیون دست او را گرفت و کشید امّا او مقاومت کرد. هرمیون با صدایی زیر و عصبی گفت:

ـ هری، ما برای سیریوس اومدیم این‌جا!

هری که مجذوب پرده‌ی پرتکان شده‌بود و از آن چشم برنمی‌داشت تکرار کرد:

ـ سیریوس، آره...

آنگاه چیزی در ذهنش به جای خود برگشت: سیریوس را دستگیر کرده‌بودند؛ او اسیر شده‌بود و شکنجه می‌شد درحالی‌که خودش به این تاق‌نما خیره نگاه می‌کرد...

هری چند قدم از سکو دور شد و از پرده چشم برداشت و گفت:

ـ بیاین بریم.

هرمیون گفت:

ـ از اون وقت تا حالا منم دارم همین‌رو... خب، پس بیا بریم!

هرمیون جلوتر از همه تاق‌نما را دور زد و برگشت. در سمت دیگر جینی و نویل نیز به پرده خیره شده‌بودند به نظر می‌رسید که آن دو نیز مسحور شده‌اند. هرمیون بی‌آنکه چیزی بگوید دست جینی را گرفت. رون نیز دست نویل را گرفت و با هم آن‌ها را به سمت پایین‌ترین نیمکت سنگی بردند و از آنجا راه برگشت را در پیش گرفتند و بالا

رفتند. وقتی دوباره به اتاق مـدور تـاریـک رسیدنـد هـری از هـرمیون پرسید:

ـ به نظر تو اون تاق‌نما چی بود؟

هرمیون درحالی‌که دوباره آن در را با ضربدری علامت مـی‌زد قاطعانه گفت:

ـ نمی‌دونم، ولی هر چی که بود خیلی خطرناک بود.

بار دیگر دیوارها به چرخش درآمدند و دوباره متوقّف شدند. هری به‌طور تصادفی به طرف یکی از درها رفت و آن را فشـار داد. در بـاز نشد. هرمیون گفت:

ـ چی شده؟

هری گفت:

ـ این یکی... قفله...

او با تمام نیرویش در را هل داد امّا فایده‌ای نداشت. رون نیز جلو آمد تا در هل‌دادن در به او کمک کند و با حالتی هیجان‌زده گفت:

ـ پس همینه، درسته؟ باید همین باشه!

هرمیون با لحن تندی گفت:

ـ از سر راه برین کنار!

هرمیون چوبدستی‌اش را به سمت نقطه‌ای از در گرفت که معمولاً جای قفل است و گفت:

ـ الوهومورا!

هیچ اتّفاقی نیفتاد.

هری گفت:

ـ چاقوی سیریوس!

سپس آن را از جیب داخل ردایش بیرون آورد و تیغه‌ی آن را در شکاف میان در و دیوار فرو کرد. بقیّه مشتاقانه او را تماشا می‌کردند و او تیغه‌ی

چاقو را در شکاف از بالا تا پایین درآورد. سپس آن را بیرون کشید و دوباره با شانه‌اش به در کوبید. امّا در همچنان بسته ماند. وقتی چشم هری به چاقو افتاد متوجّه شد که تیغه‌ی آن ذوب شده‌است.

هرمیون با قاطعیّت گفت:

ـ باشه، پس می‌ریم سراغ درهای دیگه.

رون که با علاقه‌ای آمیخته به احتیاط به در نگاه می‌کرد گفت:

ـ ولی اگه این همون در باشه چی؟

هرمیون گفت:

ـ نمی‌تونه باشه. هری توی خواب‌ها راحت از همه‌ی درها رد می‌شده.

این را گفت و با ضربدر سرخ رنگ دیگری آن را نیز علامت زد. هری نیز دسته‌ی چاقو را که دیگر به دردی نمی‌خورد در جیبش گذاشت. وقتی دیوار دوباره شروع به چرخش کرد لونا مشتاقانه گفت:

ـ می‌دونین ممکنه چی اون‌جا باشه؟

هرمیون زیرلب گفت:

ـ معلومه دیگه یه موجود بلیبرینگ.

نویل با حالتی عصبی خندید.

چرخش دیوار دوباره متوقّف شد و هری که دیگر به تنگ آمده بود در دیگری را باز کرد و گفت:

ـ خودشه!

هری با مشاهده‌ی نورهای رقصان زیبایی که همچون الماس می‌درخشیدند بلافاصله آن‌جا را شناخت. وقتی چشم هری به درخشش تابناک نور عادت کرد متوجّه شد که ساعت‌های بی‌شماری بر روی دیوارها برق می‌زنند. ساعت‌های کوچک و بزرگ از ساعت دیواری پایه‌دار گرفته تا ساعت‌های پایه‌دار چرخ‌دار، همه در فواصل بین قفسه‌های کتاب نصب شده بودند یا بر روی ردیف میز تحریرهایی

قرار داشتند کـه تـا انتهـای اتـاق ادامـه مـی‌یافتند. صـدای تیک‌تیک بی‌وقفه‌ی ساعت‌ها همچون صدای قدم‌های یکنواختی کـه بـا پـاهای مینیاتوری برداشته می‌شد فضای اتاق را پر کرده بود. منشأ نور درخشان و رقصان شیشه‌ی بلورین استوانه‌ای شکل بلندی بود که در انتهای اتاق به‌صورت وارونه قرار گرفته بود. هری گفت:

ـ از این طرف!

اکنون که هری می‌دانست در مسیر صحیح قرار گرفته‌اند قلبش با شدّت در سینه‌اش می‌تپید. او جلوتر از همه در فضای باریک میان ردیف میز تحریرها پیش می‌رفت و درست مثل خواب‌هایش یکراست به سمت منبع نور حرکت می‌کرد. شیشه‌ی بلورین درست هم‌اندازه‌ی قامتش بود و بر روی میزی وارونه قرار داشت و به نظر می‌رسید پر از هوای درخشانی باشد که موج می‌زد و پیچ‌وتاب می‌خورد.

وقتی به آن نزدیک‌تر شدند جینی درست به مرکز شیشه‌ی بلورین اشاره کرد و گفت:

ـ وای، این‌جا رو نگاه کنین!

در میان جریان پر زرق‌وبرق و درخشان درون شیشه‌ی بلورین، تخم‌مرغی تابناک همچون جواهر، به این سو و آن سو رانده می‌شد. وقتی به بالای شیشه‌ی بلورین رسید ترک خورد و شکست. مرغ زرین‌پری[1] از آن بیرون آمد که با جریان هوا به بالاترین نقطه‌ی شیشه‌ی بلورین رانده شد امّا همین که در کوران جریان هوا قرار گرفت پروبالش دوباره ژولیده و مرطوب شد و هنگامی‌که به پایین شیشه‌ی بلورین رسید بار دیگر درون تخم‌مرغش محصور شده‌بود.

ظاهر جینی نشان می‌داد که دوست دارد همان جا بایستد و تبدیل شدن تخم‌مرغ به جوجه را بار دیگر تماشا کند امّا هری با لحن تندی به

---

۱ ـ مرغ مگس‌خوار که در اثر به‌هم زدن پروبالش صدای وزوزی ایجاد می‌شود ـ م.

او گفت:

ـ برو جلو.

جینی پشت سر او از کنار شیشه‌ی بلورین گذشت و به سمت تنها دری که پشت آن بود شتافت امّا با ترشرویی به او گفت:

ـ چه طور خودت جلوی اون اتاق نمای فکسنی اون همه وقت تلف کردی!

هری بار دیگر گفت:

ـ خودشه. از این در باید بریم...

اکنون قلب هری با چنان سرعت و شدّتی می‌تپید که گمان می‌کرد ممکن است صدای آن نگذارد صدای صحبتش به گوش بقیّه برسد.

هری تک‌تک آن‌ها را از نظر گذراند. همگی چوب‌دستی‌هایشان را درآورده بودند و ناگهان چهره‌هایشان حالتی جدّی و هراسان به خود گرفته بود. هری دوباره به در نگاه کرد و آن را فشرد. در باز شد.

آن‌ها مقصدشان را پیدا کرده و به آن‌جا رسیده بودند. سالنی به بزرگی کلیسا بود که در آن فقط قفسه‌های بلندی پر از گوی‌های بلورین کوچک خاک گرفته وجود داشت. نور شمع‌هایی که در شمعدان‌های دیواری فواصل قفسه‌ها به چشم می‌خورد از سطح خاک گرفته‌ی گوی‌های بلورین منعکس می‌شد. نور این شمع‌ها نیز همچون شمع‌های اتاق مدور آبی رنگ بود. هوای اتاق بسیار سرد بود.

هری جلو رفت و با دقّت به راهروی تاریک میان دو ردیف از قفسه‌ها نگاه کرد. نه صدایی به گوشش می‌رسید نه اثری از جنبش و حرکت می‌دید. هرمیون آهسته زمزمه کرد:

ـ می‌گفتی ردیف نود و هفته.

هری به انتهای نزدیک‌ترین ردیف قفسه‌ها نگاه کرد و بی‌صدا گفت:

ـ آره...

در زیر نور آبی رنگ شمعدان‌هایی کـه جلـو آمـده بـودنـد تابلوی
نقره‌ای رنگی را دید که بر روی آن نوشته بود: «پنجاه و سه».
هرمیون با چشم‌های تنگ کرده به ردیف بعدی نگاه کرد و آهسته
گفت:

ـ به نظرم باید به سمت راست بریم... آره، اون پنجاه و چهاره...
هری با ملایمت گفت:

ـ چوبدستی‌هاتون آماده باشه.

آن‌ها پاورچین‌پاورچین جلو مـی‌رفتند و گه‌گاه بـه فضای تاریک
راهروی میان ردیف‌ها در پشت سرشان نگاهی می‌انداختند. انتهای
راهرو کاملاً تاریک بود. در زیر هر گوی بلورینی که در قفسه‌ها بود
بـرچسب زرد کـوچکی چسبانده بـودنـد. بـعضی از آن‌هـا درخشش
آبگونه‌ی عجیبی داشتند. بعضی دیگر نیز درونشان مثل لامپ سوخته
تاریک و کدر به نظر می‌رسید.

آن‌ها از جلوی ردیف‌ها می‌گذشتند... هشتادوچهار... هشتادوپنج...
هری گوشش را تیز کرده بود تا صدای کوچک‌ترین جنبشی را بشنود،
امّا ممکن بود تا حالا دیگر دهان سیریوس را بسته بـاشند... یا او را
بیهوش کرده‌باشند... یا... صدای ناخواسته‌ای در ذهن هری پیچید که
گفت... شاید حتّی مرده باشد...

هری که در آن لحظه حس می‌کرد قلبش در ناحیه‌ی گلویش می‌تپد
بـه خـود گـفت: در این صورت چنین چیزی‌رو حس مـی‌کردم...
می‌فهمیدم...

هرمیون آهسته گفت:

ـ نودوهفت!

آن‌ها در انتهای آن ردیف کنار هم ایستادند و به راهروی پشت آن
نگاه کردند. هیچ‌کس آنجا نبود.

هری که دهانش کمی خشک شده‌بود گفت:

ـ اون درست در آخر این راهروست. از این‌جا نمی‌شه درست دید...

هری جلوتر از همه در راهروی میان قفسه‌های پر از گوی شیشه‌ای پیش رفت. وقتی از جلوی گوی‌ها می‌گذشتند بعضی از آن‌ها برق می‌زدند.

هری که باور داشت با هر قدم ممکن است به پیکر زار سیریوس بر روی زمین تاریک بر بخورند آهسته گفت:

ـ باید همین اطراف باشه. یه جایی نزدیک همین جاست... خیلی نزدیک شدیم...

هرمیون با شکّ و تردید گفت:

ـ هری؟

امّا هری نمی‌خواست جواب او را بدهد. اکنون دهانش بی‌اندازه خشک شده بود. او گفت:

ـ یه جایی نزدیک... این‌جا...

آن‌ها به انتهای راهرو رسیدند و به قسمتی قدم گذاشتند که شعله‌ی شمع‌های آن کم‌نورتر بود. هیچ‌کس آن‌جا نبود. تنها چیزی که در برابرشان قرار داشت فضای خالی و خاموش و خاک گرفته بود.

هری با دقّت به راهروی مجاور نگاه کرد و با صدای دورگه‌ای گفت:

ـ ممکنه اون... یا شاید...

با عجله به راهروی پشت آن نگاه کرد. هرمیون دوباره گفت:

ـ هری؟

هری با خشم گفت:

ـ چیه؟

ـ من... من... فکر نمی‌کنم سیریوس این‌جا باشه.

هیچ‌کس حرفی نزد. هری نمی‌خواست به چهره‌ی هیچ‌یک از آن‌ها

نگاه کند. حالت تهوّع داشت. نمی‌دانست چرا سیریوس در آنجا
نیست. می‌بایست آنجا باشد. این همان جایی بود که هری او را دیده
بود....

دوان‌دوان به انتهای ردیف‌ها رفت و راهروهای خالی را یکی پس از
دیگری پشت سر گذاشت. به سمت دیگر دوید و از کنار همراهان
خیره‌اش گذشت. در هیچ‌جا اثری از سیریوس نبود. اثری از زد و خورد
نیز به چشم نمی‌خورد. رون او را صدا کرد:

ـ هری؟

ـ چیه؟

نمی‌خواست حرف رون را بشنود. حاضر نبود صدای رون را بشنود
که احتمالاً می‌گفت او حماقت کرده‌است یا شاید پیشنهاد می‌کرد به
قلعه بازگردند. امّا صورتش برافروخته می‌شد و تمایل داشت پیش از
بازگشتن به فضای نورانی دهلیز در طبقه‌ی بالا و رویاروشدن با نگاه
اتّهام‌آمیز دیگران، مدّت زیادی در فضای تاریک و خاموش آنجا پنهان
بماند....

رون گفت:

ـ اینو دیدی؟

این بار هری مشتاقانه گفت:

ـ چی رو؟

احتمالاً سرنخی پیدا کرده‌بود که نشان می‌داد سیریوس آنجا
بوده‌است. هری با گام‌های بلند خود را به جایی رساند که سایرین
ایستاده بودند؛ کمی دورتر از ردیف نودوهفت. امّا در آنجا فقط رون را
دید که به یکی از گوی‌های بلورین روی قفسه زل زده‌بود. هری با لحنی
گرفته گفت:

ـ چیه؟

رون گفت:

ـ روی این اسم تورو نوشته‌ن.

هری کمی جلوتر رفت. رون یکی از گوی‌های کوچک را نشان می‌داد که نور ضعیفی در آن می‌درخشید امّا از گردوخاکِ نشسته بر روی آن، معلوم بود سال‌هاست کسی به آن دست نزده است. هری با سردرگمی گفت:

ـ اسم من؟

یک قدم جلوتر رفت. چون قدش به اندازه‌ی رون بلند نبود مجبور بود سرش را کمی بالاتر بکشد تا بتواند برچسب زردی را بخواند که درست زیر گوی غبارآلود به قفسه چسبانده بودند. با خطّ کج و معوجی تاریخی را نوشته بودند که زمانی در شانزده سال پیش را نشان می‌داد و زیر آن نوشته بود:

س. پ. ت. به آ. پ. و. ب. د

لرد سیاه

و (؟) هری پاتر

هری به آن خیره ماند.

رون با ترس و لرز گفت:

ـ این چیه؟ اسم تو این‌رو چی کار می‌کنه؟

رون به برچسب‌های دیگر آن طبقه نگاه سریعی انداخت و با سردرگمی گفت:

ـ اسم من این‌جا نیست. اسم هیچ کدوممون این‌جا نیست...

همین که هری دستش را دراز کرد هرمیون به تندی گفت:

ـ هری، به نظر من نباید بهش دست بزنی.

او گفت:

ـ برای چی؟ این یه چیزیه که به من مربوط می‌شه دیگه.

نویل به‌طور ناگهانی گفت:

ـ دست نزن، هری.

هری سرش را برگرداند و به او نگاه کرد. بر صورت گرد نویل قطره‌های عرق نشسته بود و کمی برق می‌زد. از قیافه‌اش معلوم بود که دیگر بیش از آن طاقت دلهره و هیجان را ندارد. هری گفت:

ـ اسم منو روش نوشته‌ن.

هری با بی‌پروایی حلقه‌ی انگشتانش را به دور گوی خاک گرفته تنگ‌تر کرد. گمان کرده بود سطح آن باید سرد باشد امّا چنین نبود. اتّفاقاً برعکس، چنان گرم بود که گویی مدّت‌ها در آفتاب مانده‌بود. به نظر می‌رسید نور درخشنده‌ی درون گوی، آن را گرم می‌کند. با این گمان، و شاید حتّی به امید این‌که اتّفاق هیجان‌انگیزی به وقوع بپیوندد، چیزی که چنان پرشور و هیجان باشد که سفر طولانی و خطرناکشان را توجیه کند، گوی بلورین را از قفسه برداشت و به آن چشم دوخت.

هیچ اتّفاق خاصّی نیفتاد. دیگران جلوتر آمدند و دور هری حلقه زدند. هری گرد و خاک روی آن را پاک می‌کرد و دیگران به آن چشم دوخته بودند.

آنگاه، درست از پشت سرشان، صدای کسی به گوش رسید که با لحن کشداری گفت:

ـ آفرین، پاتر، حالا خیلی آروم برگرد و اونو بده به من.

فصل ۳۵

پشت پرده

سایه‌های سیاهی در اطرافشان پدیدار می‌شدند و راهشان را از چپ و راست می‌بستند. چشم‌هایشان از لای شکاف نقاب سیاهشان برق می‌زد و با ده دوازده چوب‌دستیشان که نوک همه‌ی آن‌ها مشتعل و نورانی بود، قلب آن‌ها را نشانه گرفته بودند. جینی از وحشت نفس را در سینه حبس کرد.

صدای لوسیوس مالفوی با لحن کشدارش به گوش رسید که گفت:

ـ بده به من، پاتر.

او دستش را دراز کرد. کف دستش رو به سقف بود.

درون هری چنان آشوبی بود که حالش را به هم می‌زد. آن‌ها به دام افتاده بودند و تعدادشان نصف مهاجمین بود. مالفوی دوباره تکرار کرد.

ـ بده به من، پاتر.

هری گفت:

ـ سیریوس کجاست؟

چند تن از مرگ‌خواران خندیدند. صدای زنانه‌ی خشنی از وسط جمع افراد سیاهپوش سمت چپ هری با حالتی پیروزمندانه گفت:

ـ لرد سیاه همیشه همه چی‌رو می‌دونه!

مالفوی به نرمی تکرار کرد:

ـ همیشه... حالا اون پیش‌گویی‌رو بده به من، پاتر.

ـ من می‌خوام بدونم سیریوس کجاست!

زنی که سمت چپ هری بود ادای او را درآورد:

ـ *من می‌خوام بدونم سیریوس کجاست!*

او و مرگ‌خواران همدستش حلقه‌شان را چنان تنگ کرده‌بودند که با هری و دیگران یک قدم بیش‌تر فاصله نداشتند. نور نوک چوبدستی‌هایشان در چشم‌های هری برق می‌زد.

هری بی‌اعتنا به وحشتی که در سینه‌اش اوج می‌گرفت، بدون توجّه به هراسی که از بدو ورودشان به ردیف نودوهفت با آن مبارزه کرده‌بود گفت:

ـ شما اونو گرفتین. اون این‌جاست. می‌دونم که این‌جاست.

زن با صدای کودکانه‌ی خوف‌انگیزی گفت:

ـ *بچّه کوچولو با وحشت از خواب بیدار شد و فکر کرد چیزهایی که توی خواب دیده واقعیّت داره.*

هری تکان رون را در پشت سرش احساس کرد. زیر لب به او گفت:

ـ هیچ‌کاری نکن... البتّه فعلاً.

زنی که ادای هری را درآورده بود با صدای جیغ‌مانند گوشخراشی شروع به خندیدن کرد و گفت:

ـ شنیدین؟ شنیدین؟ دیدین چه جوری به بقیّه‌ی بچّه‌ها دستور می‌ده! انگار می‌خواد با ما بجنگه!

مالفوی به نرمی گفت:

ـ بلاتریکس، تو به اندازه‌ی من پاترو نمی‌شناسی. وقتی قهرمان بازی به میون میاد پاهاش سست می‌شه. لرد سیاه با این اخلاقش آشنایی کامل داره. حالا اون پیش‌گویی‌رو بده به من، پاتر.

هری که سینه‌اش از وحشت منقبض شده بود و نفسش درست بالا نمی‌آمد گفت:

ـ من می‌دونم که سیریوس این‌جاست. می‌دونم که شما دستگیرش کردین!

عدّه‌ی بیش‌تری از مرگ‌خوارها خندیدند امّا صدای خنده‌ی زن همچنان بلندتر بود.

مالفوی گفت:

ـ پاتر، وقتش رسیده که فرق بین رویا و واقعیّت‌رو یاد بگیری. حالا پیش‌گویی‌رو بده به من وگرنه مجبور می‌شیم از چوبدستی استفاده کنیم.

هری چوبدستی خودش را در حدّ سینه‌اش بالا آورد و گفت:

ـ هر کار می‌خوای بکن.

با این حرکت هری، رون، هرمیون، نویل، جینی و لوناکه دو طرف او ایستاده بودند نیز چوبدستی‌هایشان را بالا بردند. انقباضی که در شکم هری ایجاد شده‌بود بیش‌تر از قبل شد. اگر سیریوس واقعاً آن‌جا نبود او بی‌دلیل دوستانش را به استقبال از مرگ فرستاده بود....

امّا مرگ‌خوارها به آن‌ها حمله نکردند. مالفوی گفت:

ـ پیش‌گویی‌رو بده به من تا هیچ‌کس بیخودی صدمه نبینه.

این بار نوبت هری بود که بخندد. او گفت:

ـ باشه، حتماً! من اینو بهت می‌دم... گفتی پیش‌گوییه، نه؟ شـما هـم می‌گذارین که ما برگردیم خونه‌مون، آره؟

هنوز جمله‌اش کامل نشده، زن مرگ‌خوار جیغ زد و گفت:

ـ اکسیو پراف...

امّا هری آماده بود و پیش از آن‌که ورد به‌طور کامل بر زبان زن جاری شود گفت:

ـ پروتگو!

با این‌که گوی بلورین تا نوک انگشتان هری رسیده‌بود توانست دوباره آن را بقاپد.

زن که از لای شکاف نقابش نگاه جنون‌آمیزش را به هری معطوف کرده‌بود گفت:

ـ اوه، پاتر کوچولو این بازی‌رو بلده. باشه پس اگه این‌طوره...

لوسیوس مالفوی بر سر زن فریاد کشید:

ـ **بهت گفتم نه!** اگه بشکنه...

مغز هری با سرعت سرسام‌آوری کار می‌کرد. مرگ‌خوارها آن گوی بلورین خاک‌آلود را می‌خواستند. هری علاقه‌ای به آن نداشت. فقط می‌خواست همگی از این ماجرا جان سالم به در ببرند. می‌خواست مطمئن شود که هیچ‌یک از دوستانش برای حماقت او بهای سنگینی نخواهد پرداخت...

زن جلوتر آمد و از همراهانش فاصله گرفت. نقابش را از سرش درآورد. آزکابان صورت بلاتریکس لسترنج را تکیده و رنگ پریده و اسکلت‌مانندکرده‌بود.امّاتعصّب بیمارگونه‌ای‌چهره‌اش‌را روشن‌می‌کرد.

درحالی‌که قفسه‌ی سینه‌اش به سرعت بالا و پایین می‌رفت گفت:

ـ بیش‌تر از این باید قانعت کنیم؟ باشه... اونی‌رو که از همه کوچک‌تره، بگیرین.

او به مرگ‌خوارهایی که پشت سرش ایستاده بودند دستور می‌داد.

ـ بگذارین ببینه که دختر کوچکه‌رو چه جوری شکنجه می‌دیم. خودم این کارو می‌کنم.

هری احساس کرد بقیّه‌ی دوستانش دور جینی را گرفتند. هری به سوی زن قدمی برداشت تا کاملاً رو به روی او قرار گیرد و پیش‌گویی را به سینه‌اش چسباند. به بلاتریکس گفت:

ـ اگه بخوای به هرکدوممون حمله کنی اوّل باید اینو بشکنی. فکر نمی‌کنم اگه بدون این برگردین رییستون خوش‌حال بشه.

بلاتریکس از جایش تکان نخورد. فقط به او خیره شده‌بود و با نوک زبانش لب‌های باریکش را خیس می‌کرد. هری گفت:

ـ راستی، این‌که ازش حرف می‌زنیم چه جور پیش‌گویی‌ایه؟

تنها چیزی که به نظرش می‌رسید این بود که به صحبت ادامه بدهد. دست نویل به دستش فشرده می‌شد و لرزش بدن او را احساس می‌کرد. نفس‌های سریع یکی دیگر از آن‌ها به پشت گردنش می‌خورد. خداخدا می‌کرد همه‌ی آن‌ها در فکر پیداکردن راهی برای بیرون رفتن از این مخمصه باشند زیرا ذهن خودش خالیِ خالی بود.

لبخند بلاتریکس محو شد و گفت:

ـ چه جور پیش گویی‌ایه؟ مسخره‌بازی درآوردی، هری پاتر.

هری درحالی‌که با نگاه سریعی تک‌تک مرگ‌خوارها را از نظر می‌گذراند به دنبال نقطه ضعفی، روزنه‌ای بود که از آن بتوانند بگریزند. در همان حال گفت:

ـ نچ، من مسخره‌بازی در نمی‌آرم. ولدمورت برای چی اینو می‌خواد؟

چند تن از مرگ‌خوارها زیر لب غریدند. بلاتریکس آهسته گفت:

ـ پس تو جرأت داری اسمشو بگی؟

هری که حدس می‌زد با جادوی دیگری بخواهند گوی بلورین را از

چنگش درآورند درحالی‌که محکم آن را نگه داشته بود گفت:
- آره، آره، من هیچ مشکلی ندارم و راحت می‌گم ولد...
بلاتریکس جیغ زد و گفت:
- دهنتو ببند! چه‌طور جرأت می‌کنی با اون دهن بی‌ارزشت اسمشو به زبون بیاری و با زبون دو رگه‌ت اسمشو لکه‌دار کنی؟
هری جسورانه گفت:
- هیچ می‌دونستی که خودشم دو رگه‌ست؟
هرمیون نزدیک گوش هری ناله‌ای کرد و هری ادامه داد:
- ولدمورت؟ بله... مادرش ساحره بوده، امّا پدرش مشنگ بوده. نکنه به شما گفته اصیل زاده‌س؟
- *استیوپفا...*
- نه!
پرتو سرخ رنگی از نوک چوبدستی بلاتریکس شلیک شد ولی مالفوی آن را منحرف کرد. افسون مالفوی باعث شد جادوی بلاتریکس به قفسه‌ای در یک قدمی هری برخورد کند و چندین گوی شیشه‌ای درون آن بشکنند.
دو شبح سفید و مات همچون دود از لابه‌لای خرده‌های شکسته‌ی گوی‌ها از روی زمین برخاستند و هریک شروع به صحبت کردند. صدایشان با یکدیگر می‌آمیخت چنان‌که در میان فریادهای مالفوی و بلاتریکس تنها بخش‌هایی از گفتار آن را می‌توانستند بشنوند.
- ... در انقلابین یک چیز جدید...
این بخشی از گفتار شبح یک پیرمرد ریش‌دار بود.
- **حمله نکن! ما پیش‌گویی‌رو لازم داریم!**
بلاتریکس فریاد می‌زد و کلمات نامفهومی بر زبانش جاری می‌شد:
- به چه جرأتی... به چه جرأتی... وایساده اون‌جا... دو رگه‌ی کثیف...

مالفوی نعره زد:

ـ صبر کن تا اوّل پیش‌گویی رو بگیریم!

شبح زن جوانی گفت:

ـ .... و پس از آن هرگز نخواهد آمد...

دو شبحی که از خرده شکسته‌های گوی‌ها خارج شده بودند در هوا از میان رفتند و هیچ اثری از آن‌ها باقی نماند. ذرّات شکسته‌ی خانه‌ی پیشین آن‌ها تنها چیزی بود که بر روی زمین به چشم می‌خورد. با این حال آن‌ها باعث شدند فکری به ذهن هری برسد. مشکلش این بود که چه‌طور می‌تواند فکرش را به بقیّه انتقال بدهد. برای آن‌که بیش‌تر وقت‌کشی کند گفت:

ـ هنوز به من نگفتین چه چیز خارق‌العاده‌ای در این پیش‌گویی که قراره به شما بدم وجود داره.

او آهسته پایش را کمی آن طرف‌تر گذاشت و کورمال‌کورمال به دنبال پای دیگران گشت. مالفوی گفت:

ـ پاتر، برامون بازی در نیار.

هری که نیمی از ذهنش را روی گفت‌وگوها متمرکز کرده و نیمی دیگر از ذهنش را به پای سرگردانش معطوف کرده بود گفت:

ـ من بازی در نمی‌یارم.

در همان لحظه پنجه‌ی پای کسی را یافت و آن را فشار داد. از صدای نفس شدیدی که پشت سرش حبس شد فهمید که پای هرمیون را پیدا کرده‌است. او آهسته پرسید:

ـ چیه؟

مالفوی پوزخندزنان گفت:

ـ دامبلدور هیچ‌وقت بهت نگفته علّت وجود زخمی که روی پیشونیته در اعماق سازمان اسرار پنهان شده؟

ـ من... چی؟

هری که یک آن نقشه‌اش را از یاد برده بود گفت:

ـ درباره‌ی جای زخمم چی گفتی؟

هرمیون پشت سرش با حالت اضطراری‌تری پرسید:

ـ چیه؟

مالفوی که به‌طور شرارت‌آمیزی خوش‌حال به نظر می‌رسید گفت:

ـ چه‌طور ممکنه؟

چند تن از مرگ‌خوارها دوباره خندیدند و در پناه صدای خنده‌ی آنان هری بدون آن‌که بیش از اندازه دهانش را تکان بدهد زیرلب به هرمیون گفت:

ـ قفسه‌هارو داغون کنین...

مالفوی تکرار کرد:

ـ دامبلدور هیچ‌وقت بهت نگفته؟ خب پس معلوم شد چرا زودتر نیومدی، پاتر، لرد سیاه تعجّب کرده‌بود...

ـ ... وقتی بهتون گفتم شروع کنین...

ـ ... که چرا وقتی در خواب‌ها محل اختفای اونارو نشونت داد زود نیومدی دنبالش. اون حدس می‌زد کنجکاوی طبیعی تو باعث می‌شه بخوای کلمه به کلمه‌شو خودت بشنوی...

هری گفت:

ـ جدّی؟

با این‌که صدای هرمیون را از پشت سرش نمی‌شنید احساس می‌کرد او در حال رساندن پیغام او به دیگران است از این‌رو می‌خواست به گفت‌وگو ادامه بدهد تا حواس مرگ‌خوارها پرت شود. بنابراین گفت:

ـ پس اون می‌خواست من بیام این‌جا و اونو براش بردارم، درسته؟ چرا؟

مالفوی که شادمانی تصوّرناپذیری در صدایش منعکس شده‌بود

گفت:

ـ چرا؟ برای این‌که فقط کسانی حق دارند یک پیش‌گویی‌رو از سازمان اسرار پس بگیرند، پاتر، که پیش‌گویی درباره‌ی اوناست. لرد سیاه وقتی سعی کرد از وجود دیگران برای دزدیدن اون استفاده کنه این موضوع‌رو کشف کرد.

ـ حالا اون برای چی می‌خواست این پیش‌گویی‌رو که درباره‌ی منه به دست بیاره؟

ـ درباره‌ی هر دوی شماست، پاتر. درباره‌ی هردوی شماست... هیچ وقت این سؤال برات پیش نیومده که چرا وقتی نوزاد بودی لرد سیاه می‌خواست تورو بکشه؟

هری به شکاف‌هایی نگاه کرد که چشمان خاکستری مالفوی پشت آن برق می‌زد. آیا این پیش‌گویی علّت مرگ پدر و مادرش بود؟ علّت وجود جای زخم صاعقه مانند روی پیشانیش بود؟ آیا پاسخ تمام این پرسش‌ها در میان دست‌هایش بود؟

دستش را به دور گوی بلورین گرم محکم‌تر فشرد که ذرّات گردوخاک روی آن چسبیده بود و تقریباً هم‌اندازه با گوی زرّین به نظر می‌رسید. آن‌گاه درحالی‌که به لوسیوس مالفوی چشم دوخته بود به آرامی گفت:

ـ کسی درباره‌ی من و ولدمورت پیشگویی کرده؟ و حالا اون منو وادار کرده بیام و اونو براش بردارم؟ چرا خودش نیومد که اونو برداره؟

صدای کرکر گوشخراش و دیوانه‌وار بلاتریکس بلند شد و گفت:

ـ خودش برداره؟ لرد سیاه بیاد توی وزارت سحر و جادو، درحالی‌که اونا با خیال راحت بازگشتشو انکار می‌کنن؟ لرد سیاه خودشو به کارآگاه‌ها نشون بده درحالی‌که اونا فعلاً دارن وقتشونو برای پیداکردن پسرعمه‌ی من تلف می‌کنن؟

هری گفت:

ـ پس برای همین از شما خواسته که کار کثیفشو براش انجام بدین؟ همون‌طوری که سعی کرد استرجس... و «بود» رو وادار به دزدیدنش بکنه؟

مالفوی آهسته گفت:

ـ عالیه، پاتر، عالیه. ولی لرد سیاه می‌دونه که تو اصلاً نادان...

هری نعره زد:

ـ *حالا!*

پنج صدای مختلف در پشت سرش نعره زدند: «*ریداکتو!*» و پنج طلسم در پنج جهت متفاوت به پرواز درآمدند و با برخورد به قفسه‌های روبه‌رو، آن‌ها را منفجر کردند. قفسه‌ی بلند تاب خورد و یکصد گوی بلورین خرد شدند. اشباح سفید و مات به هوا برخاستند و شناور ماندند. صداهایی که فقط خدا می‌دانست چند سال از مرگ صاحبانشان گذشته است در میان رگبار خرده‌چوب‌ها و شیشه خرده‌هایی که بر زمین می‌بارید طنین می‌افکند...

هری نعره زد:

ـ فرار کنین!

وقتی قفسه‌های مرتفع به‌طور خطرناکی تاب می‌خوردند و گوی‌های بلورین دیگری در حال سقوط بودند هری به ردای هرمیون چنگ زد و او را با خود کشید. یک دستش را روی سرش گرفته بود چراکه خرده‌های شکسته‌ی قفسه‌ها و گوی‌های بلورین شکسته بر سر و رویشان می‌ریخت. یکی از مرگ‌خوارها از میان ابری از غبار به سویشان حمله کرد و هری با آرنجش محکم به‌صورت نقابدار او ضربه زد. همه‌ی آن‌ها نعره می‌زدند و هنگامی‌که قفسه‌ها چون آواری افتادند از درد نعره برآوردند. صدای رعد آسایی که از سقوط قفسه‌ها طنین

افکند به‌طور عجیبی با عبارت‌های غیب‌گویی‌هایی درمی‌آمیخت که از گوی‌ها آزاد شده‌بودند.

هری راه مقابلش را باز دید و چشمش به رون، جینی و لونا افتاد که به سرعت از کنارش گذشتند. هر سه نفر دست‌ها را بالای سرشان گرفته بودند. چیزی محکم به یک طرف صورتش برخورد کرد و بلافاصله سرش را کنار کشید و به سرعت جلو رفت. دستی شانه‌اش را گـرفت. صدای هرمیون را شنید که گفت: «استیوپفای!» و دست بلافاصله او را رها کرد.

آن‌ها در انتهای ردیف نود و هفت بودند. هری به سمت راست پیچید و با سرعت شروع به دویدن کرد. صدای گام‌هایی را هـمراه بـا صدای هرمیون می‌شنید که به نویل اصرار می‌کرد عجله کند. دری که از آن وارد شده‌بودند درست در مقابلشان قرار داشت و نیمه باز بود. او می‌توانست درخشش شیشه‌ی بلورین استوانه‌ای را ببیند. با سـرعتی برق‌آسا وارد اتاق شد. پیش‌گویی را هنوز محکم نگه داشته، و صحیح و سالم حفظ کرده بود. او صبر کرد تا بقیّه نیز با عجله از آستانه‌ی در وارد شدند و سپس در را محکم پشت سرشان بست.

هرمیون که نفس‌نفس می‌زد گفت: «کولوپورتوس!» و در با صدای چالاپ چولوپ عجیبی خودبه‌خود قفل شد. هری با نفس‌های بریده گفت:

ـ بقیّه... بقیّه کجان؟

او گمان می‌کرد رون، جینی و لونا جلوتر از آن‌ها هستند و در اتاق منتظر آن‌ها مانده‌اند ولی هیچ‌کس آن‌جا نبود.

هرمیون با قیافه‌ای هراسان گفت:

ـ حتماً از یه راه اشتباه رفته‌ن!

نویل آهسته زمزمه کرد:

ـ گوش کنین!

صدای دادوفریاد و قدم‌های متعدّدی از پشت دری که لحظه‌ای پیش قفل شده بود به گوش می‌رسید. آن‌ها گوش‌هایشان را به در چسباندند و صدای نعره‌ی لوسیوس مالفوی را شنیدند که می‌گفت:

ـ نات‌رو به حال خودش بگذارین، می‌گم ولش کنین، مجروح‌شدن نات برای لرد سیاه مهّم‌تر از به دست آوردن پیش‌گویی نیست... جاگسن، برگرد این جا. باید حساب شده عمل کنیم! به گروه‌های دو نفره تقسیم می‌شیم و دنبالشون می‌گردیم. یادتون باشه تا وقتی پیش‌گویی رو نگرفتیم در مقابل پاتر خشونت به خرج ندین... اگه لازم شد بقیّه‌رو می‌تونین بکشین... بلاتریکس، رودولفوس، شما از سمت چپ برین. کراب، رباستن شما به سمت راست برین... جاگسن، دالاهوف، شما از دری که جلوتونه برین. مکنر، اِوری شما از این طرف برین. روکوود تو هم برو اون‌طرف... مالسیبر، تو هم با من بیا!

هرمیون که تمام بدنش می‌لرزید از هری پرسید:

ـ حالا چی کار کنیم؟

هری گفت:

ـ اوّلین کاری که می‌تونیم بکنیم اینه که این‌جا نمونیم تا بیان و بگیرنمون. بیاین از این در بریم بیرون...

آن‌ها تا جایی که مقدور بود بی‌سروصدا دویدند. از جلوی شیشه‌ی بلورین درخشانی که در آن پرنده‌ای از تخم درمی‌آمد و به درون تخم باز می‌گشت عبور کردند و به سمت دری رفتند که در انتهای اتاق بود و به سالن مدور می‌رسید. هری صدای برخورد چیز بزرگ و سنگینی را با دری شنید که هرمیون با جادو بسته بود.

صدای خشنی گفت:

ـ برو کنار! *الوهومورا!*

همین که در باز شد هری، هرمیون و نویل به زیر میزها شیرجه زدند. پایین ردای دو مرگ‌خوار را می‌دیدند که با گام‌هایی سریع به آن‌ها نزدیک‌تر می‌شدند. مردی که صدای خشنی داشت گفت:

ـ ممکنه یکراست به سالن رفته باشن.

مرگ‌خوار دیگر گفت:

ـ زیر میزهارو بگرد.

هری خم شدن زانوهای مرگ‌خواران را دید. نوک چوبدستی‌اش را از زیر میز بیرون برد و فریاد زد: «استیوپفای!»

پرتو سرخ رنگی به مرگ‌خواری که نزدیک‌تر بود برخورد کرد. او از پشت به یک ساعت دیواری پایه‌دار خورد و آن را سرنگون ساخت امّا مرگ‌خوار دوّم کنار جسته بود تا از تیر رس افسون هری دور شود و در آن لحظه با چوبدستی‌اش هرمیون را نشانه می‌گرفت که از زیر میز بیرون خزیده بود تا بهتر بتواند نشانه‌گیری کند.

ـ اجی مجی...

هری خود را روی زمین انداخت و دستش را دور زانوهای مرگ‌خوار حلقه کرد. با این کار باعث شد او به زمین بیفتد و نشانه‌گیری‌اش به هم بخورد. نویل که می‌خواست کمکی بکند با دستپاچگی میز تحریری را واژگون کرد که زیر آن پناه گرفته بود. او با چوبدستی‌اش دو نفری را که در کشمکش بودند هدف گرفت و فریاد زد: «اکسپلیارموس!»

چوبدستی هری و مرگ‌خوار از دستشان بیرون آمد و به سمت ورودی سالن پیشگویی پرتاب شد. هر دو سراسیمه از زمین بلند شدند و به سرعت به سمت چوبدستی‌ها رفتند. مرگ‌خوار جلو می‌رفت و هری درست در پشت سرش حرکت می‌کرد. نویل نیز از عقب دنبالشان می‌شتافت. کاملاً مشخّص بود که از کار خود وحشت

کرده‌است. او که ظاهراً با جدّیت قصد جبران اشتباهش را داشت نعره زد:

ـ از سر راه برو کنار، هری!

هری خود را به کناری پرتاب کرد و نویل بار دیگر نشانه‌گیری کرد و فریاد زد:

ـ استیوپفای!

پرتو سرخ رنگی درست از بالای شانه‌ی مرگ‌خوار گذشت و به کمدی برخورد کرد که دری شیشه‌ای داشت. کمد به دیوار نصب شده و مملو از ساعت‌های شنی گوناگون بود. کمد بر روی زمین افتاد و خرد شد و خرده‌های شیشه به اطراف پاشید. سپس دوباره به سرعت بالا رفت و در جایش روی دیوار قرار گرفت. کاملاً ترمیم شده‌بود و مثل قبل به نظر می‌رسید. بعد دوباره پایین افتاد و شکست...

مرگ‌خوار چوبدستی‌اش را که کنار شیشه‌ی بلورین استوانه‌ای درخشان بر روی زمین افتاده بود، برداشت. وقتی مرد رویش را برگرداند هری در زیر میز دیگری قایم شد. نقابش جابه‌جا شده‌بود و نمی‌توانست جایی را ببیند. با دست آزادش آن را از هم درید و فریاد زد: «استیو...»

ـ استیوپفای!

هرمیون که تازه خود را به آن‌ها رسانده بود با صدای جیغ‌مانندی این ورد را بر زبان رانده‌بود. پرتو سرخ‌رنگ به وسط سینه‌ی مرگ‌خوار اصابت کرد و او درحالی‌که دستش را بالا گرفته‌بود سر جایش میخکوب شد. چوبدستی‌اش با صدای تیلیکی روی زمین افتاد و خودش از عقب به سمت شیشه‌ی بلورین سقوط کرد. هری انتظار داشت صدای تالاپی بشنود و مرد پس از برخورد با شیشه‌ی ضخیم از روی آن بلغزد و به زمین بیفتد. امّا سرمرد در سطح شیشه‌ی بلورین

طوری فرو رفت که انگار از جنس حباب صابون بود و بدنش با دست و پای باز روی میز ولو ماند. سرش همچنان در داخل شیشه‌ی بلورین و در میان هوای پر زرق‌وبرق و درخشنده‌ی درون آن قرار داشت.

هرمیون فریاد زد: «*اکسیووند*[1]!» و بلافاصله چوبدستی هری از گوشه‌ی تاریکی پروازکنان به دست هرمیون رسید. آن را به دست هری داد و او گفت:

ـ ممنونم. خب، بیاین از این‌جا بریم بیر...

نویل که به سر مرگ‌خوار در شیشه‌ی بلورین خیره مانده‌بود با وحشت گفت:

ـ اون‌جا رو!

هر سه با هم چوبدستی‌هایشان را بالا آوردند امّا جادو نکردند. هر سه با قیافه‌هایی متوحّش، از مشاهده‌ی آنچه بر سر مرد می‌آمد دهانشان باز مانده بود.

سر مرد به سرعت کوچک‌تر وکم‌موتر شد. مو و ته‌ریش او به داخل جمجمه‌اش فرو رفت. گونه‌هایش نرم و لطیف شد. سرش گرد شد و پرزهای ظریفی روی آن را پوشاند.

در آن لحظه سر کودکی به‌صورت عجیبی بر روی گردن کلفت و عضلانی مرگ‌خوار به چشم می‌خورد و او دست و پا می‌زد که بلند شود. امّا درست جلوی چشم آن‌ها که با دهان باز به آن منظره نگاه می‌کردند، سر مرد شروع به بزرگ‌شدن کرد و به اندازه‌ی قبل درآمد. موهای ضخیم سیاه از سروصورتش بیرون زد.

هرمیون با بهت و حیرت گفت:

ـ این زمانه... *زمان*.

مرگ‌خوار سر زشتش را تکان داد و کوشید ذهنش را خالی کند امّا

---

1 - *Accio Wand!*

پیش از آن‌که بتواند خود را جمع‌وجور کند سرش دوباره کوچک و کوچک‌تر شد و بار دیگر به‌صورت سر کودکانه‌ای درآمد...

از اتاقی در نزدیکی آن‌ها صدای فریادی به گوش رسید. سپس صدای ضربه و به دنبال آن صدای جیغ و دادی را شنیدند. هری به سرعت نگاهش را از تغییر و تبدیل هیولاواری که در مقابلشان رخ می‌داد برداشت و نعره زد:

ـ رون؟ جینی؟ لونا؟

هرمیون جیغ زد و گفت:

ـ هری!

مرگ‌خوار سرش را از شیشه‌ی بلورین بیرون کشیده بود. قیافه‌اش بی‌نهایت عجیب و غریب بود. سر کودکانه‌اش با صدای بلندی گریه می‌کرد و دست‌های عضلانی قدرتمندش را به‌طور خطرناکی به این سو و آن سو حرکت می‌داد. چیزی نمانده بود دستش به سر هری بخورد امّا او سرش را به موقع دزدید. سپس چوبدستی‌اش را بلند کرد امّا هرمیون دست او را گرفت و باعث حیرتش شد. هرمیون گفت:

ـ نباید به یه بچّه صدمه بزنی!

مجالی برای بگومگو در این زمینه نداشتند. هری صدای قدم‌های چند نفر را که لحظه‌به‌لحظه نزدیک‌تر می‌شد از سوی سالن پیش‌گویی می‌شنید که چندی پیش خودشان از آن بیرون آمده بودند و همان دم متوجّه شد که نباید داد می‌زده و جایشان را برای آن‌ها آشکار کرده است امّا دیگر دیر شده‌بود.

هری دوباره گفت:

ـ بیاین بریم.

آن‌ها مرگ‌خوار را با سر کودکانه‌اش به حال خود گذاشتند تا پشت سرشان تلوتلو بخورد و به سرعت به سمت دری رفتند که در انتهای

دیگر اتاق بود و به سالن سیاه می‌رسید.

تا نیمه‌های مسیر پیش رفته بودند که هری از در باز، دو مرگ‌خوار را
دید که از آن سوی اتاق سیاه به سمتشان می‌دویدند. به سمت چپ
تغییر مسیر دادند و از یک دفتر کوچک و تاریک و به هم ریخته سر
درآوردند. بلافاصله در را پشت سرشان به هم کوبیدند. هرمیون گفت:
«کولو...» امّا پیش از آنکه جادویش را کامل کند در دوباره باز شد و دو
مـرگ‌خوار بـا عـجله وارد شـدنـد. هـر دو پیرزمندانه نـعره زدنـد:
«ایمپدیمنتا!»

هری، هرمیون و نویل، هر سه به عقب پرتاب شدند. نویل از بالای
میز تحریری گذشت و از نظر ناپدید شد. هرمیون به یک قفسه‌ی کتاب
برخورد کرد و کتاب‌های قطوری همچون آوار بر رویش افتاد. پشت سر
هری نیز به دیوار سنگی پشت سرش خورد و ستاره‌های کوچکی در
مقابل چشم‌هایش شروع به چرخیدن کرد. لحظه‌ای چنان گیج و آشفته
بود که نتوانست واکنشی از خود نشان بدهد.

مرگ‌خواری که به هری نزدیک‌تر بود نعره زد:

ـ پیداشون کردیم. توی دفتر بیرون...

هرمیون فریاد زد: «سی‌لنسیو!»

صدای مرد بند آمد و با اینکه دهانش در پشت حفره‌ی نقابش حرکت
می‌کرد صدایی از آن خارج نمی‌شد. همراهش او را کنار زد. همین‌که
دوّمـیـن مـرگ‌خوار چـوب‌دستی‌اش را بـالا آورد هـری فـریاد زد:
«پتریفیکوس توتالوس!»

بلافاصله به حالت خبردار ایستاد و با صورت روی قالیچه‌ی جلوی
پای هری افتاد. مثل یک تکّه چوب خشک شده‌بود و نمی‌توانست
تکان بخورد.

ـ آفرین هری...

امّا مرگ‌خواری که هرمیون لحظه‌ای پیش او را خاموش کرده‌بود چوبدستی‌اش را به‌صورت مورّب حرکت داد و از آن چیزی بیرون آمد که شبیه به شعله‌های ارغوانی رنگ بود و از سینه‌ی هرمیون عبور کرد. صدای آخ ضعیفی از دهانش بیرون آمد گویی تعجب کرده‌بود و سپس بر روی زمین افتاد و بی‌حرکت ماند.

ـ هرمیون!

هری کنارش زانو زد و نویل به سرعت از زیر میز بیرون خزید و به طرفش آمد. چوبدستی‌اش را مقابلش نگه داشته‌بود. همین‌که سر نویل از زیر میز بیرون آمد مرگ‌خوار محکم به او لگد زد. چوبدستی‌اش از وسط نصف شد و محکم به صورتش برخورد کرد. نویل از درد فریادی برآورد و دستش را جلوی بینی و دهانش گرفت و خود را عقب کشید. هری به عقب چرخید و چوبدستی‌اش را بالا گرفت. چشمش به مرگ‌خوار افتاد که نقابش را پاره کرده و با چوبدستی‌اش هری را نشانه گرفته بود. هری بلافاصله صورت کشیده‌ی رنگ پریده و کج و معوجش را شناخت زیرا عکس او را در *پیام امروز* دیده‌بود. او آنتونین دالاهوف بود، جادوگری که برادران پریوت را کشته بود.

دالاهوف به پهنای صورتش خندید. با دست آزادش به پیش‌گویی اشاره کرد که هنوز در دست هری بود. سپس به خودش و بعد به هرمیون اشاره کرد. با این‌که نمی‌توانست حرف بزند فهمیدن منظور او بسیار روشن بود: *پیش‌گویی رو بده به من وگرنه همون بلایی که سر اون آوردم سر تو هم میارم...*

هری گفت:

ـ انگار همین‌که اینو بهش بدم همه مونو نمی‌کشه!

وحشتی که وجودش را پر کرده بود نمی‌گذاشت فکرش درست کار کند. یک دستش روی شانه‌ی هرمیون قرار داشت که همچنان گرم بود

امّا جرأت نمی‌کرد به او نگاه کند. *نباید بمیره، نباید بمیره، اگه بمیره تقصیر منه...*

نویل با جدیّت و قاطعانه گفت:

ـ هری، هر کاری بی‌خوای بکدی، بکد. فقط او دو بهش دَده!

نویل در زیر میز تحریر دستش را پایین آورد و بینی‌اش نمایان شد که کاملاً معلوم بود شکسته است. از بینی‌اش خون جاری بود و از روی دهان و چانه‌اش سرازیر می‌شد.

آن‌گاه سروصدای بلندی از بیرون اتاق به گوش رسید و دالاهوف پشت سرش را نگاه کرد... مرگ‌خوار «کودک سر» در آستانه‌ی در پدیدار شده بود. سرش با صدای بلند گریه می‌کرد و با مشت‌هایش هنوز بی‌اختیار به هرچه در اطرافش بود ضربه می‌زد.

هری از این فرصت استفاده کرد و گفت: «*پتریفیکوس توتالوس!*»

افسون هری پیش از آن‌که دالاهوف بتواند آن را خنثی کند به او برخورد کرد و او نیز بر روی رفیقش افتاد. هر دو مثل چوب شده‌بودند و نمی‌توانستند حتّی یک سانتی‌متر جابه‌جا شوند.

مرگ‌خوار «کودک سر» دوباره از اتاق بیرون رفت و هری هرمیون را تکان داد و گفت:

ـ هرمیون! هرمیون، بیدار شو!

نویل سینه‌خیز از زیر میز بیرون آمد و در سمت دیگر هرمیون زانو زد. درحالی‌که از بینی متورمش خون بیرون می‌زد گفت:

ـ چه بلایی به سرش آورد؟

ـ نمی‌دونم.

نویل کورمال کورمال مچ دست هرمیون را پیدا کرد و گفت:

ـ دَبضش بی‌زده، هری، بُطبئدب که دَبضش بی‌زده...

موج نیرومندی از آرامش وجود هری را فراگرفت چنان‌که لحظه‌ای

احساس کرد سرش منگ شده‌است.

ـ زنده‌س؟

ـ آره، اِدگار زِدّه‌س...

هری لحظه‌ای گوشش را تیز کرد تا ببیند صدای پایی می‌شنود یا نه امّا تنها صدایی که شنید صدای ناله‌های مرگ‌خوار کودک و برخورد او به در و دیوار اتاق مجاور بود. هری آهسته گفت:

ـ نویل، دیگه از در خروجی فاصله‌ای نداریم. الان درست پهلوی اتاق مدوریم. اگه بشه قبل از رسیدن مرگ‌خوارهای دیگه در خروجی‌رو پیدا کنیم مطمئنم که تو می‌تونی هرمیون‌رو با خودت ببری و به آسانسور برسونی... اون‌وقت می‌تونی یه کسی‌رو پیدا کنی... یا زنگ خطرو بزنی...

نویل بینی خون‌آلودش را با آستینش پاک کرد و با اخم از هری پرسید:

ـ تو بی‌خوای چی کار کُدی؟

هری گفت:

ـ من باید بقیّه‌رو پیدا کنم.

نویل قاطعانه گفت:

ـ پس بَدَب با تو بیاب که با هَب بقیه‌رو پیدا کُدیب.

ـ ولی آخه هرمیون...

ـ اودَب با خودِبود بی‌بریب. بَد کولش بی کُدَب... تو بهتر از بَد بی‌تودی با اودا بجَدگی...

نویل برخاست و یکی از دست‌های هرمیون را گرفت و به هری که مردّد مانده‌بود چشم غرّه‌ای رفت. هری نیز دست دیگر هرمیون را گرفت و کمک کرد تا بدن بی‌حس او را روی شانه‌ی نویل بیندازند.

ـ صبر کن...

هری چوبدستی هرمیون را از زمین برداشت و در دست نویل گذاشت و گفت:

ـ بهتره این همراهت باشه...

نویل با پایش خرده‌های چوبدستی خودش را به کناری راند و وقتی آهسته به طرف در می‌رفتند با صدای بمی گفت:

ـ بادَربُزُرگب بدو بی‌کُشه. اود چوبدستی قدیبیه باباب بود...

همان‌طور که حرف می‌زد از سوراخ‌های بینی‌اش خون سرازیر می‌شد.

هری با احتیاط سرش را از در بیرون کرد و به گوشه و کنار اتاق مجاور نگاهی انداخت. مرگ‌خواری که سر کودکانه داشت جیغ می‌زد و با شستش به وسایل اتاق می‌کوبید. ساعت‌های پایه‌دار دیواری را به زمین می‌انداخت و میز تحریرها را واژگون می‌کرد. با صدای بلند گریه می‌کرد و سرگردان بود. کمد شیشه‌ای که هری گمان می‌کرد ساعت‌های شنی درون آن «زمان برگردان» باشند، همچنان به زمین می‌افتاد و می‌شکست، سپس دوباره ترمیم می‌شد و سر جایش روی دیوار قرار می‌گرفت. هری آهسته گفت:

ـ اون به ما توجّهی نمی‌کنه. بیا بریم... پشت سر من بیا و از من فاصله نگیر...

آن‌ها پاورچین‌پاورچین از دفتر بیرون رفتند و وارد سالن سیاه شدند که در آن لحظه هیچ‌کس در آن نبود. چند قدم جلوتر رفتند. نویل به علّت تحمّل وزن هرمیون ناچار بود قدم‌های کوتاه بردارد. در اتاق زمان پشت سرشان بسته شد و دیوارها بار دیگر شروع به چرخش کردند. به نظر می‌رسید ضربه‌ای که چند دقیقه پیش به سر هری خورده بود تعادل او را برهم زده‌است. او چشم‌هایش را تنگ کرد و کمی تلوتلو خورد تا این‌که سرانجام چرخش دیوارها متوقّف شد. هری تازه متوجّه شد که ضربدرهای سرخ هرمیون از روی درها پاک شده‌است و قلبش در سینه

فرو ریخت.

ـ یعنی از کدوم در باید...

امّا پیش از آن‌که تصمیم بگیرند از کدام در وارد بشوند دری در سمت راستشان باز شد و سه نفر از آن بیرون آمدند. هری با عجله به سویشان رفت و با صدای گرفته‌ای گفت:

ـ رون! جینی... همه‌تون...

رون با صدایی آهسته کرکر خندید و تلوتلو خورد و جلو آمد. جلوی ردای هری را گرفت و با چشم‌هایی نامتمرکز به او نگاه کرد و گفت:

ـ هری، تو که این‌جایی! هاهاها... چه قدر خنده‌دار شدی، هری... قیافه‌ت خیلی درب و داغون شده...

صورت رون مثل گچ سفیده شده بود و مایع تیره‌ای از گوشه‌ی لبش شرّه می‌کرد. لحظه‌ای بعد زانوهایش خم شد امّا همچنان ردای هری را محکم نگه داشته بود در نتیجه پشت هری مثل کسی که تعظیم می‌کند خم شد.

هری با وحشت پرسید:

ـ جینی؟ چی شده؟

امّا جینی با ناراحتی سرش را تکان داد و پشتش روی دیوار لغزید و به حالت نشسته درآمد. قوزک پایش را گرفته بود و نفس‌نفس می‌زد. لونا که ظاهراً تنها کسی بود که آسیبی ندیده بود بالای سر جینی خم شد و آهسته گفت:

ـ مثل این‌که مچ پاش شکسته، من صدای شکستنشو شنیدم. چهارتاشون دنبالمون کردند و ما رفتیم توی اتاق تاریکی که پر از سیاره بود. جای خیلی عجیبی بود. بعضی وقت‌ها توی تاریکی معلّق می‌موندیم...

رون که همچنان با صدای ضعیفی کرکر می‌خندید گفت:
ـ هری، ما اورانوسو از نزدیک دیدیم! فهمیدی، هری؟ اورانوس... هاهاها...
حبابی از خون در گوشه‌ی دهان رون بزرگ و بزرگ‌تر شد و ترکید.
ـ خلاصه، یکی از اونا پای جینی‌رو گرفت. من با طلسم کاهنده پلوتون‌رو جلوی صورتش منفجر کردم ولی...
لونا با ناراحتی به جینی اشاره کرد که چشم‌هایش را بسته بود و تندتند نفس می‌کشید.
رون هنوز از ردای هری آویزان بود و کرکر می‌خندید. هری با وحشت پرسید:
ـ رون چی؟
لونا با چهره‌ی غم‌زده‌ای گفت:
ـ نمی‌دونم با چی بهش حمله کردن، امّا یه ذره مسخره شده، مگه به این راحتی می‌تونستم بیارمش...
رون گوش هری را به سمت دهانش کشید و خنده‌کنان گفت:
ـ هری، هری، می‌دونی این دختره کیه؟ لونیه... لونی لاوگود... هاهاها...
هری با لحن محکمی گفت:
ـ باید از این‌جا بریم بیرون. لونا، می‌تونی به جینی کمک کنی؟
لونا گفت:
ـ بله.
سپس چوبدستی‌اش را پشت گوشش گذاشت تا صحیح و سالم بماند. آن‌گاه دستش را دور کمر جینی انداخت و او را از زمین بلند کرد. جینی با بی‌قراری گفت:
ـ مچ پامه، چیزی نیست. خودم می‌تونم راه برم!
امّا بلافاصله به یک سو مایل شد و فوراً لونا را گرفت تا به زمین نیفتد.

هری دست رون را روی شانه‌اش انداخت درست همان‌طورکه چند ماه پیش دست دادلی را روی شانه‌اش انداخته بود. نگاهی به اطرافشان انداخت. شانس آن‌ها برای پیداکردن در خروجی در اوّلین انتخاب یک در دوازده بود...

او رون را با خود کشید و به سمت دری رفت. هنوز چند قدمی با در فاصله داشتند که در دیگری باز شد و دو مرگ‌خوار به دنبال بلاتریکس لسترنج وارد سالن شدند. بلاتریکس جیغ زد و گفت:

ـ اومده‌ن این‌جا!

افسون‌های بیهوشی در سالن شلیک شد. هری خودش را به دری کوبید که در مقابلشان بود و وارد شد. با خشونت رون را هل داد و از خود دور کرد. سپس به سرعت برگشت تا به نویل کمک کند و با هم هرمیون را ببرند. همگی به موقع از آستانه‌ی در گذشتند و در را به روی بلاتریکس بستند. هری فریاد زد:

ـ *کولوپورتوس!*

و در همان لحظه صدای برخورد سه نفر را به در شنید. صدای مردی به گوش رسید که گفت:

ـ اشکالی نداره. راه‌های دیگه‌ای برای ورود به اون‌جا هست. **پیداشون کردیم؟ اونا این‌جا هستن!**

هری چرخی زد و فهمید به اتاق مغز برگشته‌اند و چنان‌که انتظار داشت درهای متعدّدی را دورتادور اتاق دید. صدای قدم‌های بیش‌تری از سالن سیاه به‌گوش می‌رسید و مرگ‌خوارهای دیگر به سه مرگ‌خوار اول ملحق می‌شدند.

ـ لونا، نویل، کمکم کنین!

آن‌ها، سه نفری، به این سو و آن سوی اتاق رفتند و درها را یکی‌یکی با جادو قفل کردند. هری از بس عجله داشت که زودتر به در

بعدی برسد به میزی برخورد کرد و روی آن غلتید.

-*کولوپورتوس!*

صدای قدم‌های متعدّدی از پشت درهای بسته به گوش می‌رسید. هر لحظه هیکل سنگینی به یکی از درها برخورد می‌کرد و آن را می‌لرزاند. نویل و لونا درهای دیوار مقابل را جادو می‌کردند. وقتی هری به بالای اتاق رسید صدای لونا را شنید که گفت:

-کولو - آ - خ...

همین‌که برگشت او را دید که به سمت دیگر اتاق پرتاب می‌شد. پنج مرگ‌خوار از دری که لونا به موقع به آن نرسیده بود وارد می‌شدند. لونا به میزی خورد و از روی آن لغزید و به زمین افتاد و مثل هرمیون بی‌حرکت کف اتاق ولو شد.

بلاتریکس جیغ زد:

- پاترو بگیرین!

او به سمت هری دوید. هری جاخالی داد و با سرعت به سمت بالای اتاق دوید. تا زمانی‌که آن‌ها می‌ترسیدند به پیش‌گویی صدمه‌ای وارد شود جان هری در امان بود...

رون که تلوتلو می‌خورد از جایش بلند شد و مثل کسانی‌که سرگیجه دارند با قدم‌های کوتاه به سمت هری آمد و کرکرکنان گفت:

- هی! هری، این‌جا پر از مغزه... هاهاها... عجیب نیست، هری؟

- رون از سر راه برو کنار، بشین روی زمین...

امّا رون چوبدستی‌اش را به طرف مخزن گرفت و گفت:

- باور کن، هری، اینا مغزند... ببین... *اکسیوبرین!*

لحظه‌ای به نظر رسید که آن صحنه ثابت مانده‌است. هری، جینی، نویل و تک‌تک مرگ‌خوارها برخلاف میلشان رویشان را برگرداندند و بالای مخزن را نگاه کردند. یکی از مغزها از مایع سبزرنگ مثل یک

ماهی بیرون پرید. لحظه‌ای در هوا بی‌حرکت ماند و بعد به سمت رون پرواز کرد. با سرعت به دور خود می‌چرخید و چیزی شبیه به نوار باریکی از تصاویر متحرک از آن بیرون زد که مثل حلقه‌ی فیلم باز می‌شد...

رون همان‌طور که بیرون ریختن دل و روده‌ی رنگارنگ مغز را تماشا می‌کرد گفت:

ـ هاهاها، هری اونو نگاه کن... هری، بیا بهش دست بزن، شرط می‌بندم خیلی باید عجیب‌غریب باشه...

ـ **رون! نه!**

هری نمی‌دانست اگر رون به شاخه‌های فکری دست بزند که از پشت مغز آویزان بود چه اتّفاقی می‌افتد امّا اطمینان داشت که اتّفاق خوبی نخواهدبود. او با عجله جلو رفت امّا رون پیش از رسیدن او دست‌هایش را دراز کرد و مغز را گرفت. او گفت:

ـ هری، ببین چی شد... نه... نه... هیچ خوشم نیومد... نه... بس کن... بس کن...

امّا نوارهای باریک به دور سینه‌ی رون می‌پیچیدند. مغز، همچون بدن یک اختاپوس به بدنش فشار آورد و رون نوارها را گرفت و کشید.

هری نعره زد:

ـ *دیفندو!*

هری با این جادو می‌خواست شاخک‌هایی را که اکنون جلوی چشم‌های رون را می‌گرفتند از او جدا کند ولی شاخک‌ها پاره نشدند. رون که همچنان دست و پا می‌زد به زمین افتاد.

جینی که به خاطر مچ پای شکسته‌اش بی‌حرکت بر روی زمین افتاده بود جیغ زد و گفت:

ـ هری، الان خفه‌ش می‌کنه!

آنگاه پرتو سرخ‌رنگی از چوبدستی یکی از مرگ‌خوارها شلیک شد
و درست به‌صورت جینی خورد. جینی تلوتلو خورد و به پهلو روی
زمین ولو شد.

نویل چرخی زد و چوبدستی هرمیون را به طرف مرگ‌خوارانی که
نزدیک می‌شدند نشانه گرفت و گفت:

ـاستیوبفای! استیوبفای! استیوبفای!

امّا جادویش اثر نکرد. یکی از مرگ‌خوارها افسون بیهوش‌کننده‌اش
را به سمت نویل شلیک کرد ولی از چند سانتی‌متری او گذشت. هری و
نویل اکنون باید دو نفری با پنج مرگ‌خوار می‌جنگیدند. دو نفر از آن‌ها
پرتو نور نقره‌ای رنگی را همچون تیر به سمت آن‌ها شلیک کردند که از
کنار آن‌ها عبور کردند و بر روی دیوار مقابل گودالی بر جای گذاشتند.

بلاتریکس لسترنج با سرعت به سمت هری رفت و او پا به فرار
گذاشت. درحالی‌که پیشگویی را درست بالای سرش نگه داشته بود
دوباره به سمت بالای اتاق دوید. تنها چیزی که به ذهنش می‌رسید این
بود که مرگ‌خوارها را از بقیّه دور کند.

به نظرش رسید که نقشه‌اش عملی شده‌است. آن‌ها به سرعت به
دنبالش دویدند و سر راهشان میز و صندلی‌ها را به این سو و آن سو
پرتاب کردند امّا از ترس صدمه‌زدن به پیشگویی جرأت نداشتند او را
جادو کنند. هری به سرعت به سمت تنها در باز اتاق رفت، همان دری
که مرگ‌خوارها از آن وارد شده‌بودند. در دل خداخدا می‌کرد نویل نزد
رون بماند و راهی برای آزادکردن او بیابد. هری در اتاق جدید چند قدم
جلو رفت و احساس کرد زمین زیر پایش ناپدید شد..

هری از پلّه‌های سنگی شیب‌دار پایین می‌افتاد. از روی یکی به روی
دیگری می‌غلتید و پایین می‌رفت تا سرانجام به پشت در گودالی افتاد
که در آن تاق‌نمای سنگی بر روی سکویش قرار داشت. صدای خنده‌ی

مرگ‌خوارها در فضا طنین می‌افکند. سرش را بلند کرد و دید پنج مرگ‌خواری که در اتاق مغز بودند به سویش می‌آیند. در این میان مرگ‌خواران دیگر نیز از درهای دیگر وارد شدند و درحالی‌که از روی نیمکت‌های سنگی می‌پریدند به سمتش آمدند. هری از زمین برخاست امّا پاهایش چنان می‌لرزید که به زحمت می‌توانست بایستد. پیش‌گویی به‌طور معجزه‌آسایی در دست چپش سالم مانده‌بود.

با دست راستش نیز چوبدستی‌اش را محکم نگه داشته‌بود. کمی عقب رفت و به اطرافش نگاه کرد. می‌خواست در جایی قرار گیرد که بتواند همه‌ی مرگ‌خوارها را ببیند. پشت پاهایش به چیز سختی خورد. او به سکویی رسیده بود که تاق‌نمای سنگی بر روی آن قرار داشت.

همه‌ی مرگ‌خوارها همان‌جا که بودند ایستادند و به او نگاه کردند. بعضی از آن‌ها مثل خودش به نفس‌نفس افتاده بودند. یکی از آن‌ها خونریزی شدیدی داشت. دالاهوف که از جادوی بدن ـ بندش کاملاً آزاد شده‌بود موذیانه به او نگاه می‌کرد و با چوبدستی‌اش صورت او را هدف گرفته بود. لوسیوس مالفوی نقابش را برداشت و با لحن کشدارش گفت:

ـ پاتر، بازی تموم شد. حالا مثل یه پسر خوب پیش‌گویی‌رو بده به من...

هری با درماندگی گفت:

ـ به بقیّه بگو از این جا برن تا من اینو بهت بدم...

چند تن از مرگ‌خوارها خندیدند. چهره‌ی رنگ پریده‌ی مالفوی سرخ شد و گفت:

ـ پاتر، تو در وضعیّتی نیستی که بتونی معامله بکنی. ببین، ماده نفریم و تو یه نفر... نکنه دامبلدور هیچ وقت حتّی شمردن‌رو هم بهت یاد نداده!

صدایی از بالای سرشان به گوش رسید که گفت:

ـ اود تَدها دیست. هدوز بَدو داره!

قلب هری در سینه فرو ریخت. نویل چوبدستی هرمیون را محکم در دست گرفته بود و با دستپاچگی به سمت آن‌ها می آمد.

ـ نویل... نه! برگرد پیش رون!

نویل چوبدستی‌اش را به سمت تک‌تک مرگ‌خوارها می‌گرفت و می‌گفت:

ـ *استیوبفای!*

یکی از درشت هیکل‌ترین مرگ‌خوارها نویل را از پشت گرفت و او را در میان دو دستش‌گیر انداخت. او دست و پا می‌زد و لگد می‌پراند. چند نفر از مرگ‌خوارها خندیدند. لوسیوس مالفوی پوزخند زد و گفت:

ـ این لانگ باتمه، نه؟ مادربزرگت عادت کرده که اعضای خانواده‌ش به دست ما از بین برن... برای همین مرگ تو ضربه‌ی روحی شدیدی بهش وارد نمی‌کنه...

بلاتریکس که لبخندی شیطانی بر چهره‌ی رنگ پریده‌اش پدیدار شده‌بود گفت:

ـ لانگ باتم؟ پسر جون، من از لذّت ملاقات با پدر و مادرت بهره‌مند شده‌م...

نویل فریاد زد:

ـ بی‌دودم که شدی!

او چنان در چنگ مأمور اسارتش دست و پا می‌زد که مرگ‌خواران دیگر فریاد زدند...

ـ یکی اونو بیهوش کنه.

بلاتریکس گفت:

ـ نه، نه، نه.

وقتی به هری و سپس به نویل نگاه می‌کرد شور و سر زندگی خاصّی چهره‌اش را روشن کرده‌بود. او ادامه داد:

ـ نه. بگذارین، ببینیم لانگ باتم چه‌قدر طاقت می‌یاره و چه قدر طول می‌کشه تا مثل پدر و مادرش عقل از سرش بپره... مگه این‌که پاتر زودتر پیش‌گویی‌رو به ما بده...

نویل که ظاهراً از خود بی‌خود شده‌بود نعره زد:

ـ اودو بهشود دَده!

بلاتریکس به نویل و مرگ‌خواری که او را نگه داشته بود نزدیک‌تر می‌شد و نویل لگد می‌زد و پیچ‌وتاب می‌خورد. بلاتریکس چوبدستی‌اش را بالا آورد و نویل گفت:

ـ اودو بهشود دَده، هری!

بلاتریکس چوبدستی‌اش را بلند کرد و گفت: «کروشیو!»

نویل جیغ زد و پاهایش را به سمت سینه‌اش جمع کرد طوری که مرگ‌خوار چند لحظه‌ای او را بغل کرده‌بود. مرگ‌خوار او را رها کرد و به زمین انداخت. نویل از درد جیغ می‌زد و پیچ‌وتاب می‌خورد.

بلاتریکس چوبدستی‌اش را بالاتر برد و گفت:

ـ این فقط برای این بود که مزّه‌شو بچشی!

جیغ‌های نویل قطع شد و همان‌طور که خوابیده بود سرش را روی زانوهایش گذاشت و هق‌هق گریست. بلاتریکس برگشت و به هری نگاه کرد و گفت:

ـ پاتر، یا پیش‌گویی‌رو بده به ما یا شاهد مرگ دوست کوچولوت به فجیع‌ترین وضع ممکن باش!

هری نیازی به فکرکردن نداشت. چاره‌ای نداشت. دستش را دراز کرد و پیش‌گویی را که در دستش داغ شده‌بود جلو گرفت.

آن‌گاه بر فراز سرشان، دو در دیگر باز شد و پنج نفر دیگر به سرعت وارد اتاق شدند: سیریوس، لوپین، مودی، تانکس و کنیگزلی.

مالفوی برگشت و چوبدستی‌اش را بلند کرد ولی تانکس پیش از آن

یک افسون بیهوشی به سمت او فرستاده بود. هری منتظر نماند که ببیند افسون به او برخورد می‌کند یا نه. شیرجه‌ای زد و از سکو فاصله گرفت و خود را از تیر رس افسون دور کرد. ورود اعضای محفل ققنوس حواس مرگ‌خوارها را کاملاً پرت کرده‌بود. آن‌ها همان‌طور که از روی پلّه‌ها یکی‌یکی می‌پریدند تا خود را به گودال فرو رفته برسانند رگباری از انواع جادوها را به سمت مرگ‌خوارها شلیک می‌کردند. هری از میان افرادی که به این سو و آن سو می‌دویدند و در میان پرتوهای نورانی که به هر سو شلیک می‌شد نویل را دید که سینه‌خیز حرکت می‌کرد.

هری در برابر پرتو سرخ دیگری جا خالی داد و خود را به سمت نویل به زمین انداخت. وقتی افسون دیگری از چند سانتی‌متر بالاتر از سرشان گذشت هری فریاد زد:

ـ حالت خوبه؟

نویل که می‌کوشید خود را بلند کند گفت:

ـ آره.

ـ رون چی؟

ـ فکر بی‌کُدب حالش خوب باشه... وقتی اوبدب هدوز داشت تقلا بی‌کرد...

افسونی به زمین سنگی میان آن دو برخورد کرد و منفجر شد، و در جایی که چند دقیقه پیش دست نویل قرار داشت گودالی ایجاد کرد. هر دو با دستپاچگی از آن‌جا دور شدند. آن‌گاه شخصی دست قدرتمندش را دور گردن هری حلقه کرد و او را از زمین بالا کشید طوری که پنجه‌ی پاهایش داشت از زمین بلند می‌شد. شخصی با صدای گرفته در گوشش گفت:

ـ پیش‌گویی رو بده به من، بده به من.

مرد چنان به گلوی هری فشار می‌آورد که او نمی‌توانست نفس

بکشد. از پشت پرده‌ی اشکی که در چشم‌هایش جمع می‌شد سیریوس را دید که در ده قدمی آن‌ها با مرگ‌خواری مبارزه می‌کرد. کنیگزلی در یک زمان با دو نفر می‌جنگید. تانکس که تازه به نیمه‌های نیمکت‌های طبقه‌طبقه رسیده‌بود افسون‌هایی را به سمت بلاتریکس شلیک می‌کرد... به نظر می‌رسید هیچ‌کس متوجّه نیست که هری در حال مردن است. چوب‌دستی‌اش را برگرداند و به سمت پهلوی مرد نشانه‌گرفت اما نفسی برایش نمانده‌بود تا وردی را بر زبان جاری سازد. دست دیگر مرد کورمال کورمال به دنبال دست هری می‌گشت که در آن پیشگویی را نگه داشته‌بود.

ـ آخ!

نویل ناگهان به سمت آن‌ها حمله‌ور شده‌بود و چون قادر نبود وردی را به درستی بر زبان آورد چوب‌دستی هرمیون را در سوراخ چشمی نقاب مرگ‌خوار فرو کرده‌بود. مرد بلافاصله هری را رها کرد و از درد فریاد کشید. هری فوراً برگشت تا با او رودررو شود و درحالی‌که نفس‌نفس می‌زد گفت:

ـ استیوپفای!

مرگ‌خوار از پشت افتاد و نقابش کنار رفت. او مکنر بود، کسی که قرار بود کج منقار را بکشد. یکی از چشم‌هایش سرخ و متورم شده‌بود. هری نویل را کنار کشید زیرا در همان لحظه سیریوس و مرگ‌خواری که با او می‌جنگید چرخی زدند و از کنار آن‌ها گذشتند. آن‌دو چنان به سرعت مبارزه می‌کردند که چوب‌دستی‌هایشان تار و نامشخّص به نظر می‌رسید. هری به نویل گفت:

ـ ازت ممنونم!

آنگاه پای هری به چیز گردی برخورد کرد و لغزید. یک لحظه گمان کرد پیشگویی را انداخته است ولی در همان وقت چشمش به چشم

سحرآمیز مودی افتاد که بر روی زمین می‌غلتید.

صاحب آن کنارش روی زمین افتاده‌بود و از سرش خون بیرون می‌زد. مهاجمی که به او حمله کرده‌بود اکنون به سراغ هری و نویل می‌آمد، صورت کشیده‌ی دالاهوف از شادی کج و معوج شده‌بود.

چوبدستی‌اش را به سمت نویل گرفت و فریاد زد:

ـ *تارانتالگرا!*

بلافاصله پاهای نویل دیوانه‌وار شروع به ضرب‌گرفتن بر روی زمین و رقصیدن کردند. تعادل نویل به هم خورد و دوباره به زمین افتاد. دالاهوف گفت:

ـ حالا، پاتر...

او با همان حرکت اریبی که در مقابل هرمیون انجام داده‌بود چوبدستی‌اش را حرکت داد امّا هری زودتر از او فریاد زد: «*پروتگو!*»

هری برخورد چیزی مثل یک چاقوی تیز را بر صورتش احساس کرد و نیروی آن او را به پهلو روی پاهای پر جنب‌وجوش نویل انداخت امّا افسون محافظت بیش‌تر نیروی آن را خنثی کرده‌بود. دالاهوف دوباره چوبدستی‌اش را بلند کرد و گفت:

ـ *اکسیوپراف..!*

در همان لحظه سیریوس از راه رسید و با شانه‌اش به دالاهوف کوبید و او را از سر راهش به‌کناری پرتاب کرد. این بار نیز پیش‌گویی تا نوک انگشتان هری پیش‌رفته بود ولی او به موقع توانست آن را بگیرد. اکنون سیریوس و دالاهوف با هم می‌جنگیدند. چوبدستی‌هایشان مانند شمشیر برق می‌زد و از نوک آن‌ها جرقه خارج می‌شد...

دالاهوف چوبدستی‌اش را عقب برد تا همان حرکتی را که در برابر هری و هرمیون کرده‌بود تکرار کند. هری از جا پرید و نعره زد: «*پتریفیکوس توتالوس!*» بار دیگر دالاهوف به حالت خبردار ایستاد و به

عقب افتاد و با صدای تالاپ بلندی نقش زمین شد.

سیریوس گفت:

ـ عالی بود!

سپس سر هری را پایین آورد زیرا در همان لحظه دو افسون بیهوشی به سمتشان می‌آمد. سپس ادامه داد:

ـ من ازت می‌خوام که از این‌جا بری...

هر دو سرهایشان را دزدیدند. پرتو سبزی از کنار گوش سیریوس گذشت. هری در آن سوی اتاق تانکس را دید که در نیمه‌های پلّه‌های سنگی سرنگون شد و از روی پلّه‌ها پایین غلتید و بلاتریکس با قیافه‌ای پیروزمندانه، دوان‌دوان به میدان نبرد برگشت. سیریوس نعره زد:

ـ هری پیش‌گویی‌رو نگه دار و نویل‌رو بلند کن و فوراً فرار کن!

سپس به سرعت برگشت تا با بلاتریکس روبه‌رو شود. هری آنچه را پس از آن اتّفاق افتاد نتوانست ببیند زیرا کینگزلی جلوی دیدش را گرفت. او با روکوود می‌جنگید که اکنون دیگر نقابی بر چهره نداشت و صورت آبله رویش نمایان بود. وقتی هری خود را به سمت نویل پرتاب کرد پرتو سبز رنگ دیگری از بالای سرش رد شد...

پاهای نویل دیوانه‌وار با سرعتی سرسام‌آور تکان می‌خورد. هری در گوش او فریاد زد:

ـ می‌تونی وایسی؟ دستتو بنداز روی شونه‌ی من.

نویل دستش را به شانه‌ی هری گرفت و هری او را بالا کشید. پاهایش هنوز به هر سو در حرکت بودند و نمی‌توانستند وزن او را تحمّل کنند. در همان هنگام مردی به سمت آن‌ها پرتاب شد. هر دو از عقب به زمین افتادند. پاهای نویل همچون پاهای سوسکی که به پشت افتاده باشد در هوا پیچ و تاب می‌خورد. هری دست چپش را بالا گرفته بود و می‌کوشید از شکستن گوی بلورین کوچک جلوگیری کند.

صدای لوسیوس مالفوی با خشم در گوش او پیچید که می‌گفت:

ـ پیش‌گویی، پیش‌گویی‌رو بده به من، پاتر!

هری نوک چوبدستی او را که به دنده‌هایش فشرده می‌شد احساس می‌کرد.

ـ نه ـ ولم کن ـ نویل ـ بگیرش!

هری پیش‌گویی را به سمت او پرتاب کرد و نویل غلتی زد و به پشت خوابید و توانست گوی بلورین را با دو دستش بر روی سینه‌اش بگیرد. مالفوی چوبدستی‌اش را به سمت نویل گرفت امّا هری با نوک چوبدستی‌اش به شانه‌ی او ضربه زد و گفت: ایمپدیمنتا!

پشت مالفوی منفجر شد. وقتی هری دست و پایی زد و از جایش برخاست به اطرافش نگاه کرد و مالفوی را دید که به سکویی برخورد کرد که در آن لحظه سیریوس و بلاتریکس بر روی آن با هم می‌جنگیدند. مالفوی بار دیگر با چوبدستی‌اش هری و نویل را هدف گرفت امّا پیش از آنکه بتواند نفسی بگیرد و به آن‌ها حمله کند لوپین به میانشان پرید و گفت:

ـ هری همه‌ی بچّه‌هارو جمع کن و برو!

هری شانه‌ی ردای نویل را گرفت و او را بلند کرد و روی اوّلین طبقه‌ی پلّه‌های سنگی کشید. پاهای نویل پیچ‌وتاب می‌خورد و نمی‌توانست بدنش را نگه دارد. هری با تمام قدرتی که داشت بار دیگر او را بلند کرد و از پلّه‌ی دیگری بالا رفتند...

افسونی در پشت پای هری به پله‌ی سنگی برخورد کرد. پله زیر پایش خرد شد و او بر روی پلّه‌های پایینی افتاد. نویل که پاهایش همچنان در پیچ‌وتاب بود روی زمین ولو شد و پیش‌گویی را در جیبش گذاشت. هری با درماندگی ردای نویل را کشید و گفت:

ـ پاشو! سعی کن به پاهات فشار بیاری...

هری بار دیگر با قدرت اعجاب‌انگیزی نویل را بالاکشید ولی درز ردای نویل در سمت چپ از بالا تا پایین شکافت...

گوی بلورین کوچک افتاد و پیش از آن‌که بتوانند آن را بگیرند یکی از پاهای پر جنب‌وجوش نویل به آن لگد زد. گوی بلورین در سمت راستشان به پرواز درآمد و سه متر آن طرف‌تر به پلّه‌ی پایینی برخورد کرد و شکست. هر دو با حیرت به نقطه‌ای که گوی بلورین برخورد کرده‌بود خیره نگاه می‌کردند. شبح سفید ماتی که چشم‌هایش چند برابر بزرگ شده‌بود به هوا برخاست. هیچ‌کس جز آن دو متوجّه آن نشد. هری حرکت لب‌های او را می‌دید امّا با وجود صدای زد و خورد و دادوفریاد اطرافشان نتوانست حتّی یک کلمه از آن پیشگویی را بشنود. حرف شبح به پایان رسید و نیست و نابود شد.

نویل که پاهایش همچنان در پیچ‌وتاب بود با قیافه‌ای نگران و آشفته گفت:

- ببخشید، هری! خیلی بد شد، هری، دبی خواستَب...

هری فریاد زد:

- مهّم نیست! حالا سعی کن وایسی تا از این‌جا بیرون...

- دابّلدور!

نویل که از بالای شانه‌ی هری پشت سر او را نگاه می‌کرد ناگهان صورت عرق کرده‌اش شاد و متبسّم شد. هری گفت:

- چی؟

- دابّلدور!

هری سرش را برگرداند تا ببیند نویل به کجا نگاه می‌کند. درست در بالای سر آن‌ها در چارچوب در اتاق مغز، آلبوس دامبلدور ایستاده و چوبدستی‌اش را بالا گرفته بود. چهره‌اش از خشم و غضب سفید شده‌بود. هری احساس کرد نیروی الکتریکی قدرتمندی در تمام

سلول‌های بدنش جریان یافت ... *نجات یافته بودند.*

دامبلدور از پلّه‌ها پایین آمد از کنار نویل، و هری که دیگر به فکر رفتن نبود، گذشت. دامبلدور به پایین پله‌ها رسیده‌بود که تازه، مرگ‌خوارانی که نزدیک‌تر بودند، متوجّه ورود او شدند. صدای فریادشان بلند شد. یکی از مرگ‌خواران پا به فرار گذاشت و مثل میمون با دستپاچگی از پلّه‌های روبه‌رو بالا رفت. جادوی دامبلدور بدون هیچ تلاشی به آسانی او را عقب کشید چنان‌که گویی با قلاّبی نامریی او را گرفته بود...

تنها دو نفر همچنان در حال مبارزه بودند و به نظر می‌رسید هنوز از ورود او بی‌خبرند. هری سیریوس را دید که در برابر پرتو نورانی بلاتریکس جا خالی داد. سیریوس خنده‌کنان به او می‌گفت:

ـ زودباش دیگه، تو بهتر از این می‌تونی مبارزه کنی!

صدایش در اتاق غار مانند پیچید.

دوّمین پرتو نورانی درست به سینه‌اش اصابت کرد.

هنوز خنده‌اش به‌طور کامل از چهره‌اش زایل نشده‌بود که چشم‌هایش از حیرت گشاد شد.

هری ناخودآگاه نویل را رها کرد. او بار دیگر از پلّه‌های سنگی پایین پرید و چوبدستی‌اش را بیرون کشید. دامبلدور نیز به سمت سکو برگشت.

به نظر رسید سقوط سیریوس قرن‌ها به طول انجامید. بدنش قوس ملایمی پیدا کرد و از پشت، در پرده‌ی مندرس آویخته از تاق‌نما فرو رفت.

هری وحشت آمیخته به حیرت را در چهره‌ی بی‌جان پدر خوانده‌اش دید که روزگاری زیبا و خوش‌قیافه به نظر می‌رسید و در همان لحظه او به زیر تاق‌نمای باستانی سقوط کرد و پشت پرده ناپدید

شد. پرده لحظه‌ای چنان‌که گویی در معرض باد شدیدی قرار گرفته باشد لرزید و بار دیگر به حالت اوّلش بازگشت.

هری صدای جیغ پیروزمندانه‌ی بلاتریکس لسترنج را شنید امّا می‌دانست که شور و شعف او بی‌معناست. سیریوس فقط از زیر تاق‌نما گذشته بود و هر لحظه ممکن بود از سمت دیگر آن بیرون بیاید.

امّا سیریوس دیگر پدیدار نشد.

هری نعره زد:

- سیریوس! سیریوس!

هری به زمین رسیده‌بود و چنان نفس‌نفس می‌زد که ریه‌هایش می‌سوخت. سیریوس بی‌تردید پشت پرده بود و او، هری، او را از پشت آن بیرون می‌کشید...

امّا همین که به زمین رسید و با عجله به سمت سکو رفت لوپین دستش را دور سینه‌ی هری انداخت و او را نگه داشت.

تو هیچ کاری نمی‌تونی بکنی، هری...

- بگیرش، نجاتش بده، همین الان افتاد اون‌جا!

- دیگه خیلی دیره، هری...

- هنوز می‌تونیم بهش برسیم.

هری با خشونت تقلاً می‌کرد امّا لوپین او را رها نکرد...

- تو هیچ کاری نمی‌تونی بکنی، هری... هیچ کاری... اون رفته.

فصل ۳۶

تنها کسی که از او می‌ترسید

هری نعره زد:

ـ اون نرفته!

هری باور نمی‌کرد. نمی‌توانست باور کند. با آخرین قدرتی کـه در سـلول‌های بـدنش بـود مـی‌کوشید لوپین را از خـود بـرانـد. لوپـین نمی‌فهمید، عدّه‌ای پشت آن پرده پنهان بودند. اوّلین باری که وارد آن جا شده بود صدای زمزمه‌ی آن‌ها را شنیده بود. سیریوس در آن جا پنهان بود... فقط در معرض دید آن‌ها قرار نداشت...

او فریاد زد:

ـ سیریوس! سیریوس!

لوپین که می‌کوشید هـری را آرام نگه دارد و صـدایش قطع و وصـل مـی‌شد گفت:

ـ اون نمی‌تونه برگرده، هری. اون دیگه نمی‌تونه برگرده چون مر...

هری نعره زد:

ـ اون ـ نمرده! سیریوس!

در اطرافشان جنب‌وجوشی بود. همه در تکاپویی بیهوده بودند. پرتو افسون‌های دیگری درخشید. از نظر هری همه‌ی آن صداها بی‌معنی بودند. دیگر به نفرین‌هایی که منحرف می‌شدند و از کنارشان می‌گذشتند اهمیّتی نمی‌داد. دیگر هیچ چیز برایش اهمیّت نداشت جز این‌که لوپین دست بردارد و طوری وانمود نکند که انگار سیریوس، که در یک قدمی آن‌ها در آن سوی پرده ایستاده بود، دیگر بیرون نمی‌آید، با حرکت سرش موی سیاهش را عقب نمی‌زند و مشتاقانه وارد نبرد نمی‌شود...

لوپین هری را از سکو عقب کشید. هری هنوز به تاق‌نما چشم دوخته بود و حالا نسبت به سیریوس خشمگین بود که او را منتظر نگه داشته است...

امّا حتّی درحالی‌که دست و پا می‌زد تا خود را از چنگ لوپین آزاد کند بخشی از وجودش می‌دانست که سیریوس پیش از آن هیچ‌گاه او را منتظر نگذاشته است... سیریوس همیشه دست به هر کار خطرناکی می‌زد تا هری را ببیند و به او کمک کند... حالا که هری با تمام وجود نام او را صدا می‌زد چنان که گویی اگر فریاد نمی‌کشید عمرش به پایان می‌رسید و با این وجود سیریوس از زیر تاق‌نما بیرون نمی‌آمد تنها توضیحی که وجود داشت این بود که او نمی‌تواند از آن‌جا بیرون بیاید... و واقعاً ...

دامبلدور اکثر مرگ‌خواران را در وسط اتاق جمع کرده‌بود و به نظر می‌رسید آن‌ها را با طناب‌های نامریی بسته است. مودی چشم باباقوری سینه‌خیز خود را به تانکس در آن سوی اتاق رسانده‌بود و

می‌کوشید او را به هوش آورد. در پشت سکو هنوز پرتوهای نور به چشم می‌خورد و صدای داد و فریادی از آن سو به گوش می‌رسید. کنیگزلی دوان‌دوان خود را رسانده بود و مبارزه‌ی سیریوس با بلاتریکس را ادامه می‌داد.

ـ هری؟

نویل از روی پلّه‌ها، یکی پس از دیگری، پایین افتاده و به کنار هری رسیده‌بود. هری دیگر تقلاّ نمی‌کرد امّا لوپین جانب احتیاط را نگه داشته و دست او را محکم گرفته بود. نویل که پاهایش هنوز بی‌اختیار در رقص و پیچ‌وتاب بود گفت:

ـ هری، بد خیلی بُتأسفب... اود بَرد... سیریوس بلک... دوست تو بود؟

هری با حرکت سرش جواب مثبت داد.

لوپین چوبدستی‌اش را به سمت پاهای نویل گرفت و گفت:

ـ *فاینایت!*

جادو باطل شد. پاهای نویل بر روی زمین افتاد و آرام گرفت. صورت لوپین رنگ پریده بود. او گفت:

ـ بیاین بریم بقیّه‌رو پیدا کنیم... اونا کجا هستن، نویل؟

لوپین همان‌طورکه حرف می‌زد رویش را از تاق‌نما برگرداند گویی با هر کلمه‌ای که بر زبان می‌راند دردی بر وجودش چنگ می‌انداخت.

نویل گفت:

ـ هبه شود اود بالاد. یه بغز به رود حبله کرد بلی فکر بی‌کُدب حالش خوب باشه... هربیود بیهوش شده بلی دبضش بی‌زد...

صدای بنگ بلندی همراه با صدای فریادی از پشت سکو به گوش رسید. کنیگزلی که از درد فریاد می‌کشید بر روی زمین افتاد. بلاتریکس لسترنج برگشت و پا به فرار گذاشت. دامبلدور به سرعت برگشت. جادویی به سویش فرستاد امّا بلاتریکس آن را منحرف کرد. اکنون تا

نیمه‌های پلّه‌ها بالا رفته بود...

لوپین فریاد زد:

- هری، نه!

امّا دست لوپین سست شده بود و هری که خود را آزار کرده بود فریاد زد:

- اون سیریوس‌رو کشت! اونو کشت! خودم می‌کشمش!

او به سرعت از پلّه‌های سنگی بالا می‌رفت. همه پشت سرش فریاد می‌زدند امّا او اهمیّتی نمی‌داد. لبه‌ی ردای بلاتریکس از نظر ناپدید شد. دوباره به اتاقی رسیده‌بودند که در آن مغزها شناور بودند...

بلاتریکس افسونی به پشت سرش فرستاد. مخزن به هوا رفت و کج شد. هری در میان سیلاب معجون بدبو گرفتار شد. مغزها بر سر و رویش لغزیدند و شروع به پیچیدن شاخک‌هایشان به دوراو کردند امّا او فریاد زد:

- *وینگاردیوم له ویوسا!*

مغزها به هوا رفتند و از او دور شدند. با این‌که بر روی کف لغزنده‌ی اتاق سُر می‌خورد به سوی در دوید. از روی لونا که بر روی زمین غرولند می‌کرد پرید و از کنار جینی که گفت: «هری... چی...؟» گذشت و از کنار رون که با صدای ضعیفی کرکر می‌خندید و همچنین از کنار هرمیون که هنوز بیهوش بود عبور کرد. دری را که به سالن سیاه می‌رسید باز کرد و بلاتریکس را دید که از در رو به رویش بیرون رفت... در مقابلش راهرویی بود که به آسانسورها می‌رسید...

هری دوید امّا بلاتریکس در را پشت سرش بست و دیوارها بار دیگر شروع به چرخیدن کردند. بار دیگر در حلقه‌ی نورانی آبی رنگ حاصل از چرخش شمعدان‌ها قرار گرفته‌بود.

وقتی صدای غرش و چرخش دیوارها متوقّف شد هری با

درماندگی فریاد زد:

ـ در خروج کدومه؟ راه خروج کدومه؟

انگار اتاق منتظر پرسش او بود، بلافاصله دری در پشت سرش باز شد و راهرویی که به آسانسورها می‌رسید در برابرش نمایان شد. شعله‌ی مشعل‌ها راهروی خالی را روشن کرده بود. او دوید...

صدای جیرینگ‌جیرینگ آسانسوری را شنید. با سرعت در راهرو پیش رفت، پیچی را پشت سر گذاشت و با مشتش به دکمه‌ی دوّمین آسانسور کوبید. صدای جیرینگ‌جیرینگ و تلق تولوق نزدیک و نزدیک‌تر می‌شد. نرده‌ها کنار رفتند و او با عجله وارد آسانسور شد. حالا روی دکمه‌ی دهلیز می‌کوبید. درها بسته شدند و آسانسور بالا رفت...

پیش از آنکه نرده‌ها کاملاً کنار بروند و به زور از آسانسور بیرون آمد و به اطرافش نگاهی انداخت. بلاتریکس تقریباً به آسانسور تلفن در آن سوی سالن رسیده بود امّا همین‌که هری به سرعت به سویش دوید رویش را برگرداند و جادوی دیگری به سمتش فرستاد. او جا خالی داد و پشت حوض برادران جادویی پناه گرفت. جادو با سرعت از کنارش گذشت و به درهای طلاپوش سمت دیگر دهلیز برخورد کرد و باعث شد مثل زنگوله به صدا درآیند. دیگر صدای قدم کسی به گوش نرسید. بلاتریکس دیگر نمی‌دوید. هری پشت مجسّمه‌ها خم شد و گوشش را تیز کرد.

بلاتریکس دوباره با صدای کودکانه‌ای شروع به صحبت کرد که پس از برخورد با کف چوبی و صیقلی دهلیز منعکس می‌شد. او گفت:

ـ بیا بیرون، بیا بیرون، هری کوچولو! پس برای چی دنبالم اومدی؟ فکر می‌کردم اومدی انتقام پسر عمه‌ی عزیزمو بگیری!

ـ برای همین اومدم!

گویی چندین شبح هری از گوشه و کنار سالن گفتند:

-اومدم! اومدم! اومدم!

-آهان... دوستش داشتی، پاتر کوچولو؟

چنان نفرتی در وجود هری جوشیدن گرفت که پیش از آن تجربه نکرده بود. از پشت حوض بیرون پرید و فریاد زد:

-کروشیو!

بلاتریکس جیغ زد. این جادو او را به زمین انداخته بود امّا او مثل نویل بر روی زمین پیچ‌وتاب نخورد و از درد فریاد نکشید... او دوباره از زمین بلند شده بود. نفس‌نفس می‌زد و دیگر نمی‌خندید. هری دوباره پشت حوض پناه گرفت... ضدّ طلسم بلاتریکس به سر مجسّمه‌ی جادوگر خوش قیافه خورد. سر مجسمه کنده شد و شش متر آن طرف‌تر افتاد و روی سطح چوبی زمین شیارهایی ایجاد کرد.

بلاتریکس که دیگر با صدای کودکانه حرف نمی‌زد فریاد کشید و گفت:

-بچّه‌جون، قبلاً طلسم‌های نابخشودنی‌رو به کار نبرده بودی، نه؟ باید واقعاً بخوای، پاتر! باید واقعاً بخوای که درد ایجاد کنی... و از این کار لذّت ببری... خشم شرافتمندانه نمی‌تونه مدّت زیادی منو عذاب بده... چه طوره بهت طرز کارشو نشون بدم، موافقی، می‌خوام یه درسی بهت بدم...

هری حوض را دور زده و به سمت دیگر رفته بود. بلاتریکس جیغ زد و گفت:

-کروشیو!

هری ناچار بود دوباره سرش را بد زد زیرا آن دست سانتور که کمان را گرفته بود کنده شد و در فاصله‌ی کمی از سر جادوگر محکم به زمین خورد. بلاتریکس فریاد زد:

-پاتر، تو نمی‌تونی منو شکست بدی.

هری صدای قدم‌های او را می‌شنید که به سمت راست می‌رفت تا بهتر بتواند او را نشانه بگیرد. هری برگشت و دوباره مجسمه‌ها را دور زد تا از او دور شود. پشت پاهای سانتور خم شد و سرش با سر مجسّمه‌ی جن خانگی در یک سطح قرار گرفت. بلاتریکس ادامه داد:

-من وفادارترین خادم لرد سیاه بودم و هستم. جادوی سیاه‌رو از اون یاد گرفته‌م. جادوهایی که من بلدم اون قدر قویّه که تو بچّه کوچولوی روانی، به فکرت هم نمی‌رسه چه برسه به این‌که بخوای باهاشون مقابله کنی...

هری به کنار مجسمه‌ی جن رسیده بود که به جادوگر بی‌سر لبخند می‌زد و وقتی بلاتریکس در جست‌وجوی او با دقّت به سمت دیگر مجسّمه‌ها نگاه می‌کرد پشت او را هدف گرفت و فریاد زد:

-*استیوپفای!*

بلاتریکس با چنان سرعتی واکنش نشان داد که هری با آن سرعت نمی‌توانست حتّی سرش را بدزدد. بلاتریکس بلافاصله گفته بود: «*پروتگو!*»

پرتو سرخ رنگ افسون بیهوشی هری به سمت خودش برگشت. هری با دستپاچگی به پشت حوض برگشت و یکی از گوش‌های جنّ کنده شد و پروازکنان به آن سوی سالن رفت. بلاتریکس فریاد زد:

-پاتر، می‌خوام بهت فرصتی بدم. پیش‌گویی‌رو بده به من... اونو قل بده تا بیاد طرف من... منم زندگیتو بهت می‌بخشم!

هری فریاد زد:

-پس مجبوری منو بکشی چون اون از بین رفته!

با گفتن این حرف درد شدیدی در پیشانی‌اش پیچید. بار دیگر جای زخمش می‌سوخت و موجی از خشم در درونش می‌جوشید که با

عصبانیّت خودش هیچ ارتباطی نداشت. هری دیوانه‌وار شروع به خندیدن کرد. خنده‌اش مانند خنده‌ی بلاتریکس بود. هری گفت:

- اون می‌دونه! ولدمورت، رفیق قدیمی عزیزت می‌دونه که اون نابود شده! حالا دیگه از دست عصبانی می‌شه، نه؟

برای اوّلین بار آثار وحشت بر چهره‌ی بلاتریکس نمایان شد و فریاد زد:

- چی؟ منظورت چیه؟

- وقتی سعی می‌کردم نویل‌رو از پلّه‌ها بالا بکشم پیش‌گویی افتاد و شکست! به نظرت ولدمورت چی می‌گه؟

جای زخمش تیر کشید و سوخت... درد آن باعث شد اشک از چشم‌هایش جاری شود...

بلاتریکس جیغ زد و گفت:

- دروغگو!

امّا اکنون هری می‌توانست وحشت نهفته در خشم او را احساس کند. او ادامه داد:

- اون پیش توست، پاتر! تو همین الان اونو می‌دی به من! *اکسیوپرافسی!* **اکسیوپرافسی!**

هری دوباره خندید زیرا می‌دانست خنده‌اش او را به خشم می‌آورد. دردی که در سرش می‌پیچید چنان شدید بود که فکر می‌کرد هر لحظه ممکن است سرش بترکد. از پشت مجسّمه‌ی جن یک گوش لحظه‌ای دست خالی‌اش را برای او تکان داد و به سرعت آن را پس کشید زیرا او بار دیگر پرتو نورانی سبز رنگی را به سوی او فرستاده بود. هری فریاد زد:

- هیچی توی دستم نیست! چیزی نیست که با افسون جمع‌آوری بگیریش. اون شکست و هیچ‌کس نشنید که چی گفت... به رییست

بگو...

بلاتریکس فریاد زد:

ـ نه! این حقیقت نداره، تو داری دروغ می‌گی! **ارباب، من سعی خودمو کردم، سعی خودمو کردم... منو مجازات نکنین...**

هری از شدّت درد چشم‌هایش را بسته بود و محکم برهم می‌فشرد. این بار دردش از همیشه بیش‌تر بود. او گفت:

ـ بیخودی خودتو خسته نکن! اربابت از دور صداتو نمی‌شنوه!

صدای زیر و بی‌روحی گفت:

ـ نمی‌شنوم، پاتر؟

هری چشم‌هایش را باز کرد.

پیکر باریک و بلندی با شنل کلاهدار سیاه در برابرش بود. صورتش رنگ پریده و مارمانند و وحشتناک بود و با چشم‌های قرمزش که مردمک خطی داشت به او نگاه می‌کرد... ولدمورت در وسط سالن پدیدار شده و با چوبدستی‌اش هری را نشانه گرفته بود. هری سر جایش میخکوب شده‌بود و نمی‌توانست تکان بخورد.

ولدمورت با چشم‌های قرمز بی‌عاطفه‌اش به هری نگاه کرد و با ملایمت گفت:

ـ پس تو پیش‌گویی منو شکستی، آره؟ نه، بلا، دروغ نمی‌گه... من از درون ذهن بی‌ارزشش با حقیقت روبه‌رو شدم... ماه‌ها برنامه‌ریزی، ماه‌ها تلاش، و حالا مرگ‌خوارهای من اجازه دادن که هری‌پاتر نقشه‌های منو نقش برآب کنه...

ولدمورت به بلاتریکس نزدیک‌تر شد و او خودش را جلوی او به زمین انداخت و درحالی‌که هق‌هق می‌گریست گفت:

ـ ارباب، منو ببخشین، من نمی‌دونستم، داشتم با بلک جانورنما می‌جنگیدم! ارباب، خودتون باید بدونین...

ولدمورت با لحن خطرناکی گفت:
ـ ساکت باش، بلا. تا یه دقیقه دیگه به حسابت می‌رسم. فکر کردی من برای شنیدن عذرخواهی و زرزرهای تو به وزارت سحر و جادو اومدم؟
ـ ولی ارباب... اون این‌جاست... همین پایینه...
ولدمورت به او توجّهی نکرد و به آرامی گفت:
ـ با تو دیگه هیچ حرفی برای گفتن ندارم، پاتر! خیلی وقته که داری منو به زحمت میندازی. *اجی مجی لاترجی*[1]*!*
هری برای مقاومت در برابر او حتّی دهانش را نیز باز نکرد. فکرش خالی و سفید بود و چوبدستی‌اش بیهوده به سمت زمین قرار داشت.
امّا مجسّمه‌ی بی‌سر جادوگر در حوض جان گرفت و از پاسنگش جستی زد و با صدای بلندی بر روی زمین سالن بین ولدمورت و هری فرود آمد. جادوی ولدمورت پس از برخورد به سینه‌ی مجسّمه کمانه کرد و مجسّمه دست‌هایش را از هم باز کرد تا از هری محافظت کند. ولدمورت گفت:
ـ چی...؟
آن‌گاه به اطرافش نگاهی انداخت و آهسته گفت:
ـ دامبلدور!
هری به پشت سرش نگاه کرد و قلبش با شدّت در سینه تپید. دامبلدور جلوی درهای زرّین ایستاده بود.
ولدمورت چوبدستی‌اش را بلند کرد و پرتو سبزرنگ دیگری را به سمت او فرستاد. امّا دامبلدور چرخی زد و با اوّلین موجی که شنلش خورد از نظر ناپدید شد. لحظه‌ای بعد پشت سر ولدمورت پدیدار شد و چوبدستی‌اش را به سمت بقایای مجسّمه‌های فوّاره‌دار حرکت داد.

---

1 - Avadakedavra! (آوداکداورا!)

بقیّه‌ی مجسّمه‌ها نیز جان گرفتند.

مجسّمه‌ی ساحره به طرف بلاتریکس رفت. او نیز جیغ کشید و افسون‌هایش را بیهوده به سمت آن فرستاد زیرا پس از برخورد با سینه‌ی مجسمه کمانه کردند. آنگاه مجسّمه به سمت او شیرجه زد و او را روی زمین میخکوب کرد. در این میان مجسّمه‌ی جنّ و جنّ خانگی به سمت بخاری‌های جاسازی شده در دیوار دویدند و سانتور یک دست به تاخت به سمت ولدمورت رفت. او نیز بلافاصله ناپدید شد و کنار حوض پدیدار گشت. مجسّمه‌ی بی‌سر، هری را عقب راند و از صحنه‌ی نبرد دور کرد. دامبلدور به سمت ولدمورت رفت و سانتور طلایی چهار نعل شروع به چرخیدن به دور آن‌ها کرد.

دامبلدور با آرامش گفت:

ـ امشب، با اومدنت به این جا کار احمقانه‌ای کردی، تام. کارآگاه‌ها دارن میان...

ولدمورت با خشم گفت:

ـ تا اون موقع تو مردی و من رفته‌م.

ولدمورت طلسم کشنده‌ی دیگری به سمت دامبلدور فرستاد امّا به هدف نخورد. در عوض به میز مأمور امنیّتی خورد و آن را به آتش کشید.

دامبلدور نیز چوبدستی‌اش را حرکت سریعی داد. جادویی که از آن بیرون آمد بی‌نهایت نیرومند بود و با این‌که هری در پناه مجسّمه‌ی سنگی قرار داشت هنگام عبور آن، موهایش به هوا جست. این‌بار ولدمورت برای منحرف‌کردن آن ناچار شد به کمک جادو سپر نقره‌ای درخشانی پدید آورد. آن جادو، هرچه بود، خسارت قابل مشاهده‌ی به سپر وارد نکرد امّا صدای گنگ و بمی از آن برخاست که بسیار عجیب و وحشتناک بود...

ولدمـورت چشـم‌های قرمزش را تنگ کرد و از بـالای سپر بـه دامبلدور نگاهی انداخت و گفت:

ـ تو نمی‌خوای منو بکشی، دامبلدور، نه؟ از قساوت قلب خیلی فاصله داری، درسته؟

دامبلدور به آرامی گفت:

ـ هردومون می‌دونیم راه‌های دیگه‌ای برای نابودکردن یک انسان وجود داره، تام.

دامبلدور به سـمت ولدمـورت پیش مـی‌رفت گـویی در این مـیان از هیچ‌چیز نمی‌ترسید، گویی هیچ اتّفاقی نیفتاده بود که او را از رفتن به آن سوی سالن بازدارد. او ادامه داد:

ـ اقرار می‌کنم که گرفتن جون تو منو راضی نمی‌کنه...

ولدمورت با عصبانیّت گفت:

ـ هیچ چیز بدتر از مرگ نیست، دامبلدور.

دامبلدور که به ولدمورت نزدیک‌تر می‌شد چنان با ملایمت حرف می‌زد که گویی با او درباره‌ی نوشیدنی بحث می‌کند. او گفت:

ـ تو کاملاً در اشتباهی.

هری از دیدن او که بدون هیچ سپر و مدافعی به او نزدیک می‌شد، وحشت کرده‌بود. می‌خواست فـریاد بـزند و بـه او هشـدار بـدهد امّا نگهبان بی‌سرش او را به سوی دیوار پشت سرش می‌راند و چنان راهش را سد کرده بود که به هیچ وجه نمی‌توانست از پشت او بیرون بیاید. دامبلدور ادامه داد:

ـ البتّه عدم توانایی تو در درک این‌که چیزهایی بدتر از مرگ هم وجود داره همیشه بزرگ‌ترین نقطه ضعفت بوده...

از پشت سپر نقره‌ای پرتو سبز رنگ دیگری شلیک شـد. این بـار سانتور یک دست خود را به میان دامبلدور و ولدمـورت انداخت و

هزاران تکّه شد. امّا پیش از آنکه تکّه‌های مجسّمه به زمین برسد دامبلدور چوبدستی‌اش را عقب برده بود و همچون تازیانه‌ای آن را حرکت می‌داد. شعله‌ی نازک و بلندی از سر چوبدستی‌اش خارج شد و به دور ولدمورت و سپرش پیچید. لحظه‌ای به نظر رسید که دامبلدور پیروز شده‌است امّا در همان لحظه طناب آتشین تبدیل به یک افعی شد و بلافاصله ولدمورت را آزاد کرد. آنگاه برگشت و درحالی‌که با خشم فش‌فش می‌کرد با دامبلدور رودررو شد.

ولدمورت ناپدید شد. مار از زمین بلند شد و خود را برای حمله آماده کرد....

شعله‌ای در بالای سر دامبلدور پدیدار شد و درست در همان لحظه ولدمورت وسط پاسنگی ظاهر شد که چندی پیش پنج مجسّمه بر روی آن قرار داشت.

هری نعره زد:

ـ مواظب باش!

امّا درست همان لحظه‌ای که او فریاد زد ولدمورت پرتو سبزرنگی به سوی دامبلدور فرستاد و مار قصد حمله کرد....

فاوکس در جلوی دامبلدور پایین آمد و منقارش را به‌طور کامل باز کرد و تمام پرتو سبز رنگ را بلعید. آنگاه آتش گرفت و پیکر کوچک چروکیده و بی‌پروبالش بر روی زمین افتاد. در آن لحظه دامبلدور چوبدستی‌اش را با یک حرکت ملایم و طولانی تکان داد... مار که تا لحظه‌ای دیگر نیشش را در بدن او فرو می‌کرد به هوا رفت و تبدیل به دود سیاه رنگی شد و از میان رفت. آب حوض بالا آمد و همچون حفاظی از جنس شیشه‌ی مذاب، ولدمورت را دربر گرفت....

چند لحظه‌ای ولدمورت همچون شبح سیاه و بی‌صورت موجداری به نظر رسید که بر روی پاسنگ نامشخّص و لرزان بود و به روشنی تقلا

می‌کرد تا آن توده‌ی خفقان‌آور را از خود دور کند...

سپس ناپدید شد و آب چلپی در حوض فرو ریخت و با شدّت از کناره‌های آن بیرون پاشید و کف صیقلی سالن را خیس کرد.

بلاتریکس فریاد زد:

ـ ارباب!

بی‌تردید نبرد به پایان رسیده‌بود. بی‌تردید ولدمورت فرار را برقرار ترجیح داده بود. هری می‌خواست از پشت مجسّمه‌ی نگهبانش بدود و کنار برود امّا دامبلدور نعره زد:

ـ همون‌جا که هستی، بمون، هری!

برای اوّلین بار صدای دامبلدور هراسان بود. هری نمی‌دانست چرا. غیر از خودشان هیچ‌کس در سالن نبود. بلاتریکس هنوز زیر مجسّمه گیر افتاده بود و هق‌هق گریه می‌کرد. جوجه فاوکس کـوچک بـر روی زمین آهسته صدا می‌کرد...

آنگاه جای زخم هری شکافت. می‌دانست که مرده است: درد آن در تصوّر نمی‌گنجید، غیرقابل تحمّل بود.

او از سالن رفته بود، در چنبر موجودی با چشم‌های سرخ اسیر شده‌بود. چنان به هم پیوسته بودند که هری نمی‌فهمید بـدن خـودش کجا تمام می‌شود و بدن آن موجود از کجا شروع می‌شود. آن‌ها به هم آمیخته شـده‌بودند، درد، آن دو را بـه هـم پیوند داده‌بود، و هـیچ راه گریزی وجود نداشت...

وقتی آن موجود شروع به صحبت کرد با زبان هری سخن می‌گفت و او در اوج رنج و عذابش، حرکت آرواره‌هایش را احساس می‌کرد...

ـ همین حالا منو بکش، دامبلدور...

هری، که با تمام ذرّات وجودش خواهان رهایی بـود، در واپسین لحظاتی که با مرگ دست و پنجه نرم می‌کرد و چشمانش دیگر جایی را

نمی‌دید بار دیگر احساس کرد که آن موجود از او بهره می‌جوید...

ـ *اگر مرگ چیزی نیست، دامبلدور، پسره‌رو بکش...*

هری می‌اندیشید: *این دردرو آروم کن، بگذار مارو بکشه... تمومش کن، دامبلدور... مرگ در مقایسه با این درد، هیچه...*

در این صورت من دوباره سیریوس‌رو می‌بینم...

همین‌که قلب هری از احساست لبریز شد آن موجود چنبرش را باز کرد و درد از میان رفت. هری دمرو روی زمین افتاه بود، عینکش به چشمش نبود و چنان به شدّت می‌لرزید که گویی بر روی یخ خوابیده است نه چوب...

آن‌گاه صدای چند نفر در سالن پیچید، تعدادشان بیش از آن بود که انتظار می‌رفت. هری چشم‌هایش را باز کرد. عینکش را نزدیک پاشنه‌ی پای مجسّمه‌ی بی‌سری دید که از او محافظت کرده بود و در آن لحظه شکسته و بی‌حرکت، به پشت بر روی زمین افتاده‌بود. عینکش را به چشم زد و همین‌که اندکی سرش را بلند کرد بینی خمیده‌ی دامبلدور را در چند سانتی‌متری صورت خودش دید.

ـ حالت خوبه، هری؟

هری چنان به شدّت می‌لرزید که نمی‌توانست درست سرش را بالا بگیرد. او گفت:

ـ بله، آره... من... ولدمورت کجاست، کجا... اینا کی هستن... چی...

دهلیز مملو از جمعیّت بود. کف سالن شعله‌های زمردی رنگی را منعکس می‌کرد که در تمام بخاری‌ها در امتداد دیوارها افروخته شده‌بود. سیلی از جادوگران و ساحره‌ها از میان شعله‌ها به سویشان روان بودند. وقتی دامبلدور هری را بلند کرد تا بایستد چشمش به مجسّمه‌های طلایی و ظریف جن و جنّ خانگی افتاد که کورنلیوس فاجِ حیرت زده را راهنمایی می‌کردند.

مردی که مویش را دم اسبی کرده و ردای سرخ رنگی پوشیده بود به یک کپه خرده سنگ طلایی در آن سوی سرسرا اشاره کرد و جایی را نشان داد که بلاتریکس تا چند دقیقه پیش در آنجا به دام افتاده بود. مرد در همان حال فریاد زد:

ـ اونجا بود، من دیدمش، آقای فاج، قسم میخورم، اسـمشونبر بـود. اون دست زنیرو گرفت و ناپدید شد!

فاج گفت:

ـ میدونم، ویلیامسن، میدونم. خودم دیدمش!

فاج شنل راهراهش را روی لباس خوابش پوشیده بود و چنان نفسنفس میزد که گویی کیلومترها دویده است. او با لکنت گفت:

ـ به حق ریش مرلین ـ این جا ـ این جا! ـ توی وزارت سحر و جادو! ـ ای خدای آسمانها ـ امکان نداره ـ عجیبه ـ چهطور ممکنه؟

کاملاً معلوم بود دامبلدور از اینکه میبیند هری صحیح و سـالم است بسیار خشنود شدهاست. او قدمزنان جلو رفت و افراد تازه وارد بالاخره متوجّه حضور او شدند (چند تن از آنها چوبدستیهایشان را بلند کردند و برخی دیگر فقط حیرت زده شدند. مجسّمهی جنّ و جنّ خانگی هورا کشیدند و فاج چنان از جا پرید که با همان دمپاییهایی که به پا داشت لحظهای از زمین فاصله گرفت.) دامبلدور گفت:

ـ کورنلیوس، اگر به سازمان اسرار در طبقهی پایین بری در تالا مـرگ چـند تـا از مـرگخواران فـراری رو مـیبینی کـه بـا طـلسم «ضـدّ غیبشوندگی» بسته شدهن و منتظر تو هستن که تکلیفشونو معلوم کنی.

فاج که از خوشحالی سر از پا نمیشناخت نفسش را در سینه حبس کرد و گفت:

ـ دامبلدور! تو ـ این جا ـ من ـ من ـ

او سراسیمه به کارآگاهانی که با خود آورده بود نگاه کرد و مثل روز

روشن بود که هر لحظه ممکن است فریاد بزند: «دستگیرش کنین!»

دامبلدور با صدای رعدآسایی گفت:

- کورنلیوس، من آماده‌م که با مأمورین تو مبارزه کنم و دوباره شکستشون بدم! ولی همین چند دقیقه پیش خودت با چشم‌های خودت مدرکی‌رو دیدی که ثابت می‌کرد یک ساله من دارم حقیقت‌رو به تو می‌گم. لرد ولدمورت برگشته و تو دوازده ماهه که داری افراد دیگه‌ای‌رو به اشتباه تعقیب می‌کنی. دیگه وقتش رسیده که سر عقل بیای!

فاج برافروخته شد گفت:

- من - نمی - خب -

طوری به اطرافش نگاه کرد گویی امیدوار بود کسی به او بگوید چه باید بکند. بعد که هیچ‌کس چنین کاری نکرد گفت:

- بسیار خب... داولیش! ویلیامسن! برین طبقه‌ی پایین و یه سری به سازمان اسرار بزنین... دامبلدور، تو... تو باید دقیقاً به من بگی...

در همان لحظه نگاهی به کف سالن و به بقایای مجسّمه‌های ساحره، جادوگر و سانتو انداخت که اکنون پراکنده شده‌بودند و با صدای زوزه‌مانندی گفت:

- حوض برادران جادویی... چرا داغون شده؟

دامبلدور گفت:

- بعد از این‌که من هری‌رو به هاگوارتز برگردونم می‌تونیم درباره‌ش صحبت کنیم.

- هری... هری *پاتر*؟

فاج چرخی زد و به هری نگاه کرد. هری هنوز کنار پیکر درهم شکسته‌ی مجسّمه‌ای که در طول مبارزه‌ی دامبلدور ولدمورت و از او محافظت می‌کرد به دیوار تکیه داده‌بود. فاج که از تعجّب با دهان باز به

هری نگاه می‌کرد گفت:
ـ اون ـ این جا؟ آخه... این‌جا چه خبر شده؟
دامبلدور تکرار کرد.
ـ وقتی هری به مدرسه برگشت همه چی‌رو برات توضیح می‌دم.
او از کنار حوض به سمت محلّی رفت که سر مجسّمه‌ی طلایی جادوگر بر روی زمین قرار داشت. چوبدستی‌اش را به سمت آن گرفت و گفت: «پورتوس!» سر مجسّمه با نور آبی رنگی درخشید و چند ثانیه‌ای لرزید و از برخورد آن با کف چوبی زمین سروصدایی بلند شد. سپس بار دیگر آرام و بی‌حرکت ماند.
وقتی دامبلدور سر مجسمه را برداشت و با آن به سمت هری رفت فاج گفت:
ـ ببین دامبلدور! تو برای ایجاد اون رمزتاز مجوز نداری! حق نداری جلوی روی وزیر سحر و جادو از این کارها بکنی، تو... تو...
وقتی دامبلدور از بالای شیشه‌های نیم‌دایره‌ای عینکش با حالتی آمرانه او را وارانداز کرد به لکنت افتاد. دامبلدور به او گفت:
ـ دستور می‌دی دلورس آمبریج از هاگوارتز بره. به کارآگاه‌هات می‌گی از تعقیب استاد مراقبت از موجودات جادویی مدرسه دست بکشن تا بتونه به تدریسش ادامه بده. من امشب...
دامبلدور ساعتی را از جیبش درآورد که دوازده عقربه داشت و نگاهی به آن انداخت و ادامه داد:
ـ نیم ساعت از وقتمو به تو اختصاص می‌دم و در این مدّت به‌طور کامل می‌تونیم درباره‌ی تمام نکات مهّم اتّفاقی که این‌جا افتاده صحبت کنیم. بعدش من باید به مدرسه‌م برگردم. اگر به کمک بیش‌تری احتیاج داشتی، باکمال میل بهت می‌گم که می‌تونی به آدرس هاگوارتز برام نامه بنویسی. تمام پاکت‌هایی که روشون نوشته باشه «مدیر مدرسه» به

دست من می‌رسه.

فاج با حیرتی بیش‌تر از همیشه به او زل زده‌بود. دهانش باز مانده بود و صورت گردش در زیر موهای خاکستری ژولیده‌اش سرخ می‌شد.

ـ من ـ تو ـ

دامبلدور پشتش را به او کرد و گفت:

ـ این رمز تاز رو بگیر، هری.

دامبلدور سر طلایی مجسّمه را جلوی او گرفت و او فارغ از هرگونه نگرانی درباره‌ای این که به کجا خواهد رفت و چه خواهد کرد، دستش را روی آن گذاشت. دامبلدور به آرامی گفت:

ـ نیم ساعت دیگه توی دفترم می‌بینمت. یک... دو... سه...

هری حسّ آشنای قلابی را که پشت نافش تکان می‌خورد بار دیگر تجربه کرد. کف چوبی صیقلی سالن از زیر پایش کنار رفت. دهلیز، فاج و دامبلدور، همه با هم ناپدید شدند و او در میان گردبادی از رنگ‌ها و صداهای گوناگون به پرواز درآمد...

فصل ۳۷

پیش‌گویی بر باد رفته

پاهای هری بار دیگر به زمین سخت برخورد کرد. زانوهایش کمی خم شد و سرطلایی مجسّمه با صدای دنگ پرطنینی به زمین افتاد. به اطرافش نگاه کرد و دریافت که در دفتر دامبلدور فرود آمده‌است.

در غیبت مدیر مدرسه، همه چیز خودبه‌خود تعمیر شده‌بود. ابزارهای ظریف نقره‌ای بار دیگر بر روی میزهای پایه بلندشان قرار داشتند و به آرامی غژغژ و فرفر می‌کردند. گاه نیز دود ابرمانندی از آن‌ها خارج می‌شد. تابلوهای مدیران و مدیره‌های هاگوارتز در قاب‌هایشان چرت می‌زدند و سرهایشان یا به پشتی صندلی راحتیشان تکیه داشت یا به دیواره‌ی قاب. هری از پنجره بیرون را نگاه کرد. خط سبز بسیار روشنی در پهنه‌ی افق گسترده شده‌بود. سحر نزدیک بود.

تنها صدایی که سکوت و آرامش آن جا را برهم می‌زد صدای خر و

پف‌گاه و بی‌گاه تابلوهای تک چهره‌ی به خواب رفته بود و هری تحمّل شنیدن آن را نداشت. اگر قرار بود محیط پیرامونش احساسات درونی او را منعکس کند تمام تابلوها باید از درد و رنج فریاد می‌کشیدند. شروع به قدم‌زدن در آن دفتر زیبا و خاموش کرد. تندتند نفس می‌کشید و تلاش می‌کرد به چیزی فکر نکند. امّا او باید فکر می‌کرد... چاره‌ی دیگری نداشت...

هری باعث مرگ سیریوس شده‌بود. تقصیر او بود. اگر هری آن‌قدر احمق نبود و فریب ولدمورت را نمی‌خورد؛ اگر باور نداشت که آنچه در خواب دیده، واقعی است؛ اگر چنان‌که هرمیون گفته بود این تصوّر را به ذهنش راه می‌داد که ولدمورت روی علاقه‌ی هری به *قهرمان‌بازی* حساب می‌کند...

غیرقابل تحمّل بود... نمی‌توانست به آن فکر کند، تاب تحمّل آن را نداشت... فضای خالی وحشتناکی در درونش ایجاد شده‌بود که نمی‌خواست آن را حس کند یا به بررسی آن بپردازد؛ فضای تاریکی که جای سیریوس بود و سیریوس در آن ناپدید شده‌بود. نمی‌خواست با وجود آن فضای بزرگ و خاموش تنها بماند، تاب تحمّل آن را نداشت...

تصویر تک چهره‌ای در پشت سرش خر و پف بلندی کرد و صدای بی‌روح فینیاس را شنید که گفت:

ـ به‌به، هری پاتر...

فینیاس نایجلوس خمیازه‌ای طولانی کشید و دست‌هایش را کش داد. آن‌گاه با چشم‌های ریز و تیزبینش هری را وارانداز کرد و گفت:

ـ چی شده که صبح به این زودی اومدی این جا؟ قراره درِ این دفتر به روی همه بسته باشه جز مدیر بر حق مدرسه. نکنه دامبلدور تورو فرستاده این‌جا؟ اوه، امیدوارم نخوای...

او خمیازه‌ی لرزان دیگری کشید و ادامه داد:

ـ یه پیغام دیگه برای نوه‌ی‌نوه‌ی بی‌ارزشم ببرم.

هری نمی‌توانست صحبت کند. فینیاس نایجلوس نمی‌دانست سیریوس مرده است امّا هری نمی‌توانست به او بگوید. گویی سخن گفتن با صدای بلند درباره‌ی این واقعه، آن را قطعی، ابدی و بازگشت‌ناپذیر می‌کرد.

اکنون چند تابلوی دیگر نیز تکان می‌خوردند. هری از ترس سؤال پیچ‌شدن از سوی تابلوها به آن سوی اتاق رفت و دستگیره در را چرخاند.

دستگیره تکان نمی‌خورد. او در آن‌جا زندانی شده‌بود.

جادوگر چاقی که بینی‌اش سرخ بود و تابلوی آن درست روی دیوار پشت میز دامبلدور آویزان بود گفت:

ـ امیدوارم معنیش این باشه که دامبلدور به زودی پیش ما بر می‌گرده.

هری رویش را برگرداند. جادوگر با علاقه‌ی خاصّی او را ورانداز می‌کرد. هری سرش را به نشانه‌ی جواب مثبت تکان داد. هری همان‌طورکه پشت به دستگیره ایستاده بود سعی کرد آن را باز کند. اما ذرّه‌ای تکان نمی‌خورد.

جادوگر گفت:

ـ اوه، چه خوب! بدون اون این‌جا خیلی غم‌انگیزه، خیلی زیاد...

او بر روی صندلیی که نشسته بر آن، نقّاشی شده‌بود و به تخت پادشاهی شباهت داشت کمی راحت‌تر نشست و با مهربانی به هری لبخند زد. او با آرامش گفت:

ـ دامبلدور خیلی ازت تعریف می‌کنه و مطمئنم که خودتم می‌دونی. اوه بله، ارزش و اعتبار زیادی برات قایله.

احساس گناه تمام وجود هری را پر کرده‌بود و همچون انگل هولناک و سنگینی پیچ‌وتاب می‌خورد. هری دیگر طاقت به دام‌افتادن در ذهن و

بدن خودش را نداشت... هیچ‌گاه مثل آن لحظه دلش نمی‌خواست... شخص دیگری باشد... حال هر که می‌خواست باشد...

در بخاری دیواری خالی شعله‌های زمردی زبانه کشید و باعث شد هری به سرعت از در فاصله بگیرد. او به مردی که در داخل آتشدان به سرعت به دور خود می‌چرخید چشم دوخته بود. وقتی قامت بلند دامبلدور در میان شعله‌های آتش پدیدار شد جادوگران و ساحره‌ها در تابلوهای نصب شده بر دیوارها از خواب پریدند. بسیاری از آن‌ها با صدای بلند به او خوشامد گفتند. دامبلدور به نرمی گفت:

ـ متشکّرم.

دامبلدور در ابتدا به هری نگاه نکرد. او به طرف جایگاه پرنده‌ای رفت که پشت در دفترش بود و از جیب داخل ردایش فاوکس کوچک و زشت بی‌پروبال را بیرون آورد و با ملایمت بر روی سینی پر از خاکستر نرمی گذاشت که در زیر پایه‌ای طلایی بود، پایه‌ای که فاوکس پس از رشد کامل بر روی آن می‌ایستاد.

سرانجام دامبلدور رویش را از جوجه ققنوس برگرداند و گفت:

ـ خب، هری. می‌دونم از شنیدن این خبر خوش‌حال می‌شی که هیچ‌کدوم از دوستانت بعد از حوادث امشب دچار آسیب دایمی نشده‌ن.

هری سعی کرد بگوید: «چه خوب» امّا صدایی از دهانش بیرون نیامد. به نظرش می‌رسید که دامبلدور قصد دارد به او یادآوری کند که آن شب با اعمالش چه خسارت‌هایی به بار آورده‌است و با این‌که دامبلدور پس از مدّت‌ها برای اوّلین بار مستقیم در چشم‌هایش نگاه می‌کرد و حالت چهره‌اش آمیخته به مهربانی بود نه اتّهام، نگاه‌کردن به چشم‌های او برایش غیرقابل تحمّل بود.

دامبلدور گفت:

ـ خانم پامفری داره زخم‌هاشونو پانسمان می‌کنه. نیمفادوراتانکس ممکنه مجبور بشه مدّتی در سنت مانگو بستری بمونه امّا احتمالاً حالش کاملاً خوب می‌شه.

هری که به فرش خیره مانده بود به حرکت موافقت‌آمیز سرش در همان حال اکتفا کرد. لحظه‌ای از فرش چشم برنمی‌داشت و با روشن‌شدن آسمان نقش و نگار فرش نیز روشن‌تر می‌شد. او اطمینان داشت که تمام تابلوهای تک چهره‌ی اطرافشان کلمه به کلمه‌ی صحبت‌های دامبلدور را با دقّت گوش می‌دهند؛ و نمی‌دانند هری و دامبلدور کجا بوده‌اند یا چرا عدّه‌ای مجروح شده‌اند.

دامبلدور بسیار آهسته گفت:

ـ می‌دونم چه احساسی داری، هری.

هری ناگهان با صدایی بلند و نیرومند گفت:

ـ نه، نمی‌دونین.

آتش خشم درونش شعله‌ور شده‌بود. دامبلدور از احساسات او هیچ‌چیز نمی‌دانست.

فینیاس نایجلوس موذیانه گفت:

ـ دیدی گفتم، دامبلدور؟ هیچ‌وقت سعی نکن حال شاگردها رو درک کنی. اونا از این کار متنفّرند. بیش‌تر ترجیح می‌دن در سوءتفاهم غم‌انگیزی باقی بمونن و دلشون به حال خودشون بسوزه و کشک خودشونو...

دامبلدور گفت:

ـ دیگه کافیه، فینیاس.

هری پشتش را به دامبلدور کرد و به عمد به چشم‌انداز پنجره‌ی روبه‌رو خیره شد. ورزشگاه کوییدیچ را از دور می‌دید. سیریوس یک بار با قیافه‌ی مبدّل، به‌صورت یک سگ سیاه و پشمالو به آن‌جا

آمده‌بود تا بتواند بازی هری را تماشا کند... احتمالاً آمده‌بود که ببیند آیا بازی هری نیز به اندازه‌ی جیمز خوب است... هری هیچ‌وقت از او نخواسته بود که بیاید...

صدای دامبلدور را شنید که گفت:

- دلیلی نداره که از احساساتت شرمنده باشی، هری. اتّفاقاً برعکس... این واقعیّت که تو تا این حد درد و رنج‌رو احساس می‌کنی بزرگ‌ترین توانایی توست.

هری احساس می‌کرد آتش خشم در وجودش زبانه می‌کشد و جای خالی درونش را می‌گدازد. حس می‌کرد با تمام وجود می‌خواهد برای آرامش دامبلدور و حرف‌های توخالیش به او صدمه بزند.

هری درحالی‌که همچنان به زمین کوییدیچ خیره بود امّا دیگر آن را نمی‌دید با صدای لرزانی گفت:

- بزرگ‌ترین توانایی منه؟ شما اصلاً سر در نمی‌یارین... شما نمی‌دونین...

دامبلدور به آرامی گفت:

- من چی‌رو نمی‌دونم؟

کاسه‌ی صبرش لبریز شد. درحالی‌که از خشم می‌لرزید برگشت و گفت:

- نمی‌خوام درباره‌ی احساساتم حرف بزنم، باشه؟

- هری، چنین درد و رنجی ثابت می‌کنه که تو هنوز یک انسانی! این درد بخشی از انسان بودنه...

هری فریاد کشید:

- **پس اگه این جوره، من - نمی‌خوام - انسان - باشم.**

آن‌گاه دستش را درازکرد و یکی از ابزارهای ظریف نقره‌ای را از روی میز پایه بلند آن‌که درکنارش بود برداشت و به آن سوی اتاق پرتاب کرد.

ابزار نقره‌ای به دیوار خورد و تکّه‌تکّه شد. چند تابلو از خشم و ترس فریاد زدند. تابلوی تک چهره‌ی آرماندو دیپت گفت:

ـ *واقعاً که!*

هری به تابلوهارو کرد و گفت:

ـ **برام مهّم نیست که شما چی می‌گین!**

سپس ماه‌نمایی را برداشت و به درون بخاری دیواری انداخت و دوباره فریاد زد:

ـ **هرچی کشیدم بسه! هرچی دیدم بسه! می‌خوام برم بیرون، زودتر تمومش کن، دیگه برام اهمیّتی نداره...**

هری میز پایه بلندی را که ابزار نقره‌ای روی آن بود نیز برداشت و پرتاب کرد. میز شکست و هریک از پایه‌هایش یک طرف افتاد.

دامبلدور گفت:

ـ برات اهمیّت داره.

او در برابر هری که دفترش را ویران می‌کرد خم به ابرو نیاورده و کوچک‌ترین حرکتی برای ممانعت از او نشان نداده‌بود. چهره‌اش آرام و نسبتاً بی‌اعتنا بود. او ادامه داد:

ـ اون‌قدر برات اهمیّت داره که احساس می‌کنی دردش داره جونتو به لب می‌رسونه.

ـ **نه، نداره!**

هری چنان بلند فریاد زده‌بود که حس می‌کرد گلویش ممکن است پاره شود. در یک آن، می‌خواست به دامبلدور نیز حمله کند و او را نیز درهم بشکند. می‌خواست آن چهره‌ی سالخورده و آرام را خرد کند، تکان بدهد، ویران کند و او را وادار سازد ذرّه‌ای از نفرت و وحشت درونش را احساس کند.

دامبلدور با لحنی ملایم‌تر از قبل گفت:

ـ چرا، داره. تو مادر تو، پدر تو و نزدیک‌ترین کسی‌رو از دست دادی که
جای خالی پدر و مادر تو پر کرده‌بود. معلومه که برات اهمیّت داره.

هری فریاد زد:

ـ شما نمی‌دونین من چه حالی دارم! شما... اون‌جا وایسادین و...

امّا کلام او را یاری نمی‌داد؛ شکستن وسایل دیگر جوابگو نبود.
می‌خواست بدود، می‌خواست به دویدن ادامه دهد و پشت سرش را
نیز نگاه نکند. می‌خواست به جایی برود که دیگر چشمان آبی روشنی
را که به او نگاه می‌کرد، نبیند؛ می‌خواست دیگر آن چهره‌ی
سالخورده‌ی آرام و نفرت‌انگیزش را نبیند. روی پاشنه‌ی پا چرخید و به
سوی در دوید. بار دیگر دستگیره‌ی در را گرفت و چرخاند.

امّا در باز نشد.

هری به سمت دامبلدور برگشت و درحالی‌که که از فراق سر تا نوک
پایش می‌لرزید گفت:

ـ بگذارین برم بیرون.

دامبلدور فقط گفت:

ـ نه.

چند لحظه به یکدیگر خیره ماندند. سپس هری دوباره گفت:

ـ بگذارین برم بیرون.

دامبلدور نیز تکرار کرد:

ـ نه.

ـ اگه نگذارین ـ اگه منو این جا نگه دارین ـ اگه اجازه ندین ـ

دامبلدور به آرامی گفت:

ـ تا هر وقت که دلت می‌خواد به شکستن وسایل من ادامه بده. خیالت
راحت باشه چون من از این جور چیزها زیاد دارم.

دامبلدور به پشت میزش رفت و همان‌جا نشست و هری را تماشا

کرد.

هری یک بار دیگر با صدایی که این بار بی‌روح، و به اندازه‌ی صدای دامبلدور آرام بود گفت:

- بگذارین برم بیرون.

دامبلدور گفت:

- تا وقتی من حرف‌هامو نزده‌م نمی‌شه بری.

- فکر می‌کنین... فکر می‌کنین من می‌خوام... فکر می‌کنین ذرّه‌ای برام... **برام مهّم نیست که چی می‌خواین بگین!** نمی‌خوام حتّی یک کلمه از حرف‌هاتونو بشنوم!

دامبلدور با چهره‌ی اندوهگین گفت:

- ولی می‌شنوی. برای این‌که اون اندازه‌ای که باید از من عصبانی باشی، نیستی. اگه می‌خوای به من حمله کنی، و می‌دونم چیزی نمونده که این کارو بکنی، می‌خوام به‌طور کامل استحقاقشو داشته باشم.

- چی دارین می‌گین...؟

دامبلدور با صراحت گفت:

- من باعث شدم سیریوس بمیره. شاید بهتر باشه بگم تقریباً همه‌ش تقصیر من بوده... نمی‌خوام متکبّر و خودخواه باشم و مسؤولیّت همه‌چیزرو به عهده بگیرم. سیریوس مرد شجاع، با هوش و پرانرژیی بود و این جور مردها معمولاً خوششون نمی‌یاد کنج‌خونه قایم بشن و دست روی دست بگذارن درحالی‌که می‌دونن دیگران درخطرند. با تمام این حرف‌ها، امشب تو به هیچ‌وجه نباید فکر می‌کردی که رفتن تو به سازمان اسرار ضروریه. اگر من چنان‌که باید و شاید با تو روراست بودم مدّت‌ها پیش می‌فهمیدی که ممکنه ولدمورت تورو به سازمان اسرار بکشونه. در این صورت هرگز گولشو نمی‌خوردی و امشب به اون جا نمی‌رفتی. سیریوس هم مجبور نمی‌شد دنبالت بیاد. مقصر

اصلی همه‌ی این چیزها فقط و فقط منم.

هری هنوز جلوی در ایستاده و دستگیره‌ی آن را گرفته بود امّا دیگر حواسش پرت شده‌بود. نفسش بند آمده بود و به دامبلدور خیره نگاه می‌کرد. گوش می‌داد امّا معنای آنچه را می‌شنید درک نمی‌کرد.

دامبلدور گفت:

ـ خواهش می‌کنم بشین، هری.

دامبلدور از او خواهش کرده و بهِ او دستور نداده بود.

هری لحظه‌ای مردّد ماند سپس با گام‌هایی آهسته به آن سوی اتاقی رفت که اکنون پر از خرده چوب و تکّه‌های نقره‌ای چرخ دنده بود. بر روی یکی از صندلی‌ها نشست که رو به میز دامبلدور بود.

فینیاس نایجلوس از سمت چپ هری آهسته گفت:

ـ آیا من درست فهمیده‌م که نوه‌ی‌نوه‌ی من، آخرین بازمانده‌ی خاندان بلک، مرده؟

دامبلدور گفت:

ـ بله، فینیاس.

او با شتاب گفت:

ـ باورم نمی‌شه.

هری به موقع سرش را برگرداند و فینیاس نایجلوس را دید که از تابلویش بیرون می‌رفت و فهمید که به تابلوی دیگرش در خانه‌ی میدان گریمولد رفته‌است. احتمالاً از تابلویی به تابلوی دیگر می‌رفت و در اتاق‌های مختلف خانه، سیریوس را صدا می‌زد...

دامبلدور گفت:

ـ هری من یک توضیح به تو بدهکارم. توضیحی درباره‌ی اشتباه‌های یک پیرمرد. برای این‌که الان می‌فهمم کارهایی که در ارتباط با تو کردم، و کارهایی که نکردم، همه‌شون علایم پیری‌رو در خودشون دارن.

جوون‌ها نمی‌تونن بفهمن که پیرها چه احساسی دارن و چه فکرهایی می‌کنن. امّا افراد مسن اگه حـال و هـوای جـوونی‌رو فـرامـوش کـنن مقصرند... و من از قرار معلوم این اواخر فراموش کرده‌م...

خورشید دیگر طلوع کرده‌بود. اکنون در پهنه‌ی آسمان، بـر فـراز کوه‌ها لایه‌ی نارنجی‌رنگ خیره‌کننده‌ای نمایان شـده و بـالاتر از آن، آسمان روشن و بی‌رنگ بود. نور خورشید به دامـبلدور، بـه ابـروها و ریش نقره فامش، و به چین‌های عمیق چهره‌اش می‌تابید.

دامبلدور گفت:

- پونزده سال پیش، وقتی زخم روی پیشونیتو دیـدم حـدس زدم کـه ممکنه چه معنایی داشته بـاشه. حـدس مـی‌زدم کـه مـمکنه نشـونه‌ی ارتباطی باشه که بین تو و ولدمورت ایجاد شده.

هری رک و راست گفت:

- پروفسور، اینو قبلاً بهم گفتین.

او دیگر از رفتار گستاخانه ابایی نداشت. دیگر به هیچ‌چیز اهمیّت نمی‌داد.

دامبلدور با حالتی عذرخواهانه گفت:

- بله، بله، ولی مـی‌دونی... لازمه که از جای زخمت شروع کـنم. بـرای اینکه کمی بعد از برگشتنت به دنیای جادویی معلوم شـد کـه درست حدس زده بودم و هر وقت ولدمورت بهت نزدیک باشه یـا احسـاس عمیقی داشته باشه جای زخمت بهت هشدار می‌ده.

هری با بی‌حوصلگی گفت:

- می‌دونم.

- و این توانایی تو در تشـخیص حـضور ولدمـورت، حـتّی بـا قیافه‌ی مـبدّل... و تـوانایی تـو در درک احسـاسات اون، وقتی احسـاساتش برانگیخته می‌شه... از زمانی‌که ولدمورت بـه بـدن خـودش بـرگشته و

به‌طور کامل قدرتشو به دست آورده روشن‌تر و مشخّص‌تر شده.

هری به خود زحمت سر تکان‌دادن را نداد. او همه‌ی این مطالب را از پیش می‌دانست. دامبلدور گفت:

ـ این اواخر، من از این نگران شده‌بودم که ممکنه ولدمورت از ارتباطش با تو آگاه بشه. همون‌طور که انتظار داشتم زمانی رسید که تو اون‌قدر در ذهن و افکار اون فرو رفتی که حضورتو احساس کرد. منظورم همون شبیه که شاهد حمله به آقای ویزلی بودی.

هری زیر لب گفت:

ـ آره، اسنیپ بهم گفت.

دامبلدور به آرامی حرف او را تصحیح کرد و گفت:

ـ هری، پروفسور اسنیپ! تو تعجّب نکردی که چرا من این موضوع‌رو خودم برات توضیح ندادم؟ چرا من به تو چفت‌شدگی‌رو یاد ندادم؟ چرا ماه‌ها حتّی به تو نگاه هم نکردم؟

هری سرش را بلند کرد. اکنون می‌توانست اندوه و خستگی را در چهره‌ی دامبلدور ببیند. زیر لب گفت:

ـ چرا، چرا تعجّب کردم.

دامبلدور با لحنی گرفته گفت:

ـ آخه می‌دونی، من اطمینان داشتم که ولدمورت به زودی به ذهن تو راه پیدا می‌کنه تا افکارتو دستکاری و منحرف کنه. و من هیچ اشتیاقی نداشتم که انگیزه‌ی بیش‌تری برای این کارش ایجاد کنم. مطمئن بودم که اگه اون بفهمه روابط ما صمیمانه‌تر از رابطه‌ی عادی مدیر و شاگرده یا زمانی این‌طور بوده، از این فرصت استفاده می‌کنه و تورو به وسیله‌ای برای جاسوسی در کارهای من تبدیل می‌کنه. از استفاده‌هایی که ممکن بود از تو بکنه می‌ترسیدم چون احتمال داشت سعی کنه جسم تورو تسخیر کنه. هری، مطمئنم که حق داشتم فکر کنم که ولدمورت از تو

چنین استفاده‌هایی می‌کنه. همون یکی دوباری که از نزدیک توی چشم هم نگاه کردیم من سایه‌ای از ولدمـورت‌رو در اعماق چشم‌های تـو دیدم... من با فاصله گرفتن از تو سعی می‌کردم ازت محافظت کنم... و این اشتباه یک پیرمرد بود....

هری به یاد وقتی افتاد که حس کرده‌بود مار خفته‌ای در وجودش برمی‌خیزد و برای حمله آماده می‌شود. این احساس مربوط به هـمان مواقعی بود که هری و دامبلدور به چشم هم نگاه کرده بودند.

ـ امّـا امشب مـعلوم شـد کـه هـدف ولدمـورت از تسـخیر وجود تـو نابودکردن من نبوده. اون قصد نابودی تـورو داشـته. اون هـمین چند دقیقه پیش با تسخیر وجود ت امیدوار بود من به امید کشتن اون تورو قربانی کنم.

دامبلدور آه عمیقی کشید. این کلمات بـه آرامـی در ذهن هـری می‌نشست. چند ماه پیش او اشتیاق فراوانی برای شنیدن این مسایل داشت درحـالی‌که اکـنون در مـقایسه بـا شکـاف عـظیمی کـه فـقدان سیریوس در وجودش ایجاد کرده‌بود این مسایل در نظرش بسیار پوچ و بی‌معنا بود. او به هیچ‌یک از این‌ها اهمیّت نمی‌داد...

ـ سیریوس به من گفت همون شبی که حمله به آقای ویزلی‌رو غیب‌بینی کردی وجود ولدمورت‌رو درونت حس کردی. من بلافاصله فـهمیدم چیزی که ازش وحشت داشتم به واقعیّت پیوسته: ولدمورت از همون زمان فهمید که می‌تونه از تو استفاده کنه. برای این‌که تـورو در بـرابر هجوم ولدمورت مسلح کنم تـرتیبی دادم کـه پروفسور اسنیپ بهت چفت‌شدگی‌رو درس بده.

دامبلدور مکث کرد. هری به نور خورشید نگاه می‌کرد که ذرّه‌ذرّه بر روی سطح برّاق میز دامبلدور می‌لغزید و جلو می‌آمد و دوات نقره‌ای و قلم پر سرخ زیبای او را روشن می‌کرد. هـری مـی‌دانست کـه هـمه‌ی

تابلوهای اطرافشان بیدارند و مجذوب توضیح دامبلدور شده‌اند. گاه و بی‌گاه صدای خش‌خش ردای آن‌ها یا صدای صاف‌کردن گلویشان را می‌شنید. فینیاس نایجلوس هنوز برنگشته بود. دامبلدور ادامه داد:

ـ پروفسور اسنیپ فهمید که تو ماه‌هاست خواب دری‌رو در سازمان اسرار می‌بینی. ولدمورت از زمانی‌که به بدنش برگشت تمام فکر و ذکرش شنیدن این پیش‌گویی بود و هربار به اون در فکر می‌کرد تو هم به اون در فکر می‌کردی هرچند که خودتم نمی‌دونستی این چه معنایی داره. بعدش روکوودرو دیدی که قبل از دستگیری در سازمان اسرار کار می‌کرد و حرف‌هایی‌رو که اون به ولدمورت زد شنیدی، چیزهایی که ما در تمام این مدّت می‌دونستیم... که از پیش گویی‌هایی که در سازمان اسرار نگهداری می‌شه به شدّت محافظت می‌کنن. فقط کسانی‌که درباره‌شون پیشگویی شده می‌تونن اونارو بردارن و دچار جنون نشن. ولدمورت برای به چنگ آوردن این پیش‌گویی یا باید خودش وارد وزارت سحر و جادو می‌شد و خطر برملاشدن بازگشتشو به جون می‌خرید یا این‌که... تو باید پیش‌گویی‌رو برای اون برمی‌داشتی. بنابراین مهارت و تسلّط تو در چفت‌شدگی ضرورت بیش‌تری پیدا کرد.

هری زیر لب گفت:

ـ ولی من یاد نگرفتم.

هری برای کاستن از عذاب وجدانی که داشت با صدای بلند نیز تکرار کرد. بی‌تردید اعتراف به گناه باعث می‌شد فشار وحشتناکی که قلبش را می‌فشرد کم‌تر شود. او گفت:

ـ من تمرین نکردم. هیچ سعی و تلاشی نکردم. می‌تونستم اون خواب‌هارو متوقّف کنم. هرمیون یکسره بهم می‌گفت این کارو بکنم. اگه این کارو کرده بودم اون هیچ وقت نمی‌تونست راه اون‌جا رو به من نشون بده و سیریوس... سیریوس...

ناگهان نیاز شدیدی را در وجودش احساس کرد، نیاز به این‌که خود را توجیه کند، نیاز به این‌که توضیح بدهد...

ـ من سعی کردم مطمئنم بشم که اون سیریوس‌رو برده برای همین به دفتر آمبریج رفتم. توی آتش با کریچر حرف زدم و اون گفت سیریوس خونه نیست، گفت که اون رفته!

دامبلدور به آرامی گفت:

ـ کریچر دروغ گفته. تو که اربابش نیستی. اون می‌تونه به تو دروغ بگه بدون این‌که حتّی خودشو مستحقّ تنبیه بدونه. کریچر می‌خواسته تو بری به وزارت سحر و جادو.

ـ اون عمداً منو فرستاد؟

ـ اوه، بله. متأسّفانه باید بگم که کریچر چندین ماه بود که در خدمت دو ارباب بود.

هری با سردرگمی پرسید:

ـ مگه می‌شه؟ اون سال‌هاست که از خانه‌ی میدان گریمولد خارج نشده.

دامبلدور گفت:

ـ کریچر از فرصتی که قبل از کریسمس براش پیش اومد استفاده کرد. گویا سیریوس سرش داد زده بود: «برو بیرون.» اونم این حرف سیریوس‌رو جدّی گرفت و این‌طور برداشت کرد که سیریوس بهش دستور داده از خونه بره بیرون. به خونه‌ی تنها عضوی از خانواده‌ی بلک رفت که هنوز بهش احترام می‌گذاشت... دخترdایی سیریوس بلک، نارسیسا، که خواهر بلاتریکس و همسر لوسیوس مالفویه.

هری پرسید:

ـ شما از کجا این چیزهارو فهمیدین؟

قلبش تندتند می‌زد. حالت تهوّع داشت. به یاد نگرانی سیریوس از

غیبت غیرعادی کریچر افتاده و به یاد آورده‌بود که چندی بعد در اتاق زیر شیروانی پیدا شده‌است...

دامبلدور گفت:

ـ کریچر دیشب به من گفت. آخه وقتی تو به پروفسور اسنیپ اون هشدار رمزی‌رو دادی اون فهمید که تو غیب‌بینی داشتی و سیریوس‌رو دیدی که در اعماق سازمان اسرار گیر افتاده. اونم مثل تو فوراً با سیریوس تماس گرفت. باید بگم که اعضای محفل ققنوس برای برقراری ارتباط با همدیگه از روش‌هایی استفاده می‌کنن که از آتش دفتر دلورس آمبریج خیلی مطمئن‌تره. پروفسور اسنیپ فهمید که سیریوس زنده‌ست و در خانه‌ی میدان گریمولد در امن و امانه. امّا وقتی تو با دلورس آمبریج از جنگل برنگشتی پروفسور اسنیپ نگران شد و حدس زد که ممکنه تو هنوز فکر کرده‌باشی سیریوس در چنگ ولدمورت اسیره و بلافاصله بعضی از اعضای محفل ققنوس‌رو از این موضوع با خبر کرد.

دامبلدور آه عمیقی کشید و گفت:

ـ وقتی اون با قرارگاه تماس گرفت الستورمودی، نیمفادورا تانکس، کنیگزلی شکلبولت و ریموس لوپین در قرارگاه‌بودن. همه موافقت کردند که بلافاصله به کمکت بیان. پروفسور اسنیپ از سیریوس خواهش کرد که همون‌جا بمونه چون اصرار داشت یه نفر توی قرارگاه بمونه و وقتی من اومدم به من خبر بده چه اتّفاقی افتاده، برای این‌که هر لحظه ممکن بود من به اون‌جا برم. در این بین پروفسور اسنیپ به جنگل رفت تا به دنبال تو بگرده. امّا موقعی که همه داشتن دنبال تو می‌گشتن سیریوس طاقت نداشت که خودش توی خونه بمونه. اون کریچرو مأمور کرد که همه چی‌رو به من بگه. بنابراین وقتی من کمی پس از رفتن اونا به وزارتخونه، به خانه‌ی میدان گریمولد رسیدم، جنّ خانگی بود

که... غش‌غش خندید و به من گفت که سیریوس کجا رفته.

هری با صدای پر طنینی گفت:

ـ داشت می‌خندید؟

دامبلدور گفت:

ـ بله. آخه می‌دونی کریچر نمی‌تونست درست و حسابی به ما خیانت کنه. اون رازدار محفل نیست. اون نمی‌تونست محل قرارگاه‌مارو به خانواده‌ی مالفوی بگه یا نقشه‌های محرمانه‌ی محفل‌رو براشون برملا کنه چون از این کار منع شده‌بود. قید و بندهای سحرآمیز نژادش دست‌وپاشو بسته بود، یعنی نمی‌تونست از دستور اکید ارباب‌ش سیریوس سرپیچی کنه. امّا به نارسیسا اطّلاعاتی‌رو منتقل کرد که برای ولدمورت خیلی ارزشمنده و از طرفی اون‌قدر پیش‌پاافتاده‌ست که سیریوس کریچرو از بازگوکردنشون منع نمی‌کرد.

هری گفت:

ـ مثل چی؟

دامبلدور به آرامی گفت:

ـ مثل این واقعیّت که سیریوس در تموم دنیا بیش‌تر از هرکسی تورو دوست داره. مثل این واقعیّت که سیریوس برای تو یه چیزیه بین پدر و برادر. ولدمورت خودش می‌دونست که سیریوس توی محفله و تو جاشو بلدی.... امّا با اطّلاعاتی که کریچر در اختیارش گذاشت فهمید که سیریوس بلک تنها کسیه که تو برای نجاتش از هیچ کاری دریغ نمی‌کنی.

هری که لب‌هایش سرد و بی‌حس شده‌بود گفت:

ـ پس وقتی دیشب ازش پرسیدم سیریوس اون‌جاست...

ـ شکّی وجود نداره که خانواده‌ی مالفوی به دستور ولدمورت به کریچر گفته‌ن باید راهی پیدا کنه که به محض غیب‌بینی تو، اونو دور از آتش

نگه داره تا وقتی سیریوس‌رو در حال شکنجه دیدی و خواستی مطمئن بشی اون توی خونه هست یا نه، بتونه وانمود کنه که اون توی خونه نیست. دیروز کریچر به کج منقار هیپوگریف آسیبی رسونده بود و درست موقعی که تو در آتش ظاهر شدی سیریوس به طبقه‌ی بالا رفته بود تا فکری به حال کج منقار بکنه.

هـری احساس مـی‌کرد هـوای کـمی در ریـه‌هایش جریان دارد. نفس‌هایش کوتاه و سطحی بود. با صدای گرفته‌ای گفت:

ـ اون‌وقت کریچر همه‌ی این چیزهارو به شما گفت و... خندید؟

دامبلدور گفت:

ـ نمی‌خواست به من بگه. امّا من ذهن‌جوی ماهر و ورزیده‌ای هستم و وقتی کسی بهم دروغ بگه تشخیص می‌دم... مـن... قـبل از حـرکت بـه سوی سازمان اسرار... راضیش کردم هـمه چـی‌رو تـمام و کـمال بـرام تعریف کنه.

هری که با دست‌های سردش زانوهایش را می‌فشرد گفت:

ـ هرمیون‌رو بگو که دایم به ما می‌گفت باهاش خوش‌رفتاری کنیم...

دامبلدور گفت:

ـ اون کاملاً درست می‌گفته، هری. وقتی توافق کردیم که خانه‌ی میدان گریمولد قرارگاهمون باشه به سیریوس هشدار دادم که باید با کریچر رفتار محترمانه و مهرآمیزی داشته باشه. اینم بهش گفتم کـه کـریچر ممکنه برامون خطرناک باشه. امّا گمون نمی‌کنم سیریوس حرف مـنو جدّی گرفته باشه یا اصولاً تونسته باشه اونو به چشم موجودی نگاه کنه که مثل انسان‌ها احساسات عمیقی داره...

ـ اونو سرزنش نکنین ـ نـه ـ دربـاره‌ی سیریوس ـ این‌طوری ـ حـرف نزنین ـ

نفس هری بند آمده بود و نمی‌توانست این کلمات را به‌طور پیوسته

بیان کند. امّا خشمی که اندکی فروکش کرده‌بود بار دیگر در وجودش زبانه کشید. او گفت:

ـ کریچر ـ یه دروغگوی ـ متقلّبه ـ حقّش بود ـ

دامبلدور گفت:

ـ هری، اگه کریچر این جوریه برای اینه که جادوگرها این‌طوریش کرده‌ن. آره، باید به حالش تأسّف خورد. اونم مثل دوستت دابی بدبخت و فلک زده‌ست. چون سیریوس آخرین عضو خاندان بلک بود و اون خودشو برده‌ی این خانواده می‌دونست بنابراین با این‌که نسبت به سیریوس به هیچ‌وجه حس وفاداری نداشت ناچار بود از دستوراتش اطاعت کنه. کریچر هر قدر هم مقصر باشه نمی‌شه منکر این واقعیّت شد که سیریوس هم‌طوری رفتار نکرد که کار اون یه ذرّه آسون‌تر...

هری نعره زد:

ـ درباره‌ی سیریوس این جوری صحبت نکنین!

دوباره خشمگین و برافروخته، از جایش برخاسته بود و آماده بود که به دامبلدور حمله کند زیرا به نظرش می‌رسید که او به هیچ وجه سیریوس را نشناخته و نمی‌داند او چه‌قدر شجاع است و چه رنج‌هایی کشیده‌است...

هری با عصبانیّت گفت:

ـ پس اسنیپ چی؟ چرا پس از اون حرفی نمی‌زنین؟ وقتی بهش گفتم که ولدمورت سیریوس‌رو برده اون فقط مثل همیشه به من پوزخند زد...

دامبلدور با خونسردی گفت:

ـ هری، خودتم می‌دونی که پروفسور اسنیپ در حضور دلورس آمبریج چاره‌ای نداشت جز این‌که حرف تورو جدّی نگیره. امّا همون‌طور که قبلاً هم برات توضیح دادم اون در اوّلین فرصت حرف تورو به گوش اعضای محفل رسوند. وقتی تو از جنگل برنگشتی این او بود که حدس

زد تو ممکنه کجا رفته باشی. وقتی پروفسور آمبریج می‌خواست تورو
وادار کنه جای سیریوس‌رو بهش بگی این پروفسور اسنیپ بود که
محلول راستی تقلّبی به اون داد...

هری اعتنایی نکرد. او به‌طور بی‌رحمانه‌ای از مقصّر جلوه‌دادن
اسنیپ لذّت می‌برد. گمان می‌کرد که این کار، عذاب وجدان
طاقت‌فرسایش را کاهش می‌دهد و از سوی دیگر می‌خواست
دامبلدور حرف‌هایش را تأیید کند.

ـ اسنیپ ـ اسنیپ ـ برای اینکه سیریوس توی خونه بود ـ دایم بهش
زخم‌زبون می‌زد... طوری رفتار می‌کرد انگار اون بزدل بوده...

دامبلدور گفت:

ـ سیریوس اون‌قدر عاقل و باهوش بود که اجازه نمی‌داد این‌جور
کنایه‌ها آزارش بده.

هری با خشم گفت:

ـ اسنیپ دیگه به من چفت‌شدگی یاد نداد! اون منو از دفترش انداخت
بیرون!

دامبلدور با ناراحتی گفت:

ـ می‌دونم. قبلاً هم که گفتم، اشتباه کردم که خودم بهت تدریس نکردم
هرچند که مطمئن بودم که در اون زمان بازترکردن ذهنت برای
ولدمورت، در حضور خودم خطرناک‌ترین کاری بود که می‌تونست
انجام بشه...

هری به یاد نظر رون درباره‌ی این موضوع افتاد و ادامه داد:

ـ اسنیپ که بدترش کرد. همیشه بعد از درس چفت‌شدگی با اون جای
زخمم بیش‌تر درد می‌گرفت. شما از کجا می‌دونین که اون نمی‌خواست
راه‌رو برای ولدمورت هموار کنه و باعث بشه که اون به راحتی بتونه بیاد
توی...

دامبلدور رک و پوست‌کنده گفت:

ـ من به سیوروس اسنیپ اعتماد دارم. امّا منِ پیرمرد اشتباه دیگه‌ای کردم... فراموش کرده بودم که بعضی از زخم‌ها از بس عمیقند هیچ وقت خوب نمی‌شن. فکر می‌کردم پروفسور اسنیپ بر احساساتش نسبت به پدرت غلبه کرده... ولی اشتباه کردم.

ـ ولی هیچ اشکالی نداره، درسته؟ اگه اسنیپ از پدر من متنفّر باشه هیچ اشکالی نداره ولی سیریوس حق نداشت از کریچر متنفّر باشه.

هری به نگاه‌های تحقیرآمیز و زمزمه‌های معترضانه‌ی تابلوهای روی دیوار اعتنایی نکرد. دامبلدور گفت:

ـ سیریوس از کریچر متنفّر نبود. اون به کریچر به چشم خدمتکاری نگاه می‌کرد که ارزش علاقه و توجّه‌رو نداره. اغلب، بی‌اعتنایی و غفلت، خیلی بیش‌تر از بیزاری آشکار، باعث خسارت و زیان می‌شه... مجسّمه‌های فواره‌داری که امشب خراب کردیم یک دروغ آشکار بودند. ما جادوگرها بیش از اندازه نسبت به همنوعانمون سوءاستفاده و بدرفتاری‌رو روا داشتیم و حالا داریم نتیجه‌ی عملمونو برداشت می‌کنیم.

هری نعره زد:

ـ **پس یعنی سیریوس مستحق بلایی بود که به سرش اومد، درسته؟**

دامبلدور به آرامی جواب داد:

ـ من چنین چیزی نگفتم و هرگز چنین حرفی‌رو از زبون من نخواهی شنید. سیریوس مرد سنگدلی نبود. او به‌طور کلّی با جن‌های خونگی مهربون بود. اگر کریچرو دوست نداشت برای این بود که کریچر یک یادگار زنده از خونه‌ای بود که سیریوس ازش نفرت داشت.

هری با صدای دورگه‌ای گفت:

ـ آره، از اون خونه متنفّر بود.

آنگاه پشتش را به دامبلدور کرد و از او دور شد. اکنون اتاق کاملاً روشن شده‌بود. هنگامی‌که هری در اتاق قدم می‌زد و نمی‌دانست چه می‌کند، وقتی به هیچ‌وجه فضای اتاق را نمی‌دید، تابلوهای روی دیوار با نگاهشان او را تعقیب می‌کردند. هری ادامه داد:

ـ شما مجبورش کردین توی اون خونه زندانی بشه و اون از این وضعیّت متنفّر بود. برای همین بود که دیشب اومد بیرون...

دامبلدور به آرامی گفت:

ـ من می‌خواستم اون زنده بمونه.

هری برگشت و به او نگاه کرد و با خشم گفت:

ـ هیچ‌کس از زندانی شدن خوشش نمی‌یاد! شما تابستون پارسال همین بلارو سر منم آوردین...

دامبلدور چشم‌هایش را بست و با انگشت‌های باریک و کشیده‌اش صورتش را پوشاند. هری او را نگاه می‌کرد امّا این حالت غیرعادی او که نشانه‌ی خستگی، اندوه یا هر چیز دیگری بود از خشم هری نمی‌کاست. اتفاقاً اکنون که آثار ضعف را در دامبلدور می‌دید خشمگین‌تر هم می‌شد. اکنون که هری می‌خواست خشم و غضبش را سر او خالی کند او حق نداشت از خود ضعف نشان بدهد.

دامبلدور دست‌هایش را پایین آورد از پشت شیشه‌های نیم دایره‌ای عینکش او را ورانداز کرد و گفت:

ـ وقتش رسیده که مطالبی‌رو بهت بگم که باید پنج سال پیش بهت می‌گفتم، هری. خواهش می‌کنم بشین. می‌خوام همه چی‌رو بهت بگم. فقط ازت خواهش می‌کنم کمی صبر و حوصله داشته باشی. وقتی حرفمو بهت زدم اون‌وقت هر کار دلت خواست بکن و هرچه قدر خواستی سرم داد و بیداد کن... من جلوتو نمی‌گیرم.

هری لحظه‌ای با خشم به او نگاه کرد سپس دوباره خود را روی

صندلی جلوی دامبلدور انداخت و منتظر ماند. دامبلدور لحظه‌ای از پنجره محوطه‌ی آفتابی و روشن بیرون را نگاه کرد و بعد دوباره نگاهش را به هری انداخت و گفت:

ـ هری، پنج سال پیش تو صحیح و سالم به هاگوارتز رسیدی، درست همون‌طوری که من می‌خواستم و برنامه‌ریزی کرده بودم. البتّه... خیلی هم سرحال نبودی. رنج کشیده‌بودی. وقتی تورو جلوی در خونه‌ی خاله و شوهرخاله‌ت می‌گذاشتم می‌دونستم که رنج خواهی کشید. می‌دونستم که تورو به ده سال زندگی سخت و عذاب‌آور محکوم کرده‌م.

دامبلدور درنگی کرد امّا هری چیزی نگفت و او ادامه داد:

ـ شاید بپرسی چرا باید به اون شکل می‌گذشت و حق داری بپرسی. مگه نمی‌شد یه خانواده‌ی جادوگری تورو بزرگ کنن؟ خیلی از خانواده‌های جادوگری با کمال میل حاضر به انجام این کار بودن، اونا در نهایت خشنودی افتخار می‌کردن که تورو مثل پسر خودشون بزرگ کنن... جواب من اینه که مهّم‌ترین مسئله برای من زنده نگه‌داشتن تو بود. هیچ‌کس به اندازه‌ی من نمی‌دونست که جون تو چه‌قدر در خطره. ولدمورت چند ساعت پیش از اون شکست خورده‌بود امّا طرفدارانش... که خیلی‌هاشون به بدی خودش بودن... آزاد و خشمگین و نا امید و وحشی‌بودن، و من ناچار بودم با درنظرگرفتن چند سال بعد از اون تصمیم‌گیری کنم. آیا باور کرده‌بودم که ولدمورت تا ابد برنمی‌گرده؟ نه، فقط نمی‌دونستم کی بر می‌گرده، ده سال دیگه، بیست‌سال دیگه یا پنجاه سال دیگه. امّا مطمئن بودم که برمی‌گرده. با شناختی که ازش داشتم از اینم مطمئن بودم که تا تورو نکشه آروم نمی‌گیره. می دونستم که آگاهی ولدمورت از علوم جادویی بیش‌تر از هر جادوگر زنده‌ی دیگه‌ست. می‌دونستم که اگر ولدمورت قدرتشو به‌طور

کامل به دست بیاره پیچیده‌ترین و قوی‌ترین جادوها و افسون‌های من نمی‌تونه در مقابل اون دوامی داشته باشه. امّا از نقطه‌ضعف ولدمورت هم آگاه بودم. بنابراین تصمیم خودمو گرفتم. قرار شد جادویی باستانی از تو محافظت کنه که ولدمورت باهاش آشنایی داره و ازش متنفره و به همین دلیل همیشه این جادورو دست کم گرفته. دارم از این حقیقت صحبت می‌کنم که مادرت برای نجات جون تو خودشو به کشتن داد. مادرت مصونیّت پایداری در تو ایجاد کرد که ولدمورت به هیچ‌وجه انتظارشو نداشت؛ مصونیّتی که تا امروز در رگ‌های تو جریان داره. بنابراین من به خون مادرت اعتماد کردم. من تورو بردم پیش خواهرمادرت؛ تنها خویشاوند زنده‌ای که داشت...

هری بلافاصله گفت:

ـ اون منو دوست نداره. اون برای من سر سوزنی...

دامبلدور حرف او را قطع کرد و گفت:

ـ ولی تورو قبول کرد. ممکنه با اکراه و عصبانیّت و بی‌میلی و ناراحتی قبولت کرده باشه امّا در هر حال قبولت کرد و با این کار جادویی‌رو که من روی تو اجرا کرده‌بودم مهر و موم کرد. فداکاری مادرت این پیوند خونی‌رو تبدیل به سپر مقاومی کرد که من چیزی قدرتمندتر از اون نداشتم که بهت بدم.

ـ ولی من بازم...

ـ تا وقتی جایی که خون مادرت در اون ساکنه حکم خونه‌ی تورو داشته باشه دست ولدمورت بهت نمی‌رسه و نمی‌تونه بهت صدمه‌ای بزنه. درسته که ولدمورت خون مادرتو ریخت ولی خونش در رگ‌های تو و خواهرش جاریه. خون اون تبدیل به پناهگاه تو شد. تو فقط سالی یک بار باید به اون‌جا برگردی و تا زمانی‌که اون‌جارو خونه‌ی خودت بدونی ولدمورت در اون خونه نمی‌تونه به تو صدمه‌ای بزنه. خاله‌ت اینو

می‌دونه. من توی نامه‌ای که همراه با تو روی پلّه‌ی خونه‌ش گذاشتم این موضوع‌رو براش توضیح دادم. اون می‌دونه که در پونزده سال گذشته با راه‌دادن تو در خونه‌ش باعث شده تو زنده بمونی.

هری گفت:

ـ صبر کنین... یه دقیقه صبر کنین.

او روی صندلی‌اش صاف‌تر نشست و به دامبلدور نگاه کرد و گفت:

ـ شما اون نامه‌ی عربده‌کشو فرستاده بودین. شما بهش گفتین یادش باشه... اون صدای شما بود...

دامبلدور سرش را کمی خم کرد و گفت:

ـ فکر کردم شاید لازم باشه اونو به یاد پیمانی بندازم که با قبول‌کردن تو منعقد کرده. حدس می‌زدم که شاید حمله‌ی دیوانه‌سازها اونو از خطرهایی آگاه کرده باشه که با نگه داشتن تو به عنوان پسر خونده ممکنه براش به وجود بیاد.

هری به آرامی گفت:

ـ همین‌طور هم شد. راستش شوهرخاله‌م بیش‌تر از اون نگران شده‌بود. می‌خواست منو از خونه‌ش بندازه بیرون امّا بعد از اون عربده‌کش خاله‌م... خاله‌م گفت که من باید بمونم.

هری لحظه‌ای به زمین خیره ماند و بعد ادامه داد:

ـ امّا این چه ربطی به...

نمی‌توانست نام سیریوس را بر زبان بیاورد. دامبلدور چنان‌که گویی وقفه‌ای در کلامش ایجاد نشده‌بود ادامه داد:

ـ پنج سال پیش، به هاگوارتز اومدی و با این‌که مطابق میل من تغذیه نشده بودی و سرحال نبودی، دست کم زنده و سالم بودی. از اون بچّه‌های لوس و نازنازی نبودی ولی همون‌طوری که انتظار داشتم در مقایسه با شرایطی که داشتی عادی و طبیعی بودی. تا اون‌جا

برنامه‌ریزی من خوب پیش رفته بـود. مـی‌دونم کـه تـو هـم مـثل مـن
اتّفاق‌هایی‌رو که در سال اوّل تحصیلت در هاگوارتز پیش اومد خـوب
یادته. تو به بهترین نحو تونستی بر تمام مشکلاتی که سـر راهت قرار
گرفت غلبه کنی و خیلی... خیلی زودتر از اونی که من پیش‌بینی می‌کردم
با ولدمورت رودررو شدی. بازهم زنده مـوندی و عـلاوه بـر اون، تـو
باعث شدی برگشتن و اوج‌گیری قدرتش به تأخیر بیفته. تـو مـردونه
جنگیدی. من اون‌قدر به تو افتخار می‌کردم کـه از توصیفش عاجزم... امّا
نـقشه‌ی اعـجاب‌انگیز مـن ایرادی داشت. حتّی هـمون مـوقع هـم
می‌دونستم که این ایراد بزرگ می‌تونه تمام نقشه‌مو نقش بر آب کنه. امّا
چون می‌دونستم عملی‌شدن نقشه‌م چه‌قدر اهمیّت داره به خودم گفتم
نمی‌گذارم این ایراد، نقشه‌مو به هم بریزه. تنها کسی که می‌تونست از به
هم خوردن این نقشه جلوگیری کنه من بودم بنابراین مـن نـاچار بـودم
قوی باشم، و وقتی تو بعد از درگیری با ولدمورت در درمانگاه بستری
بودی اوّلین آزمایش من انجام گرفت.

هری گفت:

ـ منظورتونو نمی‌فهمم.

ـ یادته وقتی روی تخت درمانگاه خوابیده بودی از من پرسیدی چـرا
ولدمورت می‌خواست تورو که یک نوزاد بودی بکشه؟

هری با حرکت سرش جواب مثبت داد.

ـ آیا باید اون موقع بهت می‌گفتم؟

هری به آن چشم‌های آبی خیره شد و حرفی نزد امّا قلبش دوباره
تندتند می‌زد.

ـ هنوز متوجّه ایراد نقشه‌ی من نشدی؟ نه... احـتمالاً نشـدی. راسـتش
همون‌طور که خودت می‌دونی تصمیم گرفتم جواب سؤالتـو نـدم. بـه
خودم گفتم آدم در یازده‌سالگی جوون‌تر از اونه که بفهمه. به هیچ‌وجه

قصد نداشتم در یازده سالگی بهت بگم. این موضوع ثقیل‌تر از اون بود که بشه در یازده‌سالگی درکش کرد... همون موقع باید آثار خطرو می‌دیدم. باید از خودم می‌پرسیدم چرا از این ناراحت نشدم که تو از من چیزی‌رو پرسیدی که می‌دونستم روزی باید در جوابش، پاسخ وحشتناکی بهت بدم. باید می‌فهمیدم که خوش‌حالیم از این‌که ناچار نیستم در اون روز خاص جوابتو بدم، بی‌مورده... تو هنوز خیلی جوون بودی... خیلی... خلاصه دوّمین سال تحصیلت در هاگوارتز شروع شد. یه بار دیگه تو با مشکلاتی روبه‌رو شدی که حتّی جادوگرهای بزرگسال هم باهاشون روبه‌رو نشده‌ن. یه بار دیگه برخوردی کردی که به خواب هم نمی‌دیدم. امّا دیگه از من نپرسیدی چرا ولدمورت اون جای زخم‌رو روی پیشونت ایجاد کرده. البتّه درباره‌ی جای زخمت صحبت کردیم، بله... صحبت کردیم... و خیلی‌خیلی به موضوع نزدیک شدیم. چرا من همه چی‌رو برات نگفتم؟ راستش... به نظرم رسید که برای دریافت چنین اطّلاعاتی، دوازده سالگی با یازده‌سالگی فرق زیادی نداره. اجازه دادم که تو، خسته و مجروح، امّا شادمان از پیش من بری و اگر ذرّه‌ای ناراحتی در دلم ایجاد شده‌بود که چرا بهت نگفته‌م بلافاصله از بین رفت. آخه تو هنوز خیلی کوچیک بودی و من به هیچ وجه دلم نمی‌اومد شب پیروزیتو خراب کنم... هری، می‌بینی، تونستی ایراد نقشه‌ی بی‌نظیر منو تشخیص بدی؟ من توی دامی اسیر شده بودم که از قبل پیش‌بینی کرده‌بودم. همون دامی که به خودم گفته بودم می‌تونم ازش دوری کنم، و باید دوری می‌کردم.

- من نمی...

دامبلدور به سادگی گفت:

- من بیش از اندازه نگرانت بودم. به جای این‌که به آگاه‌شدن تو از حقیقت اهمیّت بدم به خوش‌حالی تو اهمیّت می‌دادم. به آرامش تو

بیش‌تر از نقشه‌ی خودم اهمیّت می‌دادم. به جون تو بیش‌تر از جون کسانی اهمیّت می‌دادم که در صورت خراب‌شدن نقشه‌م ممکن بود از بین برن. به عبارت دیگه، من درست همون رفتاری‌رو در پیش گرفتم که ولدمورت از ما احمق‌ها که عشق می‌ورزیم انتظار داره... آیا باید دفاع کنم؟ من از هر کسی که مثل خودم مراقب تو بوده دفاع می‌کنم... و من بیش‌تر از اون‌که بتونی تصوّرشو بکنی مراقبت بوده‌م... نمی‌خواستم رنجی بر رنج‌هایی که کشیده بودی اضافه کنم. وقتی تو در لحظه‌ی حال در این جا زنده و راحت و خوشبخت بودی چه اهمیّتی داشت که ممکن بود در زمان نامعلومی در آینده موجودات و افراد بی‌نام و نشونی به قتل برسند؟ هیچ‌وقت فکرشم نمی‌کردم که مسؤولیّت نگهداری از چنین کسی‌رو عهده‌دار بشم...

وارد سوّمین سال تحصیلت شدیم. من دورادور شاهد تلاشت برای دفع دیوانه‌سازها بودم، می‌دونستم که سیریوس‌رو پیدا کردی و فهمیدی کیه و نجاتش دادی. آیا در اون زمان باید بهت می‌گفتم؟ درست وقتی که با موفقیّت پدرخونده‌تو از چنگ وزارتخونه نجات داده‌بودی؟ ولی وقتی سیزده‌ساله بودی دیگه هیچ عذر و بهانه‌ای برام باقی نمی‌موند. درسته که هنوز جوون بودی امّا ثابت کرده‌بودی که یه آدم استثنایی هستی. وجدانم ناراحت بود، هری. می‌دونستم که زودتر باید بهت بگم...

ولی پارسال هم وقتی از هزار تو بیرون اومدی مرگ سدریک‌رو با چشم خودت دیده بودی، و خودت تا یک قدمی رفته بودی... و من، با این‌که می‌دونستم حالا که ولدمورت برگشته باید زودتر بهت بگم، باز هم بهت نگفتم. امّا امشب می‌دونم که از مدّت‌ها پیش برای آگاهی از چیزی که مدّت زیادی ازت پنهان کرده‌م آمادگی کامل داری. برای این‌که ثابت کردی که این بار سنگین‌رو زودتر از این‌ها باید روی

شونه‌ت می‌گذاشتم. تنها دفاعی که می‌کنم اینه: من به چشم خودم دیده‌م که تو بیش‌تر از تمام دانش‌آموزانی که به این مدرسه اومده‌ن و رفته‌ن رنج کشیدی و دلم نمی‌اومد رنج دیگری‌رو به رنج‌هات اضافه کنم... رنجی که از همه رنج‌های دیگه‌ت دردناک‌تره.

هری منتظر ماند ولی دامبلدور حرفی نزد.

- ولی من هنوز چیزی نفهمیده‌م.

- علّت این‌که ولدمورت می‌خواست تورو در کودکی به قتل برسونه یک پیشگویی بود که کمی پیش از تولّدت انجام گرفته بود. اون از این پیشگویی باخبر شده بود امّا از جزّیات کاملش آگاهی نداشت. امّا بعد از شکستی که خورد فهمید که اشتباه کرده، یعنی وقتی طلسمی که باهاش قصد کشتن تورو داشت به سمت خودش برگشت. بنابراین از وقتی به بدنش برگشت و مخصوصاً بعد از این‌که پارسال به‌طور خارق‌العاده‌ای از چنگش فرار کردی مصمّم شد که از اوّل تا آخر اون پیشگویی‌رو بشنوه. این همون اسلحه‌ایّه که ولدمورت بعد از بازگشتش بی‌وقفه به دنبالش بوده: آگاهی از این که چه‌طور می‌تونه تورو بکشه.

اکنون خورشید کاملاً در آسمان بالا آمده‌بود و پرتوهای درخشانش را چون آبشاری به دفتر دامبلدور سرازیر می‌کرد. غلاف بلورینی که شمشیر گودریک گریفندور در آن قرار داشت در زیر نور آفتاب سفید و مات به نظر می‌رسید. ذرّات ابزارهایی که هری روی زمین پرتاب کرده‌بود همچون قطره‌های باران می‌درخشیدند. در پشت هری جوجه فاوکس در لانه‌ی پر خاکسترش آهسته جیرجیر می‌کرد.

هری با بی‌اعتنایی گفت:

- پیش‌گویی شکست. توی همون اتاقی که یه تاق‌نما داشت، وقتی داشتم نویل‌رو از اون پلّه‌ها بالا می‌کشیدم رداش پاره شد و اون افتاد...

- اون چیزی که شکست نسخه‌ای از پیشگویی بود که در سازمان اسرار

نگهداری می‌شد. امّا اون پیشگویی در حضور کسی انجام گرفت که به کمک وسایلی که در اختیار داره می‌تونه اونو به‌طور کامل به خاطر بیاره.

هری با این‌که می‌توانست حدس بزند این شخص چه کسی است پرسید:

-کی اونو شنیده؟

دامبلدور گفت:

ـ من شنیده‌م. شونزده سال پیش، در یک شب سرد بارونی، توی اتاقی بالای کافه‌ی مسافرخونه‌ی هاگزهد اون پیشگویی‌رو شنیدم. برای ملاقات با کسی رفته بودم که برای تدریس درس پیشگویی داوطلب شده‌بود هرچند که در اون زمان با ادامه‌ی تدریس مطالب مربوط به پیشگویی موافق نبودم. امّا کسی که برای این کار داوطلب شده‌بود از نوادگان یک غیبگوی استثنایی و سرشناس بود و من برای رعایت ادب به ملاقاتش رفتم. امّا ناامید شدم. به نظرم رسید که اون از این استعداد بهره‌ای نبرده. مؤدّبانه بهش گفتم که به نظر من شرایط لازم برای انجام این کارو نداره، و بعد برگشتم که از اتاق بیرون برم.

دامبلدور از جایش برخاست و از کنار هری گذشت و به طرف کمد سیاهی رفت که کنار فاوکس قرار داشت. او خم شد و قفل آن را باز کرد و از داخل آن کاسه‌ی سنگی گودی را درآورد که در حاشیه‌ی لبه‌ی آن خطوط مرموزی حک شده‌بود و هری در آن پدرش را هنگام آزار و اذیّت اسنیپ دیده‌بود. دامبلدور به سمت میزش برگشت و قدح اندیشه را روی آن گذاشت. آن‌گاه نوک چوبدستی‌اش را به شقیقه‌اش چسباند و از آن رشته‌های نقره‌ای رنگ افکارش را بیرون آورد که به ظرافت تار عنکبوت به نوک چوبدستی چسبیده بود. سپس آن‌ها را درون قدح سرازیر کرد. دامبلدور به پشتی صندلی‌اش تکیه داد و لحظه‌ای به پیچ‌وتاب افکارش درون قدح اندیشه خیره ماند. بعد آهی کشید و با

نوک چوبدستی‌اش مادّه‌ی نقره‌ای رنگ را تکانی داد.

تصویر شخصی که شال‌های متعدّدی به خود پیچیده بود از آن بیرون آمد. چشمانش پشت عینک ته استکانی‌اش چند برابر بزرگ‌تر به نظر می‌رسید. او آهسته می‌چرخید امّا پاهایش همچنان در قدح بود. وقتی سیبل تریلانی شروع به صحبت کرد صدای مرموز و اثیری‌اش به گوش نرسید. او با صدای دورگه و خشنی سخن می‌گفت که هری یک بار پیش از آن شنیده بود.

«کسی از راه می‌رسه که قدرتمنده و می‌تونه لرد سیاه‌رو شکست بده... ازکسانی زاده می‌شه که سه بار در برابرش ایستادگی کرده‌ن و وقتی هفتمین ماه می‌میره به دنیا می‌یاد... و لرد سیاه با نشونی اونو حریف خودش معرّفی می‌کنه، امّا اون قدرتی داره که لرد سیاه ازش بی‌بهره‌ست... و یکی از اونا باید به دست دیگری کشته بشه چون یکی‌شون باید بمیره تا دیگری زنده بمونه... کسی که می‌تونه لرد سیاه‌رو شکست بده وقتی ماه هفتم بمیره زاده می‌شه...»

پیکر پروفسور تریلانی که آهسته می‌چرخید به درون ماده‌ی نقره‌ای فرو رفت و ناپدید شد.

سکوت سنگینی در فضای دفتر دامبلدور ایجاد شده‌بود. نه دامبلدور حرفی زد نه هری، نه تابلوهای روی دیوار. حتّی فاوکس نیز ساکت شده‌بود.

از آن‌جاکه دامبلدور همچنان به قدح اندیشه چشم دوخته و غرق در افکارش بود هری با صدایی بسیار آرام پرسید:

- پروفسور دامبلدور؟ اون... معنیش این بود... معنیش چی بود؟

دامبلدور گفت:

- معنیش این بود که تنها کسی که می‌تونه ولدمورت‌رو شکستی ابدی بده در آخرین روز ژوییه و حدود شونزده سال پیش به دنیا اومده. پدر و

مادر این پسر قبلاً سه بار در برابر ولدمورت مقاومت کرده‌ن.

هری حس می‌کرد در تنگنا قرار گرفته است و بار دیگر نفسش بالا نمی‌آمد.

- منظورش - منم؟

دامبلدور لحظه‌ای از پشت عینکش او را وارانداز کرد و بعد با ملایمت گفت:

- چیزی که خیلی عجیبه اینه که ممکن بود اصلاً تو نباشی. پیشگویی سیبل در مورد دو پسر جادوگر صدق می‌کرد که هر دو در آخر ژوییه‌ی همون سال به دنیا اومده بودن و پدر و مادر هردوشون در محفل ققنوس بودن و هر دو زوج سه بار از چنگ ولدمورت فرار کرده بودن. یکی از اونا تو بودی، و اون یکی نویل لانگ باتم بود.

- ولی پس... ولی پس چرا فقط اسم من روی اون پیش‌گویی بود، چرا اسم نویل نبود؟

دامبلدور گفت:

- نسخه‌ی رسمی اون پیش‌گویی بعد از حمله‌ی ولدمورت به تو در زمان کودکیت نامگذاری شده. از نظر مسؤول سالن پیش‌گویی کاملاً مشخّص بوده که وقتی ولدمورت فقط اقدام به کشتن تو کرده علّتش فقط این می‌تونسته باشه که اون می‌دونسته سیبل در پیشگویی خودش به تو اشاره کرده بوده.

هری گفت:

- پس... یعنی ممکنه من نباشم؟

دامبلدور که گویی برای ادای هر کلمه‌اش تلاش زیادی می‌کرد بسیار آهسته گفت:

- متأسّفانه هیچ شکّی وجود نداره که اون شخص تویی.

- ولی شما که گفتین - نویل هم آخر ماه ژوییه به دنیا اومده و - پدر و

مادرش ـ

ـ قسمت بعدی پیشگویی‌رو فراموش کردی که آخرین علامت شناسایی پسریه که ولدمورت‌رو شکست می‌ده... ولدمورت خودش اونو به عنوان «حریف خودش معرّفی می‌کنه.» اونم همین کارو کرده، هری. اون تورو انتخاب کرد نه نویل‌رو. او جای زخمتو بهت داد که هم نعمته هم نقمت.

هری گفت:

ـ ولی ممکنه در انتخابش اشتباه کرده باشه! ممکنه اشتباهی نشونه گذاشته باشه!

دامبلدور گفت:

ـ اون پسری‌رو انتخاب کرد که احتمال می‌داد براش خطرناک‌تر باشه. هری، به این نکته هم توجّه داشته باش. اون جادوگر اصیل‌زاده‌رو انتخاب نکرد (که بر طبق عقاید خودش در زمره‌ی جادوگران نادریه که ارزش شناختن و زنده‌بودن‌رو دارن) بلکه جادوگری‌رو انتخاب کرد که مثل خودش دو رگه بود. اون حتّی قبل از دیدن تو، خودشو در وجودت می‌دیده، وقتی تورو با اون جای زخم نشونه‌دار کرد تورو نکشت و در عوض به تو قدرت‌هایی‌رو داد که آینده‌ی تورو رقم زد و باعث شد نه تنها یک بار بلکه چهار بار بتونی از چنگش فرار کنی... چیزی که حتّی پدر و مادر خودت و پدر و مادر نویل موفّق به انجامش نشدن.

هری که بدنش سرد و بی‌حس شده‌بود گفت:

ـ آخه چرا این کارو کرد؟ چرا وقتی بچّه بودم می‌خواست منو بکشه؟ باید صبر می‌کرد تا من و نویل بزرگ‌تر بشیم تا بتونه بفهمه کدوممون خطرناک‌تریم. اون‌وقت می‌تونست هرکدوممونو که به نظرش خطرناک‌تر بودیم بکشه...

دامبلدور گفت:

ـ البتّه این روش عملی‌تری بود. امّا اطّلاعات ولدمورت از پیشگویی ناقص بود. مسافرخانه‌ی هاگزهد که سیبل تریلانی به علّت قیمت ارزونش اون‌جارو انتخاب کرده‌بود سال‌هاست که در مقایسه با سه دسته جارو، مشتری‌های به اصطلاح جالب‌تری‌رو جلب می‌کنه. همون‌طور که تو و دوستانت هم مثل خود من در اون شب، به قیمت پرداخت بهای گزافی متوجّه شدین، هاگزهد به هیچ‌وجه جای امنی نیست که آدم مطمئن باشه هیچ‌کس حرفشو استراق‌سمع نمی‌کنه. البتّه وقتی من به دیدن سیبل تریلانی می‌رفتم اصلاً فکرشم نمی‌کردم که در اون‌جا حرفی بشنوم که ارزش استراق سمع‌رو داشته باشه. تنها شانسی که آوردم... که آوردیم، این بود که اون شخصی‌رو که استراق‌سمع می‌کرد بعد از این‌که اوایل پیشگویی‌رو شنید از اون ساختمون بیرون انداختن.

ـ پس یعنی اون فقط...

ـ اون فقط اوّلین قسمتشو شنید که تولّد پسری در ماه ژوییه پیشگویی شده که پدر و مادرش سه بار در برابر ولدمورت ایستادگی کرده‌ن. در نتیجه اون نتونست به اربابش هشدار بده که حمله به تو ممکنه باعث انتقال قدرت به تو بشه و... تورو به عنوان حریف خودش معرّفی کنه. بنابراین ولدمورت اصلاً نمی‌دونست که حمله به تو ممکنه براش خطرناک باشه و عاقلانه‌تره که صبر کنه تا چیزهای بیش‌تری‌رو بفهمه. اون نمی‌دونست که تو «قدرتی داری که لرد سیاه ازش بی‌بهره‌ست.»...

هری با صدای گرفته‌ای گفت:

ـ ولی من چنین قدرتی ندارم! من هیچ‌کدوم از قدرت‌های اونو ندارم، من نمی‌تونم اون‌طوری که اون امشب جنگید بجنگم. من نمی‌تونم وجود کسی‌رو تسخیر کنم... یا کسی‌رو بکشم...

دامبلدور به میان حرف او پرید و گفت:

ـ در سازمان اسرار اتاقی هست که درش همیشه قفله. تـوی اون اتـاق نیرویی وجود داره که هم خیلی اعجاب‌انگیزه هم از مرگ قوی‌تره، از عقل و هوش انسان نیرومندتره، و حتّی از نیروهای طبیعی شدیدتره. شاید حتّی از همه‌ی مـوضوع‌هایی کـه در اونجـا مـورد مـطالعه قـرار می‌گیره اسرارآمیزتر باشه. در اون اتاق از قدرتی محافظت می‌شه که مقدار زیادی از اون در تو وجود داره درحالی‌که در وجود ولدمـورت ذرّه‌ای از اون نیست. همون قدرت باعث شد تـو امشب بـرای نجـات سیریوس بری. همون قدرت هم باعث شد کـه از تسخیر ولدمـورت نجات پیدا کنی چون اون نمی‌تونست حضور در بدنی رو تحمّل کنه که لبریز از نیروییه که اون ازش بیزاره. در نهایت، اهمیّتی نداشت کـه تـو نتونستی ذهنتو ببندی. این قلبت بود که نجاتت داد.

هری چشم‌هایش را بست. اگر برای نجات سـیریوس نـرفته بـود سیریوس نمی‌مرد... او برای پرهیز از اندیشیدن بـه سیریوس، بـدون کوچک‌ترین اهمیّتی برای شنیدن پاسخش، پرسید:

ـ آخر پیشگویی... یه چیزی بود که می‌گفت... یکی‌شون باید....

دامبلدور گفت:

ـ... بمیره تا دیگری زنده بمونه...

هری که گویی از ژرفای چاهی لبریز از ناامیدی کلماتش را بـیرون می‌کشید گفت:

ـ پس... معنیش اینه که... آخر سر... یکی از ما باید اون یکی رو بکشه؟

دامبلدور گفت:

ـ بله.

مدّت زیادی، هیچ‌یک حرف دیگری نزدند. هری از جای دوری در ورای دیوارهای دفتر دامبلدور صدای افرادی را می‌شنید، شاید صدای دانش‌آموزانی که صبح زود برای صرف صبحانه به سـرسرای بـزرگ

می‌رفتند. به نظرش غیرممکن بود کسانی در دنیا وجود داشته باشند که
هنوز اشتها دارند، هنوز می‌خندند، افرادی که نه می‌دانستند نه اهمیّت
می‌دادند که سیریوس بلک رفته است و تا ابد برنمی‌گردد. گـویی
سیریوس میلیون‌ها کیلومتر دور شده‌بود و باز هری مطمئن بود که اگر
او را از زیر آن پرده بیرون می‌کشید شاید سیریوس را دوباره می‌دید که
به او نگاه می‌کرد، به او سلام می‌کرد و شاید از آن خنده‌های خشک و
پارس‌مانندش نثار او می‌کرد...

دامبلدور با تردید گفت:

ـ انگار یه توضیح دیگه بهت بدهکارم، هری. هیچ تعجّب نکردی که من
تورو دانش‌آموز ارشد نکردم؟ باید اقرار کـنم... کـه فکر کـردم... تـو
همین‌طوری هم مسؤولیّت‌های زیادی داری.

هری سرش را بلند کرد و قطره اشکی را دید که از گوشه‌ی چشم
دامبلدور سرازیر شد و بر روی ریش بلند نقره‌فامش چکید.

فصل ۳۸

آغاز دوّمین نبرد

بازگشت کسی ـ که ـ نباید ـ اسمش را ـ برد

کورنلیوس فاج، وزیر سحر و جادو در بیانیه‌ی کوتاهی که جمعه شب منتشر شد بازگشت کسی ـ که نباید ـ اسمش را ـ برد را به این کشور و فعّالیّت مجدّد او را مورد تأیید قرار داد.

فاج که در جمع گزارشگران بسیار خسته و مضطرب به نظر می‌رسید اظهار داشت: «با نهایت تأسّف اعلام می‌کنم جادوگری که به خود لقب لرد ـ همونی که خودتون می‌دونین... را داده، زنده‌بوده و بار دیگر به میان ما آمده‌است. با نهایت تأثّر ناچارم شورش دسته جمعی دیوانه‌سازان را نیز به

اطّلاع عموم برسانم که بیزاری خود را از ادامه‌ی خدمت به وزارتخانه نشان داده‌اند. بر این باوریم که در حال حاضر دیوانه‌سازها تحت رهبری لرد... چیز، همان لرد فلانی قرار دارند.

از اعضای جامعه‌ی جادوگری خواهشمندیم هشیار و گوش به زنگ باشند. در حال حاضر وزارتخانه به انتشار راهنمای اساسی دفاع شخصی و خانگی پرداخته است که در طول ماه جاری به‌صورت رایگان به منازل جادوگران ارسال خواهدشد.»

بیانیه‌ی وزیر موجب وحشت و احساس خطر جامعه‌ی جادوگری شد چراکه همین چهارشنبه‌ی گذشته، وزیر به آنان اطمینان خاطر داده بود که «کلّیّه‌ی شایعات موجود درباره‌ی فعّالیّت مجدّد «اسمشونبر» در میان ما کذب محض است.»

جزیّیات حوادثی که موجب تغییر موضع ناگهانی وزارتخانه شد همچنان در هاله‌ای از ابهام قرار دارد امّا بسیاری بر این عقیده‌اند که کسی - که - نباید - اسمش را - برد و گروه برگزیده‌ای از پیروانش (ملقّب به مرگ‌خواران) در پنج‌شنبه شب وارد وزارت سحر و جادو شده‌اند.

آلبوس دامبلدور بار دیگر به مقام ریاست مدرسه‌ی علوم و فنون جادوگری هاگوارتز، به عضویّت کنفدراسیون بین‌المللی جادوگران و ریاست کلّ دیوان عالی قضایی جادوگران

(ویزنگاموت) منصوب شد. خبرنگاران شب گـذشته برای آگاهی از نظر وی نتوانستند به او دسـترسی یـابند. وی یـک سـال تـمام اصـرار مـی‌ورزیـد کـه «اسمشونبر»، برخلاف آنچه عـموم مـردم بـه آن امید بسته و باور کرده‌بودند، نـمرده و بـار دیگـر سـرگرم جـمع‌آوری پـیروانش است تـا بـرای به‌دست‌گیری قدرت به اقدام تازه‌ای بـپردازد. در این میان پسری که زنده ماند...

هرمیون از بالای روزنامه‌اش به هری نگاه کرد و گفت:

ـ بفرمایین، هری. می‌دونستم بالاخره یـه جـوری پـای تـورو مـی‌کشن وسط.

آن‌ها در درمانگاه بودند. هری در انتهای تخت رون نشسته بود و هردو به هرمیون گوش مـی‌دادند که برایشان صفحه‌ی اوّل روزنامه‌ی پیام شنبه را می‌خواند. جینی که قوزک پایش به دست خانم پـامفری در یک چشم برهم‌زدن ترمیم شده‌بود پای تخت هرمیون لمـیده بـود. نویل نیز که بینی‌اش به شکل و اندازه‌ای قبل درآمده‌بود روی صندلی میان دو تخت نشسته بـود؛ و لونـا کـه جـدیدترین نسـخه‌ی مـجلّه‌ی طفره‌زن را در دست داشت برای عیادت آمده بود و سرگرم خواندن مجلّه‌ی وارونه‌ش بود. به نظر مـی‌رسید کـه یک کلمه از حرف‌های هرمیون را نمی‌شنود.

رون با بدبینی گفت:

ـ پس دوباره تبدیل شده به پسری که زنده موند و دیگه اون دیوانـه‌ی خودنما نیست، درسته؟

او از روی کپه‌ی عظیم قورباغه‌های شکلاتی که بر روی میز کنار

تختش به چشم می‌خورد مشتی برداشت و چند تایی برای هری، جینی و نویل انداخت. سپس با دندانش کاغذ قورباغه‌ی شکلاتی خودش را پاره کرد. هنوز اثر عمیق شاخک‌های مغز که به دور بدنش پیچیده بودند بر روی ساعد دست‌هایش به چشم می‌خورد. خانم پامفری گفته‌بود جای زخم افکار از جای هر زخم دیگری عمیق‌تر است. با این حال از زمانی‌که استعمال مقدار زیادی از روغن فراموشی دکتر آبلی را شروع کرده‌بود به نظر می‌رسید که کمی بهبود یافته است.

هرمیون که اکنون سرگرم مرور گزارش بود گفت:

ـ بله، حالا دیگه خیلی ازت تعریف و تمجید می‌کنن، هری. *یگانه صدای راستگو... اگرچه او را نامتعادل خواندند هرگز از سخنش دست نکشید... ناچار به تحمّل تمسخر و افترا شد...*

هرمیون اخم کرد و گفت:

ـ اوهوم... مثل این‌که به این واقعیّت اشاره نکرده‌ن که تمام تمسخرها و تهمت‌ها کار خودشون بوده...

هرمیون اندکی صورتش را درهم کشید و دستش را روی دنده‌هایش گذاشت. طلسمی که دالاهوف بدون بر زبان آوردن وردی با صدای بلند بر روی هرمیون اجرا کرده‌بود اگرچه در صورتی که با ورد بلند انجام می‌گرفت تأثیر شدیدی برجا می‌گذاشت به قول خانم پامفری «به‌قدر کافی صدمه زده بود که درمان آن مدّت‌ها به طول انجامد.» هرمیون ناچار بود هر روز ده نوع معجون مختلف بخورد و با این‌که بهبودی قابل ملاحظه‌ای یافته بود از ماندن در درمانگاه خسته و کسل شده‌بود.

هرمیون گفت:

ـ *آخرین تلاش اسمشونبر برای به‌دست آوردن قدرت*، صفحه‌ی دو تا چهار؛ *آنچه وزارت سحر و جادو باید به ما می‌گفت*، صفحه‌ی پنج؛ *چرا هیچ‌کس به حرف آلبوس دامبلدور گوش نکرد*، صفحه‌ی شش تا هشت؛

مصاحبه‌ی اختصاصی با هری‌پاتر، صفحه‌ی نه... خب...

هرمیون روزنامه را تا کرد و به گوشه‌ای انداخت و گفت:

ـ مثل این‌که این قضیّه سوژه‌های زیادی به دستشون داده. راستی اون مصاحبه‌ی هری هیچم اختصاصی نیست. همونیه که طفره‌زن چند ماه پیش چاپ کرد...

لونا مجلّه‌ی طفره‌زن را ورق زد و با صدای نامفهومی گفت:

ـ بابا مصاحبه‌رو بهشون فروخت. پول خوبی هم ازشون گرفت. برای همین امسال تابستون می‌خوایم برای یک سفر اکتشافی به سوئد بریم و ببینیم می‌تونیم یه اسنورکک شاخ چروکیده بگیریم.

هرمیون که گویی لحظه‌ای با خود در کشمکش بود گفت:

ـ خیلی عالیه.

نگاه جینی لحظه‌ای با نگاه هری تلاقی کرد امّا به سرعت رویش را برگرداند و بی‌صدا خندید.

هرمیون کمی صاف‌تر نشست و دوباره چهره‌اش را درهم کشید و گفت:

ـ راستی، از مدرسه چه خبر؟

جینی گفت:

ـ فلیت‌ویک بالاخره شر باتلاق فرد و جرج رو کند. سه ثانیه بیش‌تر طول نکشید تا این کارو کرد. امّا یه تکّه‌ی کوچکشو پایین پنجره گذاشت بمونه و دورشو طناب‌کشی کرد.

هرمیون با تعجّب گفت:

ـ چرا؟

جینی شانه‌هایش را بالا انداخت و گفت:

ـ می‌گه جادوش واقعاً عالی بوده.

رون با دهان پر از شکلات گفت:

ـ به نظر من می‌خواسته یادگاری از فرد و جرج باقی بمونه.
رون کپه‌ی قورباغه‌های شکلاتی‌اش را به هری نشان داد و گفت:
ـ اینارو اون دوتا برام فرستاده‌ن. باید کار مغازه‌ی شوخیشون حسابی گرفته باشه، نه؟
هرمیون که کاملاً ناراضی به نظر می‌رسید گفت:
ـ راستی حالا که دامبلدور برگشته همه‌ی مشکلات حل شده؟
نویل گفت:
ـ بله. دوباره همه چی سروسامون گرفته.
رون کارت قورباغه‌ی شکلاتی‌اش را که عکس دامبلدور بر روی آن به چشم می‌خورد به پارچ آب تکیه داد و گفت:
ـ حتماً فیلچ خوش‌حال شده، نه؟
جینی گفت:
ـ به هیچ‌وجه. در واقع اون خیلی‌خیلی ناراحته...
جینی صدایش را پایین آورد و زمزمه کرد:
ـ یکسره می‌گه آمبریج بهترین مدیری بود که به هاگوارتز قدم گذاشت...
هر شش نفر سرشان را به یک سو برگرداندند. پروفسور آمبریج بر روی تختی روبه‌روی آن‌ها دراز کشیده‌بود و به سقف خیره نگاه می‌کرد. دامبلدور به تنهایی برای نجات او از دست سانتورها به جنگل رفته بود. هیچ‌کس نمی‌دانست او چه‌طور این کار را انجام داده و چه‌طور از میان درختانی که پروفسور آمبریج را نگه داشته بودند بدون کوچک‌ترین خراشی بیرون آمده‌بود. آمبریج نیز هیچ توضیحی نمی‌داد. از زمانی‌که به قلعه بازگشته بود تا جایی که آن‌ها می‌دانستند حتّی یک کلمه هم بر زبان نیاورده بود. هیچ‌کس نمی‌دانست که مشکلش چیست. موهای همیشه آراسته‌ی قهوه‌ای‌رنگش اکنون بسیار نامرتب بود و لابه‌لای آن خرده برگ و خرده چوب به چشم می‌خورد امّا غیر از این

هیچ تغییر دیگری نکرده‌بود و به ظاهر صحیح و سالم بود.

هرمیون آهسته گفت:

- خانم پامفری می‌گفت دچار ضربه‌ی روحی شده.

جینی گفت:

- انگار ترش کرده.

رون گفت:

- آره، ولی اگه این کارو بکنی... آثار حیات‌رو توی قیافه‌ش می‌بینی.

رون شروع کرد به پی‌تی‌کو پی‌تی‌کوکردن و تقلید صدای پای اسب.

ناگهان آمبریج صاف نشست و با وحشت به اطرافش نگاه‌کرد. خانم پامفری از کنار در دفترش سرک کشید و گفت:

- مشکلی پیش اومده، پروفسور؟

آمبریج دوباره سرش را روی بالشش گذاشت و گفت:

- نه... نه... احتمالاً خواب دیدەم...

هرمیون و جینی ملافه را جلوی دهانشان گرفتند و صدای خنده‌شان را خفه کردند. هرمیون بعد از آن‌که خنده‌اش بند آمد گفت:

- راستی حالاکه حرف سانتورها پیش اومد... بگین ببینم حالا کی استاد پیشگوییه؟ فایرنز این‌جا می‌مونه؟

هری گفت:

- مجبوره بمونه. بقیّه‌ی سانتورها توی گله راهش نمی‌دن، درسته؟

جینی گفت:

- مثل این‌که اون و تریلانی هر دو با هم درس می‌دن.

رون درحالی‌که چهاردهمین قورباغه‌ی شکلاتی‌اش را می‌خورد گفت:

- شرط می‌بندم دامبلدور از خدا می‌خواد که یه جوری از شرّ تریلانی خلاص بشه. هرچند که به نظر من خود این درس بیخوده، فایرنز هم

دست کمی از تریلانی نداره...

هرمیون پرسید:

ـ حالا که فهمیدیم پیشگویی واقعی هم وجود داره چه طور می‌تونی چنین حرفی بزنی؟

سرعت ضربان قلب هـری افزایش یـافت. او بـه رون، هـرمیون و هیچ‌کس دیگری نگفته بود که پیشگویی درباره‌ی چه چیزی بود. نویل به همه گفته بود که وقتی هری او را از پلّه‌های سنگی سالن مرگ بالای کشیده پیشگویی افتاده و شکسته است. هری نیز هنوز به توضیح این مسئله نپرداخته بود. او خودش را برای دیدن قیافه‌های آن‌هـا هنگام شنیدن آن موضوع آماده نکرده بود تا بتواند به آن‌ها بگوید که نـاچار است یا قاتل باشد یا قربانی و هیچ چاره‌ی دیگری نیز ندارد.

هرمیون با ناراحتی سرش را تکان داد و به آرامی گفت:

ـ حیف شد که شکست.

رون گفت:

ـ آره، ولی عوضش اسمشونبر هم نفهمید توی اون چی بوده.

رون با تعجّب و ناامیدی به هری نگاه کرد که از جایش بلند شده‌بود و گفت:

ـ کجا داری می‌ری؟

هری گفت:

ـ می‌رم پیش هاگرید... آخه تازه برگشته و مـن بـهش قـول دادم برم پیشش و از حال شما دو تا براش خبر ببرم...

رون با بدخلقی گفت:

ـ باشه، پس برو.

سپس از پنجره‌ی درمانگاه به آسمان آبی و صاف نگاهی انداخت و گفت:

ـ کاش ما هم می‌تونستیم بیایم...

وقتی هری به آن سوی درمانگاه می‌رفت هرمیون با صدای بلندی گفت:

ـ سلام مارو بهش برسون... و ازش بپرس دوست کوچولوش چی کار می‌کنه!

هری وقتی از درمانگاه بیرون می‌رفت برای آن‌ها دستی تکان داد تا نشان بدهد حرف آن‌ها را شنیده است.

قلعه خلوت‌تر از یکشنبه‌های دیگر به نظر می‌رسید. معلوم بود همه به محوطه‌ی آفتابی قلعه رفته‌اند و از به پایان رسیدن امتحانات لذّت می‌برند و خوش‌حالند که در چند روز آخر ترم ناچار به درس خواندن یا انجام تکالیف نیستند. هری آهسته در امتداد راهروهای خلوت قدم می‌زد و با دقّت از پنجره‌ها بیرون را نگاه می‌کرد. عدّه‌ای از دانش‌آموزان را دید که بالای زمین کوییدیچ به این‌سو و آن‌سو پرواز می‌کردند، عدّه‌ای نیز در آب دریاچه همراه با ماهی مرکّب غول پیکر شنا می‌کردند.

در آن لحظه تصمیم‌گیری درباره‌ی این‌که می‌خواهد در کنار دیگران باشد یا نه برایش دشوار بود. هر وقت در جمع دیگران بود دلش می‌خواست از آن‌ها دور شود و هرگاه تنها بود می‌خواست در کنار دیگران باشد. به فکرش رسید که واقعاً به دیدن هاگرید برود. از زمانی‌که برگشته بود درست و حسابی با او صحبت نکرده بود...

همین‌که هری از آخرین پلّه‌ی پلکان مرمری پایین آمد و به سرسرای ورودی قدم گذاشت مالفوی، کراب و گویل از دری بیرون آمدند که او می‌دانست به سالن عمومی اسلیترین می‌رسد. هری بی‌حرکت ایستاد. مالفوی و بقیّه نیز همان‌جا میخکوب شدند. تا چند لحظه تنها صدایی که به گوش می‌رسید صدای فریاد و خنده و چالاپ

چولوپی بود که از سوی محوطه‌ی قلعه به گوش می‌رسید.

مالفوی نگاهی به اطرافش انداخت. هری می‌دانست که او می‌خواهد مطمئن شود استادی در آن اطراف نیست. سپس دوباره به هری نگاه کرد و با صدایی آهسته گفت:

ـ تو مُردی، پاتر.

هری ابروهایش را بالا برد و گفت:

ـ مسخره. فکر کردی دیگه خودمو قایم می‌کنم...

هری هیچگاه مالفوی را چنان عصبانی ندیده بود. از مشاهده‌ی چهره‌ی رنگ پریده‌اش که با چانه‌ی تیزش از خشم کج شده‌بود دلش خنک شده‌بود.

مالفوی با صدایی که بلندتر از زمزمه نبود گفت:

ـ سزاشو خواهی دید. برای اون کاری که با پدرم کردی خودم تورو به سزای عملت می‌رسونم...

هری به طعنه گفت:

ـ وای که چه‌قدر ترسیدم. به گمونم لردولدمورت پیش شما سه تا باید لنگ بندازه. چی شد؟

مالفوی، کراب و گویل با شنیدن نام او وحشت‌زده شده‌بودند. هری ادامه داد:

ـ مگه اون با پدرهاتون رفیق نیست؟ نکنه ازش می‌ترسین؟

مالفوی به سمت هری می‌آمد و کراب و گویل در دو سمتش حرکت می‌کردند. او گفت:

ـ فکر کردی خیلی مردی، پاتر؟ صبر کن تا بهت بگم. فکر کردی می‌تونی پدرمو بندازی توی زندان...

ـ فکر می‌کردم انداختم.

مالفوی به آرامی گفت:

ـ دیوانه‌سازها از آزکابان رفته‌ن. همین روزها پدرم و بقیّه میان بیرون...
هری گفت:

ـ آره، احتمالاً می‌یان. ولی خب حالا دیگه همه می‌دونن اونا چه آشغال‌هایی هستن...

دست مالفوی به سمت چوبدستی‌اش رفت. امّا هری سرعت عمل بیش‌تری داشت. او پیش از آنکه انگشت‌های مالفوی با جیب ردایش تماس پیدا کند چوبدستی‌اش را درآورده‌بود.

ـ پاتر!

این صدا در فضای سرسرای ورودی طنین افکند. اسنیپ از پلّه‌ای که به دفترش می‌رسید بالا آمده بود و هری با دیدن او نفرتی را در درونش حس کرد که با نفرتی که نسبت به مالفوی داشت قابل مقایسه نبود... با وجود حرف‌های دامبلدور هری هرگز اسنیپ را نمی‌بخشید... هرگز...

اسنیپ درحالی‌که به چهار نفرشان نزدیک می‌شد با لحن سرد همیشگی‌اش گفت:

ـ چی کار داری می‌کنی، پاتر؟
هری با عصبانیّت گفت:

ـ داشتم تصمیم می‌گرفتم که مالفوی‌رو با چه طلسمی جادو کنم، قربان.
اسنیپ به او چشم دوخت و با لحن خشکی گفت:

ـ زودباش اون چوبدستی‌رو بگذار کنار.. ده امتیاز از گریف..
اسنیپ نگاهی به ساعت‌های شنی غول‌پیکر روی دیوارها کرد و پوزخندی زد و گفت:

ـ اوه، مثل این که هیچ امتیازی برای گریفندور باقی نمونده که بخوام ازش کم کنم. در این صورت، پاتر، مجبورم که...

ـ امتیاز اضافه کنین؟

پروفسور مک‌گونگال درست در همان لحظه از پلّه‌های سنگی بالا آمده و وارد قلعه شده‌بود. ساک بزرگی از جنس قالی با طرح پیچازی در یک دست گرفته و با دست دیگرش به عصایی تکیه کرده‌بود امّا گذشته از آن سالم و سرحال به نظر می‌رسید.

اسنیپ با گام‌های بلند به سمت او رفت و گفت:

ـ پروفسور مک‌گونگال! از سنت مانگو مرخّص شدین!

پروفسور مک‌گونگال شانه‌هایش را بالا برد و شنل سفری‌اش را انداخت و گفت:

ـ بله، پروفسور اسنیپ. حالم کاملاً خوب شده. کراب، گویل...

او با حرکت دستش آن دو را با حالتی تحکّم آمیز فرا خواند. وقتی جلو رفتند پاهای بزرگش را با حالتی غیرعادی جابه‌جا کرد و سپس ساک فرش ـ بافتش را به دست کراب و شنلش را به دست گویل داد و گفت:

ـ بیاین، اینارو بگیرین و ببرین به دفترم.

آن دو برگشتند و گرمپ گرمپ کنان از پلکان مرمری بالا رفتند.

پروفسور مک‌گونگال نگاهی به ساعت‌های شنی روی دیوار انداخت و گفت:

ـ خب، به نظر من پاتر و دوستانش برای اینکه برگشتن اسمشونبرو به دنیا خبر دادن باید نفری پنجاه امتیاز بگیرن، نظر شما چیه، پروفسور اسنیپ؟

اسنیپ با بدخلقی گفت:

ـ چی؟

امّا هری می‌دانست که او حرف پروفسور مک‌گونگال را به خوبی شنیده است. اسنیپ ادامه داد:

ـ اوه... راستش... به نظر من...

پروفسور مک‌گونگال گفت:

ـ خب پس می‌شه نفری پنجاه امتیاز برای پاتر، رون و جینی ویزلی، لانگ‌باتم و دوشیزه گرنجر.

هنگامی‌که او حرف می‌زد باران سنگ‌های یاقوت بود که به درون محفظه‌ی ساعت شنی گریفندور سرازیر می‌شد. پروفسور مک‌گونگال گفت:

ـ اوه، راستی پنجاه امتیاز هم دوشیزه لاوگود می‌گیره.

بلافاصله چندین یاقوت کبود نیز در ساعت شنی گروه ریونکلا پایین ریخت. پروفسور مک‌گونگال گفت:

ـ خب، پروفسور اسنیپ، به نظرم شما می‌خواستین ده امتیاز از پاتر کم کنین... بفرمایین...

چند یاقوت به محفظه‌ی بالایی برگشتند امّا هنوز مقدار زیادی از آن‌ها در محفظه‌ی پایینی به چشم می‌خورد. پروفسور مک‌گونگال به تندی گفت:

ـ خب، پاتر، مالفوی، به نظرم توی روز باشکوهی مثل امروز شما هم باید بیرون از قلعه باشین.

هری که منتظر همین لحظه بود چوب‌دستی‌اش را در جیب داخـل ردایش گذاشت و بدون آن‌که بـه اسنیپ و مـالفوی نگـاهی بینـدازد یک‌راست به سمت درهای ورودی رفت.

هنگامی‌که از سراشیبی چمن به سوی کلبه‌ی هاگرید می‌رفت نور خورشید ناگهان بر رویش افتاد. دانش‌آموزانی کـه روی چمن‌ها دراز کشیده‌بودند و آفتاب می‌گرفتند، با یکدیگر حرف می‌زدند، پیام یکشنبه را مـی‌خوانـدند و آب‌نبـات مـی‌خوردند وقتی هـری از کنارشان می‌گذشت سرها را بلند کرده، به او نگاه می‌کردند، یا بـرایش دست تکان می‌دادند. مثل روز روشن بود که می‌خواهند نشان بدهند که آن‌ها

نیز مانند *پیام‌امروز* به این نتیجه رسیده‌اند که او یک قهرمان است. هری به هیچ‌یک از آن‌ها چیزی نگفت. نمی‌دانست درباره‌ی حوادثی که سه روز پیش رخ داده‌بود تا چه حد آگاهی دارد و تا آن زمان از معرض پرسش‌های دیگران پرهیز کرده‌بود و ترجیح می‌داد به همین روش ادامه بدهد.

وقتی به در کلبه‌ی هاگرید ضربه زد ابتدا فکر کرد او در خانه نیست امّا فنگ با سرعت از پشت کلبه به طرفش آمد و از فرط اشتیاقش برای خوشامدگویی به او چیزی نمانده بود او را به زمین بیندازد. معلوم شد که هاگرید سرگرم چیدن لوبیاسبز از باغچه‌ی پشت خانه است.

وقتی هری به نرده‌ها نزدیک شد هاگرید به او لبخند زد و گفت:

ـ خوبی، هری! بیا، بیا بریم تو، می‌تونیم با هم یه ذرّه عصاره‌ی گل قاصدک بخوریم...

هنگامی‌که هر دو با یک لیوان عصاره‌ی یخ کنار میز چوبی هاگرید نشستند او به هری گفت:

ـ چه خبر؟ تو که... حالت خوبه، نه؟

هری از حالت چهره و نگرانی او دریافت که منظورش وضعیّت جسمانی او نیست. از آن‌جاکه تحمّل گفت‌وگو کردن درباره‌ی چیزهایی را نداشت که حدس می‌زد به ذهن هاگرید خطور کرده‌است به تندی گفت:

ـ آره، خوبم. راستی... کجا رفته بودی؟

هاگرید گفت:

ـ توی کوه‌ها قایم شده‌بودم. بالای کوه توی یه غار... همون جایی که سیریوس رفته بود و...

هاگرید حرفش را ناتمام گذاشت و با صدای خشنی صدایش را صاف کرد و به هری نگاه کرد. بعد جرعه‌ی بزرگی از نوشیدنی‌اش

خورد و با ملایمت گفت:

ـ بگذریم، حالا که برگشته‌م.

هری که مصمّم بود موضوع صحبت را از سیریوس دور کند گفت:

ـ تو... تو خیلی بهتر شدی.

هاگرید دست عظیمش را بالا آورد و صورتش را لمس کرد و گفت:

ـ اوه... اوه... آره. گراوپی حالا خیلی مؤدّب‌تر شده، خیلی. اگه راستشو بخوای وقتی برگشتم از دیدنم خیلی ذوق کرد. بچّه‌ی خوبیه... به فکرم رسید براش یه جفت پیدا کنم...

هری در مواقع عادی سعی می‌کرد بلافاصله او را از این کار منصرف کند. تصوّر غول دیگری که در جنگل ساکن شود درحالی‌که ممکن بود حتّی از گراوپ هم وحشی‌تر و بی‌رحم‌تر باشد واقعاً هشداردهنده بود امّا در واقع هری انرژی لازم برای جرّ و بحث درباره‌ی این موضوع را نداشت. دوباره دلش می‌خواست تنها باشد و با این فکر که زودتر از آن‌جا برود چند جرعه‌ی بزرگ از عصاره‌ی گل قاصدکش نوشید و نصف لیوان را خالی کرد.

هاگرید بی‌مقدّمه و با لحن ملایمی گفت:

ـ هری، حالا دیگه همون می‌دونن که تو راست می‌گفتی.

درحالی‌که با دقّت به هری نگاه می‌کرد ادامه داد:

ـ این طوری خیلی بهتره، نه؟

هری شانه‌هایش را بالا انداخت. هاگرید از آن سوی میز به اطرافش خم شد و گفت:

ـ ببین، من خیلی قبل از این‌که تو سیریوس‌رو ببینی اونو می‌شناختم... اون در حال مبارزه مرد... و خودش دلش می‌خواست این‌طوری بره...

هری با عصبانیّت گفت:

ـ اون اصلاً دلش نمی‌خواست بره.

هاگرید سر ژولیده‌اش را خم کرد و آهسته گفت:

ـ نه، به گمون منم نمی‌خواست. ولی خب هری... از اون آدمایی نبود که وقتی همه دارن می‌جنگن توی خونه بشینه. اگر برای کمک به دیگران نمی‌رفت از خودش بدش می‌اومد...

هری دوباره از جا جست و با حالتی تصنعی گفت:

ـ من دیگه باید برم درمانگاه به عیادت رون و هرمیون.

هاگرید که پکر شده‌بود گفت:

ـ اوه... باشه، هری، پس برو. مواظب خودت باش. اگه وقت کردی بازم به ما سر بزن...

ـ باشه... حتماً...

هری با عجله به سمت در رفت و به تندی آن را باز کرد. پیش از آن‌که هاگرید با او خداحافظی کند دوباره در زیر نور آفتاب بود و بر روی محوطه‌ی چمن قدم‌گذاشته بود و از کلبه‌ی او دور می‌شد. این بار نیز وقتی از کنار دانش‌آموزان می‌گذشت او را صدا می‌کردند. لحظه‌ای چشمانش را بست و آرزو کرد همه‌ی آن‌ها ناپدید شوند، آرزو کرد وقتی چشم‌هایش را باز می‌کند در محوطه‌ی مدرسه تنها باشد...

چند روز پیش، قبل از پایان امتحاناتش و مشاهده‌ی آن غیب‌بینی که ولدمورت در ذهنش فرو کرده‌بود حاضر بود همه چیزش را از دست بدهد امّا بتواند به دنیای جادویی خبر بدهد که ولدمورت برگشته است و او در تمام این مدّت حقیقت را می‌گفته است و نه دیوانه است نه دروغگو. امّا حالا...

او قدم‌زنان مسیر کوتاهی را در حاشیه‌ی دریاچه طی کرد، کنار آن نشست و در پشت یک کپه درختچه‌ی درهم پیچیده خود را از چشم رهگذران پنهان کرد. آن‌گاه به سطح درخشان آب دریاچه چشم دوخت و به فکر رفت...

شاید علّت تمایلش به تنها ماندن این بود که پس از گفت‌وگو با
دامبلدور حس می‌کرد از بقیّه جدا شده‌است. مانعی نامریی او را از
سایرین و از بقیه‌ی دنیا جدا کرده‌بود. او یک انسان نشانه‌دار بود و تا ابد
نیز نشانه‌دار باقی می‌ماند. امّا حیف که هیچ‌گاه معنای این مسئله را
به‌طور کامل نفهمیده بود.

اکنون که آن‌جا در کنار دریاچه نشسته بود و اندوه عمیق و دردناکی
وجودش را می‌آزرد، اکنون که غم از دست‌دادن سیریوس هنوز تازه
بود، قادر به تحمّل ترس عظیم دیگری نبود. هوا آفتابی و فضای
اطرافش پر از افراد خندان بود و حتّی با این‌که حس می‌کرد چنان از
آن‌ها دور است که گویی به نژاد دیگری تعلّق دارد، برایش دشوار بود
که باور کند زندگیش یا باید آمیخته با جنایت شود یا باید با جنایت به
پایان برسد...

مدّت زیادی همان‌جا نشست و به آب دریاچه چشم دوخت.
می‌کوشید به پدر خوانده‌اش فکر نکند و به خاطر نیاورد که درست در
آن سوی رودخانه همان محلّی است که سیریوس به زمین افتاده و
کوشیده بود یکصد دیوانه‌ساز را از خود براند...

پیش از آن‌که بفهمد سردش شده‌است خورشید غروب کرده‌بود. از
جایش برخاست و به قلعه برگشت. همان‌طورکه می‌رفت با آستینش
صورتش را پاک می‌کرد.

رون و هرمیون سه روز پیش از پایان ترم به‌طور کامل معالجه شده و
از درمانگاه مرخص شده‌بودند. هرمیون گاهی برای صحبت درباره‌ی
سیریوس از خود علاقه نشان می‌داد امّا هربار که او به اسم سیریوس
اشاره می‌کرد رون با هیس‌هیس‌کردن او را منصرف می‌کرد. هری هنوز
درباره‌ی تمایلش به گفت‌وگو از پدرخوانده‌اش مردّد بود.

خواسته‌هایش با حال و هوایش تغییر می‌کرد. امّا یک چیز را به خوبی
می‌دانست: اکنون که اندوهگین و ناراحت بود چند روز پس از بازگشت
به خانه‌ی شماره‌ی چهار پریوت‌درایو برای هاگوارتز بی‌نهایت دلتنگی
می‌کرد. با این‌که حالا دیگر دقیقاً می‌دانست چرا هر سال تابستان باید
به آن‌جا بازگردد رغبت چندانی برای این کار پیدا نکرده‌بود. در واقع،
این بار بیش‌تر از هر وقت دیگری از بازگشت به آن‌جا بیزار بود.

پروفسور آمبریج یک روز پیش از پایان ترم از هاگوارتز رفته بود. او
هنگام صرف شام، پنهانی از درمانگاه بیرون آمده بود زیرا به نظر
می‌رسید که نمی‌خواهد کسی متوجّه رفتن او شود امّا از بخت بدش
بدعنق را سر راهش دیده‌بود. بدعنق از آخرین فرصتش برای به انجام
رساندن توصیه‌ی فرد استفاده کرده و با شادمانی تا بیرون قلعه او را
تعقیب کرده‌بود. آخر سر نیز اوّل با یک عصا و سپس با یک لنگه
جوراب پر از گچ او را کتک زده‌بود. بسیاری از دانش‌آموزان خود را به
سرسرای ورودی رسانده و او را هنگامی‌که دواندوان در جاده دور
می‌شد تماشا کرده‌بودند. رییس گروه‌ها نیز با اکراه دانش‌آموزانشان را
از این کار منع کرده‌بودند. در واقع وقتی پروفسور مک‌گونگال پس از
چند اعتراض بی‌رمق به پشتی صندلی‌اش تکیه داده بود عدّه‌ای به
روشنی شنیده‌بودند که او اظهار تأسّف کرده‌بود زیرا به علّت این‌که
بدعنق چوبدستی‌اش را قرض گرفته بود نمی‌توانست با خوش‌حالی
دنبال آمبریج بدود.

آخرین شب مدرسه فرا رسید. اکثر بچّه‌ها وسایلشان را بسته بودند
و برای شرکت در جشن پایان سال تحصیلی پایین می‌رفتند امّا هری
هنوز بستن وسایلش را آغاز نکرده بود.

رون که کنار در خوابگاه منتظر او ایستاده بودگفت:

ـ فردا وسایلتو جمع کن. زودباش دیگه، دارم از گرسنگی می‌میرم...

ـ زیاد طول نمی‌کشه... تو برو من بعد می‌یام...

امّا هنگامی‌که در خوابگاه پشت سر رون بسته شد هری هیچ تلاشی برای جمع‌آوری سریع وسایلش نکرد. تنها چیزی که آن شب حوصله‌اش را نداشت جشن پایان سال تحصیلی بود. نگرانی‌اش از این بود که احتمال می‌داد دامبلدور در سخنرانی‌اش درباره‌ی او نیز سخن بگوید، بی‌تردید درباره‌ی بازگشت ولدمورت صحبت می‌کرد چراکه سال گذشته نیز همین کار را کرده‌بود.

هری چند ردای مچاله شده را از ته چمدانش بیرون آورد تا جایی برای رداهای تا شده‌اش باز کند و با این کار چشمش به بسته‌ای افتاد که با بی‌دقّتی بسته‌بندی شده و در گوشه‌ی چمدانش افتاده بود. به فکرش نمی‌رسید که آن بسته برای چه آن‌جاست. خم شد و آن را از زیر کفش‌های ورزشی‌اش برداشت و با دقّت به آن نگاه کرد.

در ظرف چند ثانیه فهمید که آن چیست. سیریوس درست در پشت در خانه‌ی میدان گریمولد آن بسته را به دستش داده‌بود. هروقت به من *احتیاج داشتی ازش استفاده کن، باشه؟*

هری روی تختش دراز کشید و آن را باز کرد. از درون آن آینه‌ی کوچک چهارگوشی بیرون افتاد. خیلی کثیف بود و بسیار قدیمی به نظر می‌رسید. هری آن را جلوی صورتش گرفت و تصویر خودش را در آینه دید که به خودش نگاه می‌کرد.

آینه را برگرداند. در پشت آینه یادداشت سیریوس را دید که روی آن نوشته بود:

این یه آینه‌ی دو طرفه‌ست. منم یکی مثل این دارم. هر موقع می‌خواستی با من حرف بزنی اسممو توی آینه صدا کن. اون‌وقت تصویرت توی آینه‌ی من

ظاهر می‌شه و من می‌تونم با تصویرت حرف بزنم.
من و جیمز هر وقت به مجازات‌های جداگانه محکوم
می‌شدیم از این آینه‌ها استفاده می‌کردیم.

قلب هری دوباره تندتند شروع به تپیدن کرد. به یاد چهارسال پیش افتاد که پدر و مادر مرحومش را در آینه‌ی نفاق‌انگیز دیده‌بود. اکنون او می‌توانست بار دیگر با سیریوس حرف بزند، می‌دانست که می‌تواند...

به اطرافش نگاهی انداخت تا مطمئن شود کسی آن‌جا نیست. خوابگاه خالی و خلوت بود. دوباره به آینه نگاه کرد با دست‌های لرزانش آن را جلوی صورتش گرفت و با صدای بلند و شمرده‌ای گفت: «سیریوس.»

نفسش سطح آینه را تار و بخارگرفته کرد. آینه را به دهانش نزدیک‌تر کرد و وجودش سرشار از شور و هیجان شد امّا چشمانی که از پشت سطح بخارآلود آینه به او نگاه می‌کرد چشمان خودش بود.

آینه را تمیز کرد و بار دیگر نام او را طوری بر زبان آورد که تمام هجاهای آن در خوابگاه طنین افکند: «سیریوس بلک!»

هیچ اتّفاقی نیفتاد. چهره‌ی ناامیدی که در آینه به او نگاه می‌کرد چهره‌ی خودش بود...

صدای ضعیفی در ذهنش گفت: *وقتی سیریوس از زیر تاق‌نما می‌گذشت آینه‌اش را همراه نداشته است. برای همین است که کار نمی‌کند...*

هری لحظه‌ای ساکت و بی‌حرکت ماند و بعد آینه را محکم به گوشه‌ی چمدانش پرتاب کرد و آینه در همان جایی که در ابتدا قرار داشت شکست. او در یک لحظه‌ی شکوهمند باور کرده‌بود که می‌تواند سیریوس را ببیند و دوباره با او حرف بزند...

یأس و ناامیدی گلویش را می‌فشرد. از جایش برخاست و شروع به انداختن بی‌نظم و ترتیب وسایل به درون چمدانش کرد و همه چیز را روی آینه‌ی شکسته پرتاب کرد...

امّا همان هنگام فکری به ذهنش خطور کرد... به یاد چیزی بهتر از آینه افتاده بود... فکری که بزرگ‌تر و مهّم‌تر بود... چرا قبلاً به یادش نیامده‌بود... چرا هیچ‌وقت نپرسیده بود؟

به سرعت از خوابگاه بیرون دوید و از پلکان مارپیچی پایین رفت. در راه دایم به دیوارها برخورد می‌کرد امّا خودش متوجّه نبود. با عجله از سالن عمومی خالی گذشت. از حفره‌ی تابلو رد شد و در راهرو پیش رفت، بدون آن‌که توجّهی به بانوی چاق بکند که پشت سرش داد زد: «الآنه که جشن شروع بشه، به موقع می‌رسی!»

اما هری خیال نداشت در جشن شرکت کند...

چرا هر وقت با اشباح قلعه کاری نداشتند تعداد زیادی از آن‌ها آن جا بودند ولی حالا...

از پله‌ها پایین می‌دوید و راهروها را پشت سر می‌گذاشت اما در راهش هیچ مرده یا زنده‌ای را ندید. از قرار معلوم همه‌ی آن‌ها در سرسرای بزرگ بودند. جلوی کلاس وردهای جادویی ایستاد. همان‌طور که نفس‌نفس می‌زد با ناامیدی در این فکر بود که کمی صبر کند... تا پایان جشن صبر می‌کرد...

اما درست در همان لحظه‌ای که نا امید شده بود آن را دید... پیکر شفافی در انتهای راهرو از عرض آن گذشت.

- هی... هی... نیک! **نیک!**

شبح سرش را از دیوار بیرون آورد و پرهای بی‌شمار کلاهی بر روی سرِ سرنیکلاس دومیمسی پورپینگتون پدیدار شد که به‌طور نامتعادلی بر روی گردنش تکان تکان می‌خورد. او بقیه بدنش را نیز از داخل دیوار

بیرون کشید و لبخند زنان به هری گفت:

ـ شب به خیر. مثل این که فقط من دیر نکرده‌ام...

سپس آهی کشید و گفت:

ـ اما احتمالاً من و تو به دلایل کاملاً متفاوتی دیر کردیم.

ـ نیک، میشه ازت یه چیزی بپرسم؟

قیافه‌ی نیک سربریده حالت عجیبی به خود گرفت و انگشتش را در لایه سفت گردنش فرو کرد تا آن را صاف‌تر کند. ظاهراً می‌خواست فرصتی برای فکر کردن داشته باشد و موقعی از این کار دست کشید که نزدیک بود گردن نیمه بریده‌اش کاملاً از حالت متعادل خارج شود. او با ناراحتی گفت:

ـ الان، هری؟ نمی‌شه تا بعد از جشن صبر کنی؟

هری گفت:

ـ نه، نیک... خواهش می‌کنم. واقعاً لازمه که باهات حرف بزنم. می‌شه بیای توی این کلاس؟

هری در نزدیک‌ترین کلاس را باز کرد و نیک سربریده آهی کشید و تسلیم شد و گفت:

ـ بسیار خب، نمی‌گم انتظار چنین چیزی رو نداشتم.

هری در را برایش باز گذاشته بود اما او از دیوار وارد شد. وقتی هری در را می‌بست پرسید:

ـ انتظار چی رو؟

نیک که حالا پرواز کنان به سمت پنجره رفته و به محوطه‌ی تاریک مدرسه نگاه می‌کرد گفت:

ـ که تو بیای سراغ من. این چیزها گاهی پیش می‌یاد... وقتی آدم چیزی رو از دست می‌ده...

هری که نمی‌خواست از موضوع منحرف شود گفت:

ـ راستش ... آره، تو درست گفتی... من اومدم سراغ تو...

نیک حرفی نزد. هری که این کار در نظرش عجیب‌تر از آن بود که تصورش را می‌کرد گفت:

ـ فقط... فقط... برای این‌که تو مردی. ولی هنوز این جایی، درسته؟

نیک آهی کشید و از محوطه‌ی تاریک مدرسه چشم برنداشت.

هری پافشاری کرد و گفت:

ـ درست می‌گم، نه؟ تو مردی ولی من دارم باهات حرف می‌زنم... تو می‌تونی توی هاگوارتز بگردی و خیلی کارها بکنی، درسته؟

نیک سربریده به آرامی گفت:

ـ بله من راه می‌رم و حرف می‌زنم، درسته.

هری فوراً گفت:

ـ پس یعنی تو برگشتی، درسته؟ آدم‌ها می‌تونن برگردن، درسته؟ به شکل شبح برمی‌گردن. مجبور نیستن کاملاً ناپدید بشن.

وقتی نیک سربریده به سکوتش ادامه داد هری با بی‌قراری گفت:

ـ مگه نه؟

نیک سربریده اندکی مردد ماند و بعد گفت:

ـ همه نمی‌تونن به شکل شبح برگردن.

هری به تندی پرسید:

ـ منظورت چیه؟

ـ فقط ... فقط جادوگرها می‌تونن.

هری نفس راحتی کشید و خندید و گفت:

ـ آهان، پس اگه این‌جور باشه خوبه، آخـه مـن از یـه جـادوگر حرف می‌زنم، پس اون می‌تونه برگرده، نه؟

نیک رویش را از پنجره برگرداند و با قیافه‌ی غم‌زده‌ای به هری نگاه کرد و گفت:

ـ اون بر نمی‌گرده.

ـ کی؟

نیک گفت:

ـ سیریوس بلک.

هری با عصبانیت گفت:

ـ ولی تو برگشتی! تو برگشتی... تو مردی ولی ناپدید نشدی.

نیک با درماندگی گفت:

ـ جادوگرها می‌تونن اثری از خودشون بر روی زمین باقی بگـذارن تـا جایی روکه در زمان زنده‌بودنشون پر می‌کرده‌ن اشغال کنه. اما به ندرت جادوگرها این راه رو انتخاب می‌کنن.

هری گفت:

ـ چرا؟ ولی اصلاً مهم نیست... سیریوس به غیرعادی بودنش اهمیت نمی‌ده... اون برمی‌گرده، می‌دونم که برمی‌گرده!

هری چنان اعتقاد عمیقی داشت که رویش را به سمت در برگرداند و بی‌تردید گمان می‌کرد هر لحظه ممکن است سـیریوس را بـبیند کـه سفید و شفاف شده اما به او لبخند می‌زند و با عبور از در به سمتش می‌آید.

نیک به آرامی تکرار کرد:

ـ اون برنمی‌گرده. اون احتمالاً به راهش ادامه می‌ده.

هری به تندی پرسید:

ـ منظورت چیه که می‌گی «ادامه می‌ده»؟ به کدوم راه؟ راستی... وقتی آدم می‌میره چه اتفاقی بـراش مـی‌افته؟ آدم کجا مـی‌ره؟ چـرا هـمه برنمی‌گردن؟ چرا این جا پر از شبح نیست؟ چرا؟

نیک گفت:

ـ نمی‌تونم بهت جواب بدم.

هری با عصبانیت گفت :

ـ مگه تو نمردی؟ پس کی بهتر از تو می‌تونه جواب بده؟

نیک گفت :

ـ من از مرگ می‌ترسیدم. خودم انتخاب کردم که عقب بمونم. بعضی وقت‌ها به خودم می‌گم شاید بهتر بود... راستش، نه این جا هست، نه اون جا. در واقع من نه این‌جا هستم نه اون جا.

خنده‌ی کوتاه و غم‌انگیزی کرد و گفت :

ـ من از اسرار مرگ هیچی نمی‌دونم، هری. چون من تقلید سایه‌وار از زندگی رو انتخاب کردم. مطمئنم که جادوگران دانشمند توی سازمان اسرار درباره‌ی این موضوع تحقیق می‌کنن...

هری با لحن محکمی گفت :

ـ اسم اون‌جا رو نیار.

نیک با ملایمت گفت:

ـ متأسفم که بیش‌تر از این نتونستم کمکت بکنم. خب، راستش... می‌شه منو ببخشی... آخه جشن...

او از اتاق رفت و هری را به حال خود گذاشت. او به دیواری خیره مانده بود که نیک در آن ناپدید شده بود.

هری حس می‌کرد با ناامیدی از دیدن و حرف زدن با پدرخوانده‌اش یک بار دیگر او را از دست داده است. او با درماندگی، آهسته از راه خلوتی که آمده بود بازگشت و نمی‌دانست آیا ممکن است بتواند بار دیگر شادی را احساس کند؟

وقتی به سمت راهروی بانوی چاق پیچید متوجه شد که یک نفر سرگرم چسباندن یادداشتی بر روی تابلوی اعلانات است. با دومین نگاه متوجه شد که او کسی جز لونا نیست. در آن نزدیکی جای مناسبی برای پنهان شدن وجود نداشت و احتمالاً لونا صدای پای او را شنیده

بود. از این گذشته، هری در آن لحظه نیروی لازم برای دوری کردن از کسی را نداشت.

لونا از تابلوی اعلانات فاصله گرفت و سرش را برگرداند و با دیدن هری گفت :

ـ سلام.

هری پرسید :

ـ چی شده که به جشن نرفتی؟

لونا به آرامی گفت :

ـ آخه من بیش‌تر وسایلمو گم کرده‌م. بچه‌ها وسایلمو برمی‌دارن و قایم می‌کنن. اما چون امشب شب آخره، واقعاً به وسایلم احتیاج دارم. برای همین یادداشت گذاشتم.

لونا با دستش به تابلوی اعلانات اشاره کرد که بر روی آن فهرستی از کتاب‌ها و لباس‌های گم‌شده‌اش گذاشته و در آن خواهش کرده بود وسایلش را پس بیاورند.

حس عجیبی در وجود هری ایجاد شد، احساسی که با خشم و غمی که بعد از مرگ سیریوس وجودش را لبریز کرده بود کاملاً تفاوت داشت. بعد از چند لحظه متوجه شد که دلش برای لونا می‌سوزد.

هری اخم کرد و پرسید :

ـ برای چی بچه‌ها وسایلتو قایم می‌کنن؟

لونا شانه‌هایش را بالا انداخت و گفت :

ـ راستش به نظرم... شاید برای این باشه که فکر می‌کنن من یه ذره عجیب غریبم. در واقع، بعضی‌ها منو «لونی لاوگود» صدا می‌کنن.

هری به او نگاه کرد و احساس دلسوزی‌اش به‌طور دردناکی شدت گرفت. آنگاه با قاطعیت گفت :

ـ دلیلی نداره وسایلتو بردارن. می‌خوای کمکت کنم که پیداشون کنی؟

لونا به او لبخند زد و گفت :

ـ اوه، نه. همیشه آخرش وسایلم برمی‌گردن. فقط بـرای ایـن بـود کـه امشب می‌خوام وسایلمو جمع کنم. راستی... تو چرا به جشن نرفتی؟

هری شانه‌هایش را بالا انداخت و گفت :

ـ راستش حوصله‌شو نداشتم.

لونا با چشم‌های برجسته‌ی عجیب و مرموزش با دقت به او نگاه کرد و گفت :

ـ نه، نباید هم حوصله داشته باشی. اون مردی که مرگ‌خواره کشتش پدر خونده‌ت بود، نه؟ جینی به من گفت.

هری با خشـونت سـری تکـان داد و بـلافاصله مـتوجّه شـد بـه دلیـل نامعلومی از اینکه با لونا درباره‌ی سیریوس حرف زده ناراحت نشده است. به یاد آورد که او نیز می‌توانسته تسترال‌ها را ببیند. او گفت:

ـ تو... منظورم اینه که... کسی از آشناهای تو مرده؟

لونا به راحتی گفت:

ـ بله. مادرم مرده. اون یه ساحره‌ی استثنایی بـود. اون دوست داشت همه‌ش آزمایش بکنه امّا یک روز یکی از جادوهاش بدجوری اشتباه از آب دراومد.

هری زیر لب گفت:

ـ متأسّفم.

لونا با خوشرویی گفت:

ـ آره، خیلی وحشتناک بود. هنوز بعضی وقت‌ها کـه یادش مـی‌افتم ناراحت می‌شم. ولی خب، پدرم که هنوز زنده‌ست. از اون گذشته انگار ممکنه دوباره بتونم مامانمو ببینم.

هری با تردید گفت:

ـ یعنی می‌شه؟

لونا ناباورانه سرش را تکان داد و گفت:

ـ ای بابا، تو که خودت صداشونو پشت اون پرده شنیدی.

ـ منظورت اینه که...

ـ توی همون اتاقی که تاق‌نما داشت. اونا فقط ناپدید مـی‌شن. هـمین. صداشونو که شنیدی.

آن دو به هم نگاه کردند. لبخند محوی بر چهره‌ی لونا نمایان بود. هری نمی‌دانست چه باید بگوید یا به چه باید فکر کند. لونا خیلی از چیزهای عجیب و غیرعادی را باور می‌کرد... امّا او اطمینان داشت که خودش نیز صدای کسانی را در پشت پرده شنیده است...

هری گفت:

ـ مطمئنی که نمی‌خوای در پیداکردن وسایلت کمکت کنم؟

لونا گفت:

ـ اوه، لازم نیست. فکر می‌کنم بهتر باشه برم پایین و یه ذرّه دسر بخورم و صبر کنم تا خودشون پیدا بشن... همیشه آخرش پیدا می‌شن... خب امیدوارم تعطیلات بهت خوش بگذره، هری.

ـ آره، امیدوارم به تو هم خوش بگذره.

لونا از او دور شد و وقتی دورشدن او را نگاه می‌کرد به نظرش رسید سنگینی دردناکی که در دلش حس کرده‌بود سبک‌تر می‌شود.

فردای آن روز سفرشان در قطار سریع‌السیر هاگوارتز برای بازگشت به خانه از چند نظر سفری پر حادثه بود. اوّل از همه، مـالفوی، کـراب و گویل که یک هفته‌ی تمام در انتظار فرصت مناسبی بـودند کـه دور از چشم استادها به هری حمله کنند وقتی هری از دستشویی برمی‌گشت و به نیمه‌های قطار رسیده بود او را غـافلگیر کـردند. البتّه اگر مـحل حمله‌شان را ندانسته جلوی کـوپه‌ای پـر از اعضای الفدال انتخاب

نکرده‌بودند ممکن بود حمله‌ی موفقیّت‌آمیزی از آب در بیاید. امّا اعضای الف‌دال که از شیشه شاهد ماجرا بودند همه با هم به کمک هری شتافتند. وقتی ارنی مک‌میلان، هاناآبوت، سوزان بونز، جاستین فینچ‌فلچلی، آنتونی گلدستاین و تری‌بوت استفاده از انواع طلسم‌های شومی را که هری به آن‌ها آموخته بود به پایان رساندند مالفوی، کراب و گویل درست مثل سه حلزون بی‌صدف عظیم‌الجثّه شده‌بودند که در ردای یک شکل دانش‌آموزان هاگوارتز خود را جمع کرده‌باشند. هری، ارنی و جاستین آن‌ها را بلند کردند و در قفسه‌ی بارها گذاشتند تا خودشان کم‌کم به حال عادی بازگردند.

ارنی وقتی صدای جیغ و ویغ مالفوی را از بالای سرش شنید با رضایت خاصّی گفت:

ـ خیلی دلم می‌خواد وقتی مالفوی از قطار پیاده می‌شه قیافه‌ی مادرشو ببینم.

ارنی هنوز از مالفوی خشمگین بود که در دوران کوتاه عضویّتش در جوخه‌ی بازجویی آن همه امتیاز از هافلپاف کم کرده‌بود.

رون که آمده‌بود تا از علّت آن آشوب با خبر شود گفت:

ـ ولی مادر گویل حتماً خوش‌حال می‌شه. آخه الان قیافه‌ش خیلی بهتر شده... راستی هری، چرخ‌دستی خوراکی‌ها همین الان اومد اگه چیزی می‌خوای...

هری از همه تشکّر کرد و همراه رون به کوپه‌شان بازگشت و تعداد زیادی کیک پاتیلی و پیراشکی کدوحلوایی خرید. هرمیون بازهم سرگرم خواندن *پیام امروز* بود. جینی به آزمون کوتاهی در مجلّه‌ی *طفره‌زن* پاسخ می‌داد. نویل نیز میمبلوس میمبله تونیایش را نوازش می‌کرد که نسبت به سال گذشته رشد زیادی کرده‌بود و وقتی دست نویل به آن می‌خورد صدای زمزمه‌ی عجیبی از آن به گوش می‌رسید.

هری و رون بیش‌تر وقت خود را با بازی شطرنج جادویی گذراندند و در این میان هرمیون تکّه‌هایی از *پیام امروز* را برایشان می‌خواند. اکنون دیگر *پیام امروز* پر از مقاله‌هایی درباره‌ی روش دفع دیوانه‌سازها، اقدامات وزارتخانه برای یافتن ردّپایی از مرگ‌خواران و نامه‌های جنون‌آمیزی بود که نویسنده در آن اعلام می‌کرد که همان روز صبح ولدمورت را هنگام عبور از جلوی خانه‌اش دیده است...

هرمیون بار دیگر روزنامه را تا کرد و با ناراحتی گفت:

ـ تازه هنوز شروع نشده... امّا دیگه چیزی نمونده که شروع بشه...

رون با اشاره‌ی سرش به شیشه‌ی قطار، راهرو را نشان داد و گفت:

ـ هی، هری.

هری رویش را برگرداند. چو همراه با ماریه‌تا اجکومب که یک کلاه بالاکلاوا روی سر گذاشته بود از جلوی کوپه‌شان رد می‌شد. لحظه‌ای نگاه چو با نگاهش تلاقی کرد. چو سرخ شد و به راهش ادامه داد. هری به موقع نگاهش را دوباره به صفحه‌ی شطرنج انداخت و اسب رون را دید که سربازش را به زور از مربّع زیر پایش بیرون می‌راند. رون به آرامی پرسید:

ـ راستی بین شما دوتا... چیزی پیش اومده؟

هری صادقانه گفت:

ـ نه، چیزی پیش نیومده.

هرمیون محتاطانه گفت:

ـ من... شنیده‌م الان با یکی دیگه دوست شده.

هری متعجّب شد که این خبر به هیچ‌وجه او را ناراحت نکرده‌است. گویی تمایل او برای به‌دست‌آوردن دل چو متعلّق به گذشته بود و دیگر هیچ ارتباطی با او نداشت. این روزها بسیاری از چیزهایی که پیش از مرگ سیریوس می‌خواست به همین صورت درآمده بودند... یک

هفته‌ای که پس از آخرین دیدارش با سیریوس گذشته بود گویی بسیار بیش‌تر از یک هفته طول کشیده بود. آن هفته میان دو دنیا گسترده شده‌بود: دنیایی با سیریوس و دنیایی بدون او.

رون با لحن محکمی گفت:

ـ خوب از فکرش دراومدی، رفیق. یعنی می‌خوام بگم اون خیلی خوشگل و خوش‌قیافه‌ست ولی تو احتیاج به کسی داری که یه ذرّه شادتر باشه.

هری شانه‌هایش را بالا انداخت و گفت:

ـ احتمالاً وقتی با کس دیگه‌ای دوست بشه خوش‌حال هم می‌شه.

ـ راستی الان با کی دوست شده؟

رون از هرمیون سؤال کرده‌بود امّا جینی به او پاسخ داد:

ـ با مایکل کرنر.

رون از روی صندلی‌اش سرک کشید تا بتواند او را ببیند و گفت:

ـ مایکل... ولی... مگه شما با هم دوست نبودین؟

جینی با چهره‌ای مصمّم گفت:

ـ دیگه نیستیم. وقتی گریفندور ریونکلارو شکست داد اون خیلی بدش اومد و حسابی بداخلاق شد. منم دیگه کاری به کارش نداشتم. اونم دوید رفت سراغ چو که دردهاشو تسکین بده.

جینی با حواس‌پرتی با قلم پرش بینی‌اش را خراشید. سپس مجلّه‌ی طفره‌زن را وارونه کرد تا پاسخ‌ها را علامت بزند. رون بی‌نهایت خوش‌حال شده‌بود. او درحالی‌که به وزیرش سیخونک می‌زد تا به سمت رخ لرزان هری برود گفت:

ـ می‌دونین، همیشه فکر می‌کردم اون یه ذرّه احمقه. خوب کاری کردی، دفعه‌ی بعد... یه دوست بهتر پیدا کن.

وقتی این حرف را می‌زد نگاه دزدانه‌ی مرموزی به هری انداخت.

جینی با حالت ابهام‌آمیزی گفت:

ـ خب راستش حالا دین‌توماس‌رو انتخاب کرده‌م، به نظرت بهتر نیست؟

رون صفحه‌ی شطرنج را وارونه کرد و فریاد کشید:

ـ چی؟

کج پا به دنبال مهره‌های شطرنج شیرجه زد و هدویگ و خرچال با خشم بالای سرشان هوهو و جیرجیر کردند.

وقتی با نزدیک‌شدن به ایستگاه کنیگزکراس از سرعت قطار کاسته می‌شد هری در این فکر بود که اکراهش برای پیاده‌شدن از قطار از همیشه بیش‌تر است. حتّی یک لحظه‌ی گذرا با خود فکر کرد که اگر از قطار پیاده نشود و تا اوّل دسامبر با یکدندگی آن‌جا بنشیند تا دوباره با قطار به هاگوارتز برگردد چه می‌شود؟ امّا وقتی بالاخره قطار با خروج توده‌ی ابرمانندی از دود متوقّف شد، قفس هدویگ را پایین گذاشت و آماده شد تا مثل همیشه چمدانش را کشان‌کشان از قطار بیرون ببرد.

وقتی مأمور بازرسی بلیت‌ها به هری، رون و هرمیون علامت داد که موقعیّت برای عبور از مانع جادویی بین سکوی نه و ده مناسب است، هری در آن سوی مانع با صحنه‌ی شگفت‌انگیزی مواجه شد. گروهی در آن‌جا به استقبالش آمده‌بودند که به هیچ‌وجه انتظار دیدنشان را نداشت.

مودی چشم‌باباقوری آمده بود که قیافه‌اش با کلاه لگنی پایین‌آمده تا روی چشمش به اندازه‌ی وقتی که آن را بر سر نمی‌گذاشت شرور و شیطانی به نظر می‌رسید. با دست‌های گره‌دارش چوبدستی بلندی را نگه داشته‌بود و شنل سفری گشادی به تن داشت. تانکس درست پشت سر او ایستاده بود. موی صورتی‌اش که به رنگ آدامس بادکنکی بود در زیر نوری می‌درخشید که از شیشه‌های کثیف و خاک‌گرفته‌ی سقف به

درون ایستگاه می‌تابید. او شلوار جین پروصله‌ای به تن داشت و بلوز آستین کوتاهی به رنگ ارغوانی روشن پوشیده بود که بر روی آن نام گروه افسانه‌ای خواهران عجیب به چشم می‌خورد. کنار تانکس، لوپین با چهره‌ی رنگ پریده و موی جوگندمی‌اش ایستاده بود. بارانی کهنه و رنگ و رو رفته‌ای را روی بلوز و شلوار مندرسش پوشیده بود. در جلوی گروه آقا و خانم ویزلی با بهترین لباس‌های مشنگی خود ایستاده بودند. در کنار آن‌ها نیز فرد و جرج بودند که کت نویی به رنگ سبز تند به تن داشتند که از جنس نوعی پوست فلس‌دار بود.

خانم ویزلی با عجله جلو رفت و فرزندانش را محکم در آغوش کشید و گفت:

ـ رون، جینی! اوه... هری، عزیزم... تو چه طوری؟

وقتی خانم ویزلی او را نیز محکم در آغوش فشرد به دروغ گفت:

ـ خوبم.

از بالای شانه‌ی خانم ویزلی رون را دید که با دهان باز به لباس جدید دوقلوها نگاه می‌کند. رون به کت آن‌ها اشاره کرد و گفت:

ـ اینا چی هستند؟

فرد زیب کتش را کمی جلو کشید و گفت:

ـ این... بهترین پوست اژدهاست، برادر کوچولو. دیدیم کاروبارمون گرفته، گفتیم یه ذرّه به سر و وضعمون برسیم.

وقتی خانم ویزلی هری را رها کرد و به سراغ هرمیون رفت لوپین گفت:

ـ سلام، هری.

هری گفت:

ـ سلام. من اصلاً انتظار نداشتم... چی شده که اومدین این‌جا؟

لوپین با لبخند مختصری گفت:

ـ راستش... فکر کردیم بد نیست قبل از این‌که خاله و شوهرخاله‌ت تورو با خودشون ببرن باهاشون گپی بزنیم.

هری بلافاصله گفت:

ـ فکر نمی‌کنم این فکر جالبی باشه.

مودی که لنگ‌لنگان کمی جلوتر آمده‌بود گفت:

ـ ولی به نظر من هست. اونا هستن دیگه، درسته، پاتر؟

مودی باشستن پشت سرش رانشان می‌داد. معلوم بود که چشم سحرآمیزش از پشت سر و کلاهش با دقّت به آن‌ها نگاه می‌کند. هری سرش را یکی دوسانتی‌متر به سمت چپ خم کرد تا ببیند چشم‌باباقوری به کجا اشاره می‌کند و چنان که انتظار داشت به همان نقطه‌ای اشاره می‌کرد که سه عضو خانواده دورسلی ایستاده بودند و کاملاً مشخّص بود که از دیدن استقبال‌کنندگان هری مات و مبهوت مانده‌اند.

آقای ویزلی که با شور و هیجان با والدین هرمیون احوالپرسی می‌کرد رویش را به سمت هری برگرداند و پدر و مادر هرمیون به نوبت هرمیون را در آغوش کشیدند. آقای ویزلی به هری گفت:

ـ آه، هری! خب، بریم دنبال کارمون؟

مودی گفت:

ـ بله، فکر می‌کنم بهتر باشه که بریم.

او و آقای ویزلی به آن سوی ایستگاه رفتند و به دورسلی‌ها نزدیک شدند که گویی سر جایشان میخکوب شده‌بودند. هرمیون با ملایمت از پدر و مادرش جدا شد تا همراه آن‌ها نزد دورسلی‌ها برود.

آقای ویزلی درست جلوی عمو ورنون ایستاد و با خوشرویی به او گفت ـ عصر به خیر. حتماً منو یادتونه. من آرتور ویزلی هستم.

از آن‌جا که آقای ویزلی دو سال پیش به تنهایی بیش‌تر قسمت‌های اتاق نشیمن دورسلی‌ها را ویران کرده بود اگر عمو ورنون او را به یاد

نمی‌آورد هری بسیار متعجّب می‌شد. مثل روز روشن است که عمو ورنون سرخ‌تر از قبل شد و به آقای ویزلی چشم غرّه رفت امّا ترجیح داد ساکت بماند، شاید به این دلیل که تعداد آن‌ها دو برابر دورسلی‌ها بود. خاله پتونیا هم ترسیده بود هم خجالت می‌کشید. یکسره به اطرافش طوری نگاه می‌کرد گویی می‌ترسید یکی از آشنایانشان آن‌ها را در آن‌جا کنار این افراد ببیند. در این میان دادلی می‌کوشید کوچک و ناچیز به نظر برسد و این معجزه‌ای بود که به هیچ‌وجه اتّفاق نمی‌افتاد.

آقای ویزلی که همچنان لبخند می‌زد گفت:

ـ می‌خواستیم چند کلمه درباره‌ی هری باهاتون صحبت کنیم.

مودی غرولندکنان گفت:

ـ آره، درباره‌ی این‌که وقتی پیش شماست چه رفتاری باید باهاش داشته باشین.

به نظر می‌رسید که سبیل عمو ورنون از خشم و ناخشنودی کمی بالا جسته است. شاید برای این‌که کلاه لگنی مودی باعث می‌شد با او احساس نزدیکی کند او را خطاب قرار داد و گفت:

ـ فکر نمی‌کنم به هیچ‌کدوم از شما مربوط باشه که توی خونه‌ی من چی می‌گذره...

مودی غرولندی کرد و گفت:

ـ حدس می‌زنم با فکرهایی که تو نمی‌کنی بشه چندین جلد کتاب نوشت، دورسلی.

تانکس مداخله کرد و گفت:

ـ بگذریم، بریم سر اصل مطلب.

ظاهراً موی صورتی تانکس بیش از هر چیزی در بقیّه‌ی افراد در نظر خاله پتونیا توهین‌آمیز بود زیرا به جای آن‌که به او نگاه کند چشم‌هایش را بست. تانکس ادامه داد:

ـ اصل مطلب اینه که اگر ما بفهمیم که شما با هری بدرفتاری کردین...

لوپین با خوشرویی گفت:

ـ... و مطمئن باشین که به گوشمون می‌رسه.

آقای ویزلی گفت:

ـ بله، حتّی اگه به هری اجازه ندین از فله‌تون استفاده کنه...

هرمیون آهسته گفت:

ـ تلفن.

مودی گفت:

ـ آره، اگه به گوشمون برسه که کوچک‌ترین بد رفتاری با پاتر کردین سروکارتون با ماست.

عمو ورنون با حالت تهدیدآمیزی سینه‌اش را پر از باد کرد. خشم و ناخشنودی‌اش چنان شدید بود که بر ترسش از این گروه عجیب و غریب غلبه کرد. او با چنان صدای بلندی شروع به صحبت کرد که رهگذران سرشان را برگرداندند و به او نگاه کردند. او گفت:

ـ شما دارین منو تهدید می‌کنین، آقا؟

مودی که ظاهراً بسیار خوش‌حال بود که او به این زودی منظورش را درک کرده‌است گفت:

ـ بله، تهدید می‌کنم.

عمو ورنون با خشم گفت:

ـ به من می‌یاد از اون مردهایی باشم که بشه ترسوندشون؟

مودی گفت:

ـ راستش...

سپس کلاه لگنی‌اش را بالا زد تا چشم سحرآمیزش که با حالتی شیطانی می‌چرخید نمایان شود. عمو ورنون از وحشت عقب پرید و محکم با چرخ‌دستی پر از باری برخورد کرد. مودی ادامه داد:

ـ بله، باید بگم از همون مردهایی، دورسلی.

مودی رویش را از عمو ورنون برگرداند و هری را وارانداز کرد و گفت:

ـ پس پاتر... هروقت بهمون احتیاج داشتی خبرمون کن. اگه سه روز پشت سرهم ازت بی‌خبر باشیم یکی‌رو می‌فرستیم...

خاله پتونیا به‌طور ترحّم‌انگیزی ناله می‌کرد. از قیافه‌اش کاملاً معلوم بود به این فکر می‌کند که اگر همسایه‌ها این افراد را در حیاط خانه‌ی آن‌ها ببینند چه می‌گویند.

مودی لحظه‌ای دست گره دارش را روی شانه‌ی هری گذاشت و گفت:

ـ خداحافظ، پاتر.

لوپین به آرامی گفت:

ـ مواظب خودت باش، هری. با ما در تماس باش.

خانم‌ویزلی باردیگر او را در آغوش گرفت و در گوشش زمزمه کرد:

ـ هری ما هرچه زودتر تورو از اون‌جا دور می‌کنیم.

رون با نگرانی با هری دست داد و گفت:

ـ به امید دیدار هر چه زودتر، رفیق.

هرمیون صمیمانه گفت:

ـ به زودی می‌بینمت، هری، خیلی زود. بهت قول می‌دیم.

هری سرش را به نشانه‌ی موافقت تکان داد. او کلمه‌ی مناسبی پیدا نمی‌کرد تا بتواند به آن‌ها بگوید حضور دسته جمعی‌شان در کنارش، چه‌قدر برایش ارزشمند است. او فقط لبخند زد و با حرکت دستش از آن‌ها خداحافظی کرد. آن‌گاه برگشت تا از ایستگاه بیرون برود و به خیابان روشن و آفتابی قدم بگذارد. عمو ورنون، خاله پتونیا و دادلی نیز با عجله به دنبالش روان شدند.

پایان جلد پنجم

به نام او که نیکو آفرید

حرف آخر

با درود فراوان به همه‌ی دوستداران مجموعه داستانهای هری‌پاتر و با این امید که توانسته باشم رضایت خاطر این عزیزان را جلب نمایم ذکر چند نکته را ضروری می‌دانم.

به‌رغم آن که ترجمه‌ی اثری که در دست دارید در زمانی بس کوتاه انجام گرفت کوشیدم کیفیت را مدّ نظر قرار بدهم و نگذارم تنش‌های حاصل از فشردگی کار، به متن ترجمه خدشه‌ای وارد سازد. امیدوارم خوانندگان عزیز با توجه به دشواری شرایط موجود از خطاهایی که شاید در اثر فشردگی مراحل ترجمه و چاپ، اصلاح نشده باقی مانده، بزرگوارانه چشم‌پوشی کنند.

در ترجمه‌ی کتاب هری‌پاتر و جام آتش به تجربه‌ی جدیدی دست زدم و وردهای جادویی را به زبان فارسی برگرداندم. اما با اصرار بسیاری از خوانندگان نوجوان دریافتم که نوشتن وردها با تلفظ لاتین آن‌ها لطف دیگری دارد که نمی‌توان از آن گذشت.

بنابراین در کتاب حاضر تلفظ لاتین وردها را در متن گنجانده‌ام.

نکته‌ی دیگری که از اوایل کار ترجمه‌ی مجموعه داستان‌های هری‌پاتر مایل به بیان آن بودم مقوله تلفظ اسامی اشخاص است. اسامی خاص مانند سایر واژه‌ها در هر زبان با استفاده از امکانات زبانی خاص همان زبان صورت می‌گیرد و انتقال تلفظ صحیح برخی اسامی به زبان‌های دیگر اندکی دشوار به نظر می‌رسد به طور مثال می‌توان به نام ساده‌ی «ماری» اشاره کرد که استادان ترجمه با این که می‌توانستند آن را در قالب گویش صحیح این اسم در زبان فرانسوی به صورت «ماغی یا مَغی» بنگارند به دلیل خاصی چنین نکرده‌اند. از آن گذشته آگاهی از تلفظ اسامی امری شنیداری است و تنها راه اطمینان از تلفظ صحیح هر اسم شنیدن آن از زبان کسانی است که به آن زبان سخن می‌گویند به همین دلیل است که کسانی در ابتدا به جای «دانلد»، «دونالد» و به جای «تامس»، «توماس» نوشته‌اند چنان‌که این اسامی با شکل اخیر میان فارسی زبان‌ها جا افتاده است.

در مجموعه داستان‌های هری‌پاتر نیز شخصیتی به نام «هرماینی گرنجر» وجود دارد که حتی خود نویسنده در کتاب هری‌پاتر و جام آتش به صراحت اذعان داشته است که تلفظ نام وی برای خارجی زبان‌ها چندان آسان نیست چنان‌که این شخصیت طرز تلفظ صحیح نامش را برای ویکتور کرام، بازیکن کوییدیچ بلغاری، توضیح می‌دهد من نیز پس از ترجمه‌ی دو جلد از کتاب‌های این مجموعه از تلفظ صحیح این نام آگاهی یافتم اما برای حفظ یکپارچگی متن و همچنین به دلیل کلیدی بودن این

شخصیت، ترجیح دادم به نوشتن این نام با تلفظ نادرست آن یعنی «هرمیون» ادامه بدهم. جالب این که بسیاری از خوانندگان این داستان‌ها نیز پس از مشاهده‌ی فیلم‌های «هری‌پاتر و سنگ جادو» و «هری‌پاتر و حفره‌ی اسرارآمیز» با تلفظ صحیح این نام آشنا شدند و اکثر آن‌ها به طور شفاهی یا کتبی درخواست کردند در کتاب‌های بعدی این مجموعه «هرمیون» را به «هرماینی» تبدیل نکنم. آن‌ها با اصرار می‌گفتند که چون به دیدن کلمه‌ی «هرمیون» عادت کرده‌اند ترجیح می‌دهند تا پایان مجموعه نام این شخصیت را به همین شکل ببینند. در هر حال، از آنجا که انتقال مفاهیم، صنایع ادبی، حال و هوا، طنز و ... از یک زبان به زبانی دیگر کاری بس دقیق و پیچیده است و انتقال کامل همه‌ی این عوامل به دلیل وجود محدودیت و تفاوت‌های موجود در امکانات زبان‌های گوناگون امکان‌پذیر نیست اکثریت قریب به اتفاق مترجمان تمام هم و غم خود را برای انتقال هر چه بیش‌تر و دقیق‌تر این عوامل متمرکز می‌کنند و مسایل پیش پاافتاده‌ای چون تلفظ صحیح اسامی را به خوانندگان وامی‌گذارند به همین دلیل است که مترجمان اسامی را با حروف لاتین در زیر نویس می‌آورند تا راهگشای کسانی باشد که به تلفظ صحیح اسامی علاقه‌مندند.

در پایان خود را موظف می‌دانم از همه کسانی که به هر نحو موجب دلگرمی من در امر ترجمه‌ی این اثر شده‌اند صمیمانه تشکر و قدردانی کنم. پیش از همه، از خواهر دلسوز و مهربانم مهسا و همسر گرانقدرش آقای کریستوفر تاد شاپ بی‌نهایت سپاسگزارم که با محبتی صادقانه و از خودگذشتگی،

امکان دسترسی هر چه سریع‌تر به کتاب اصلی هری‌پاتر و محفل ققنوس را بـرایـم‌فراهـم آوردنـد. از تک‌تک اعضای خـانواده بسـتگان و آشـنایانم بـرای حمایت ارزشـمندشان سپاسگزاری می‌کنم به ویژه از همسر دلسوزم آقای رضاکثیری و دختر مهربانم نیوشاکه با شکیبایی و درکی عمیق بهترین پشـتوانـه‌ی مـن بـرای انجام این کـار بـودند. از مـدیر مـحترم کتابسـرای تـندیس، جناب آقای ابوالفضل میرباقری و خانواده‌ی محترمشان کمال تشکر را دارم که با درایت و هشیاری امکان چاپ و انتشار هـر چه سریع‌تر این اثر را بـاکیفیتی بی‌نظیر فـراهـم آوردنـد و بـا راهنمایی‌های هوشمندانه‌شان باعث بهبود ترجمه‌ی این اثر شدند از سرکار خانم راحله محمودی و جناب آقای غلامرضا کردگاری بی‌نهایت سپاسگزارم که با دقت و علاقه در انجام کارشان مراحل چاپ این اثر را سرعت بخشیدند.

از خانم مهسا رستمی بی‌نهایت متشکرم که در امر وقت‌گیر یافتن نام دقیق طلسم‌ها، افسون‌ها، مراکز جادویی و امثال آن از کتاب‌های پیشین صمیمانه به یاری‌ام شتافت. از خانم یا آقای م.رحیمی که از آمریکا تماس گرفته، مرا مورد لطف و تشویق قرار دادند نیز کمال تشکر را دارم.

امـیدوارم هـمه‌ی کسـانی کـه از لذت خـوانـدن کتاب‌های مجموعه‌ی هری‌پاتر بهره‌مند می‌شوند توجه داشته باشندکه گرچه «جادوگری» به معنای انجام کاری مـعجزه‌آساست کـه بـه ظاهر هـمگان قـادر بـه انـجام آن نیستند بـا انـدکی تـوجه بـه جهان پیرامونمان به راحتی می‌توانیم جادوگران و ساحره‌های فراوانی را

مشاهده می‌کنیم که با جادوی اراده افسون پشتکار و بهره‌مندی از نیروهای سحرآمیزی چون عشق و صداقت دست به اعمال خارق‌العاده‌ای می‌زنند که از جادوهای افسانه‌ای بس ارزشمندتر، با شکوه‌تر و پایدارتر است و همواره بی‌خردانی چون ولدمورت و مرگ‌خوارانش را به خشم می‌آورند.

فراموش نکنیم که خون جادویی همان نیروی والا و ارزشمندی است که در ابتدای آفرینش در کالبد تک‌تک ما دمیده شده و ما را از قدرتی لبریز ساخته که با آن می‌توانیم کوه را به لرزه درآوردیم...

به یاد داشته باشیم اولین نامه‌ای که از هاگوارتز به دستمان می‌رسد کلام خوش آوای اولین کسی است که ما را از نیروی شگفت‌انگیز درونمان آگاه می‌کند...

از یاد نبریم در درونمان هاگوارتزی وجود دارد که در آن می‌توانیم به پرورش این نیروی ارزشمند درونی بپردازیم...

و بدانیم که چوبدستی سحرآمیز ما دست همت ماست و ورد ما، کلام معجزه‌گرمان...

پس،

تا عشق و امیدی هست، چه باک از بوسه‌ی دیوانه‌سازان؟

به امید شکوفایی جادوی درونمان
ویدا اسلامیه
شهریور ۱۳۸۲

کتابسرای تندیس

کتاب‌های منتشرشده توسط کتابسرای تندیس

با ترجمهٔ ویدا اسلامیه

۲ - هری‌پاتر و حفره اسرارآمیز، ترجمهٔ ویدا اسلامیه

۳ - هری‌پاتر و زندانی آزکابان، ترجمهٔ ویدا اسلامیه

۴ - هری‌پاتر و جام‌آتش، جلد اول، ترجمهٔ ویدا اسلامیه

۵ - هری‌پاتر و جام‌آتش، جلد دوم، ترجمهٔ ویدا اسلامیه

۹ - کوییدیج در گذر زمان، ترجمهٔ ویدا اسلامیه

۱۳ - آواز سپیده‌دم، ترجمهٔ ویدا اسلامیه

۱۴ - سفر به باغ مقدّس، ترجمهٔ ویدا اسلامیه، زیر چاپ